humildad
y
Liderazgo

humildad y Liderazgo

¿necesita el empresario ser humilde?

Carlos Llano Cifuentes

Humildad y Liderazgo

Primera edición 2004
Segunda reimpresión 2004
Tercera reimpresión 2004
Cuarta reimpresión 2005
Quinta reimpresión 2006
Sexta reimpresión 2007
Septima reimpresión 2008
Octava reimpresión 2010

Colina de Acónitos No. 11
Fracc. Boulevares
Naucalpan, Edo. de Méx.
C. P. 53140
Tel. (55) 5562-3802
ventas@edicionesruz.com

Coordinación editorial
Hildebrando Cota Guzmán

ISBN 968-5151-19-9
978-968-5151-19-1

Impreso en México / *Printed in Mexico*

Índice

Introducción

El título de este trabajo es deliberadamente provocativo. Un líder humilde nos recuerda a un cuadrado redondo. El caso es que nos hemos dedicado durante los últimos años al análisis filosófico de las cualidades humanas relacionadas con la dirección de las organizaciones, de las cualidades humanas requeridas para potenciarla y de los defectos que el hombre frecuentemente posee, los cuales la limitan y obstaculizan. En el fondo de las obras que han resultado de estos análisis aparece siempre, de una u otra manera, el requerimiento de la humildad.[1]

No obstante, la contradicción al parecer implícita entre esos dos conceptos (dirigir una organización y ser humilde) nos retraía temerosamente de abordar con descaro este tema, arrinconándolo en el subconsciente, de donde reaparecía ante cada nuevo asunto o nueva obra destinada a la antropología de la dirección.

El problema no sólo parecía ser conceptual, sino también empírico e histórico. Empírico, por cuanto que en una encuesta practicada en el Instituto Panamericano de Alta Dirección de Empresa (IPADE), México, sobre 24 cualidades que pudieran guardar alguna relación provechosa con la dirección general, la *modestia*[2] equiparable a la

---

[1] Ello ha ocurrido, por ejemplo, en *Análisis de la acción directiva* (Noriega, México, 1990); *El nuevo empresario en México* (Fondo de Cultura Económica–Nacional Financiera, México, 1994); *Dilemas éticos de la empresa contemporánea* (Fondo de Cultura Económica, México, 1997); *La amistad en la empresa* (Fondo de Cultura Económica-IPADE, México, 2000); *Metamorfosis de las empresas* (Granica–IPADE, México, 2000); *Falacias y ámbitos de la creatividad* (Noriega-IPADE, México, 2000).

[2] Cfr. Carlos Llano, *Formación de la inteligencia, la voluntad y el carácter*, Trillas, México, 1999, pp. 160 y ss.

humildad, se considera en el penúltimo lugar, dejando ver la poca relevancia prestada a ese factor característico, que las culturas no cristianas se han ocupado persistentemente en desmerecer. Nos preguntamos entonces si las actividades directivas han perdido entre nosotros su sentido cristiano; si la dirección, como todo puesto de preponderancia, se ha dejado vencer por el peligro patente del enaltecimiento del propio yo.

Pero, dijimos, nuestro temor de encararnos abiertamente con la influencia de la humildad en las tareas directivas, no sólo provenía de aquella encuesta empírica, sino de razones adicionales halladas en nuestra propia historia de la cultura:[3] en la *Paideia* de Werner Jaeger se estudia a fondo el desarrollo de la persona en la educación de los griegos y, sospechosamente, la voz *humildad* no se pronuncia en momento alguno.

Aristóteles se encuentra influido por los fines primitivos del honor en la antigua cultura griega. No teniendo aún el griego homérico una medida de su propia dignidad personal, calibraba esta dignidad con la opinión que los demás tuvieran de él. Y careciendo de una clara idea de la inmortalidad sustancial o personal, tendía a inmortalizarse cultural o históricamente por medio de la fama y el honor entre los demás.[4] Pensamos, sin estar aún en condiciones de fundamentarlo en textos, que Aristóteles evolucionó de alguna manera este concepto de dignidad avalado por la fama, entendiéndola más en el sentido de tener buena fama que en el de ser famoso.[5]

La cultura occidental supera este concepto del honor público como medida de la propia dignidad gracias al cristianismo, por el que el hombre adquiere una conciencia clara de que su dignidad, al margen de toda comparación, no deriva de la relación que guarda con los

---

[3] Cfr. Carlos Llano, *Formación de la inteligencia...*, p. 164.
[4] Cfr. Jaeger, Werner, *Paideia*, Fondo de Cultura Económica, México, 1971, p. 19 y ss.
[5] Cfr. Aristóteles, *Etica Nicomaquea*, I, c.3, 124a7. Cfr. Carlos Llano, *El empresario y su mundo*, McGraw-Hill, México, 1990. Cap. VI, nota 9.

hombres, sino de la relación personal, íntima, entrañable e individualizada que guarda con Dios.[6]

Curiosamente, el prestar tanta importancia al prestigio, preponderancia, popularidad, etc., implica en cierto modo un *regressus* al primitivo hombre de Homero. En la moral cristiana, al contrario, el profundo sentido que tiene para nosotros la dignidad de toda persona nos lleva al desprendimiento de la propia,[7] en lo que consiste ser humilde.

El concepto de humildad quiere ser desenterrado en el presente estudio, debido a otra prueba empírica con resultados diversos de la nuestra y en condiciones, diríamos, más confiables, realizada por Jim Collins, a la que pronto tendremos ocasión de referirnos.[8]

A partir de aquí, nuestras conjeturas acerca de la insustituible importancia de la humildad para el liderazgo descubrieron serios tratados en los que, sin constituir un tema monográfico, la humildad hace acto de presencia en la tarea directiva. Nos llamó la atención, en efecto, *La paradoja, un relato sobre la verdadera esencia del liderazgo*, de James Hunter, en el que, si bien la humildad no es uno de los caracteres esenciales del liderazgo, se hace presente como nota básica del amor en cuanto *agápe*, que sí es constitutivo en el ser líder.[9]

Igualmente, supuso una reafirmación de nuestras ideas iniciales la obra *El mito del líder*, en el que la humildad y el servicio se dan de la mano para hacernos entender que el liderazgo no es un mito sino una responsabilidad.[10]

Finalmente, salió a la luz la primera obra que tenía como gozne esta antes despreciada cualidad humana, aunque ahora no referida

---

[6] Cfr. Tomás de Aquino, *De Veritate*, q. 28, a. 2, ad 8; Tomás de Aquino, *Super ad hebraeos*, cap. 2, lect. 1; Tomás de Aquino, *De natura accidentis*, cap. 1.

[7] Cfr. Carlos Llano, *Formación de la inteligencia...*, p. 162.

[8] Jim Collins, "Level 5 Leadership: The Triumph of Humility and Fierce Resolve", *Harvard Business Review*, Janaury 2001, pp. 67-76.

[9] James C. Hunter James Hunter, *La Paradoja. Un relato sobre la verdadera esencial del liderazgo*, Urano, Barcelona, 1999, p. 98.

[10] Santiago Álvarez de Mon, *El mito del líder*, Financial Times/ Prentice Hall, Madrid, 2001.

al liderazgo sino a la mercadotecnia. En estos tiempos de la *high technology* y otros conceptos de "vanguardia", parece aventurado -por no decir temerario- escribir un libro sobre dirección de empresas con el título *The power of simplicity.*[11] Esta obra pone de manifiesto la importancia de poseer una mente clara, sencilla -sin complicaciones- para el ámbito de los negocios. La carencia de esta cualidad es uno de los problemas más agudos particularmente en los países que buscan insertarse en el mundo de la economía global. Jack Trout establece que las técnicas aprendidas en las escuelas de negocios pueden ser muy útiles, pero que el verdadero *core business* radica en una mente clara y simple.

La primera simplificación de la empresa debe partir de la sencillez del individuo. La simplicidad obliga a pensar en lo esencial y a clarificar. Ralph Waldo Emerson dejó dicho que "*no hay nada tan simple como la grandeza*; *de hecho, ser simple es ser grande*".

Cierto es que no pueden identificarse la humildad y la sencillez. Pero el hecho de que un reconocido científico del *management* y del *marketing* como lo es Trout se haya atrevido a publicar un libro sobre la sencillez, nos anima a nosotros a eliminar el irracional temor de hacerlo respecto de la humildad. Máxime si, en cambio, pueden identificarse en muchos aspectos el dirigir y el ser líder en una organización.

Hace unos meses, nos hicimos, por fin, la pregunta: ¿necesita el empresario ser humilde? La hicimos sabiendo ya que se nos daría una respuesta claramente negativa. Estamos sorprendidos de que la humildad se encuentre tan devaluada entre los que cargan sobre sí las instituciones de mayor rango en la sociedad contemporánea.

Que sepamos, la primera persona que habló del provecho de la humildad para los negocios fue Jaime Balmes. El modesto nombre latino y la condición de filósofo explican que no sea generalmente conocido en el ámbito sobre el que estamos escribiendo. Balmes es

---

[11] Jack Trout, *The power of simplicity*, McGraw-Hill, México, 1998.

autor de un precioso l... ...mbres de
negocios apreciamos: ... ...un capítulo
atractivo: *la humildad en r...* ...mos entender
que la humildad es, ante ... ...stica de los tratados de moral. Sin embar... ...consideran un defecto impropio de homb... ...rior ¿cómo puede
ser humilde?

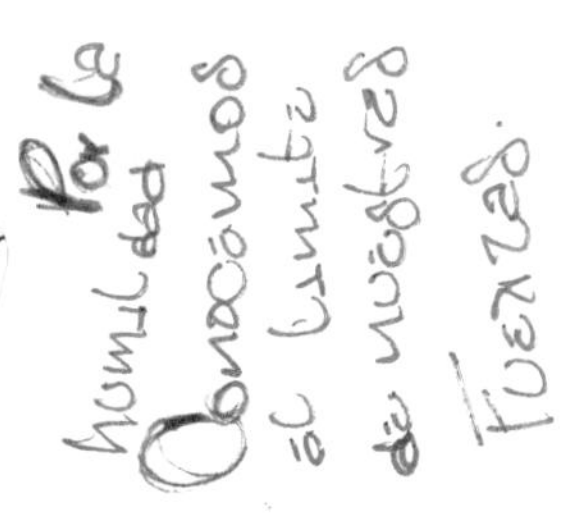

Podría por ello pensarse que nuestro filósofo catalán quiere referirse aquí a otro tipo de *negocios,* distintos de aquellos con los que tenemos que habérnoslas nosotros. Pero no es así: adelantándose a nuestras conjeturas, Balmes titula su capítulo de una manera casi paradójica: la humildad en relación con los negocios *mundanos*, lo cual tampoco nos extraña en el momento presente de las empresas, que tanta importancia le dan, con razón, a sus aspectos culturales (y las virtudes son el factor más importante de toda cultura). Son muchos los benéficos frutos que recibe el hombre humilde en la dinámica de su acción práctica, y Jaime Balmes es exhaustivo, aunque conciso, profundo y ameno en su descripción.

a) Por la humildad conocemos el límite de nuestras fuerzas. Un análisis frío y objetivo de éstas, pondría de relieve los defectos que nos cuesta reconocer y que son por ello los obstáculos permanentes para el progreso de todo lo que emprendemos. Por otra parte, nos impide exagerar nuestras cualidades, y engreírnos respecto de los demás, tomándonos como superiores a ellos. Ya que Jaime Balmes no se refiere a este punto, es necesario que lo hagamos nosotros: la humildad nos insta a un examen serio de la competencia, especialmente para conocer sus puntos fuertes. *La humildad nos dice que no hay competencia pequeña.*

b) Otra de las cualidades que brotan en nosotros cuando adoptamos una actitud humilde en nuestras acciones prácticas, es la disposición permanente de pedir consejo. Esto no ya porque tengamos en poco nuestra inteligencia, acerca de la cual poseemos muchas experimentales pruebas de sus frecuentes y a veces inconfesadas equivocaciones, sino porque tenemos en mucho la de los demás, "aún de los inferiores", nos dice el filósofo español.

c) Escogemos aún otro fruto inapreciable de la humildad, de entre los muchos que nuestro filósofo nos proporciona, y esta vez nos complace citarlo literalmente: "la humildad... es la verdad, pero aplicada al conocimiento de lo que somos"[12]; "no nos deja creer jamás que hemos llegado a la cumbre en ningún sentido, ni cegarnos hasta el punto de no ver lo mucho que nos queda por adelantar y la ventaja que otros nos llevan".[13] *La humildad no es apocamiento*, añadimos nosotros, *sino estímulo y acicate de superación*. Sólo si nos sabemos menos, pretenderemos ser más. Que la humildad sea la verdad obliga a una conducta que a muchos les parece impropia: *saber rectificar, y rectificar sobre todo si la equivocación versa sobre sí mismo.*

Con estos antecedentes los resortes intelectuales se pusieron en marcha. Nos proponemos hacer una *lectura transversal* de nuestros estudios sobre la antropología de la dirección o del liderazgo, para subrayar monográficamente el peso que tiene la humildad en los principales aspectos de la dirección o gobierno de hombres que en esas obras nuestras se han atendido. *Lectura transversal no implica repetir o reiterar*, sino destacar. Curiosamente, lo que quiere destacarse en esta obra es lo improcedente que resulta el *destacarse* en la labor de gobierno. No obstante la repulsa que, en primera instancia, provocará esta original aproximación a las tareas directivas, tenemos la seguridad de que acarreará beneficios insospechados para quienes se atrevan a emprender el acceso a un tema tan evitado como necesario.

---

[12] Jaime Balmes, *El Criterio,* Espasa Calpe, México, cap. XII, § XIII, p. 192.
[13] Jaime Balmes, *El Criterio*, cap. XII, § XIII, p. 192.

Parte I

La humildad en la persona del director

1 Una prueba empírica

Aludimos a que nuestros temores para abordar la humildad como un rasgo importante en la labor de liderazgo fueron superados por nosotros a causa de un importante estudio de Collins, el cual confirma empíricamente una idea intuida con insistencia en múltiples de nuestras obras.[1] Se trata -dijimos- de la investigación llevada a cabo por Jim Collins y su colega Jerry Porras, buscando un patrón específico para detectar la diferencia cualitativa de aquellas empresas que, habiendo logrado un desempeño excepcional, se mantuvieron en él, indagando, al unísono, las carencias encontradas en otras compañías que, habiendo alcanzado también cotas de excepción, no lograron mantenerse en ellas de manera estable.

Para la investigación que resaltó los valores de la humildad y la firmeza, analizaron 1,435 empresas aparecidas desde 1965 a 1995 en las *500 de Fortune*, hallando 11 ejemplos de clara sustentabilidad en el éxito. Las características cualitativas diferenciales encontradas en ellas fueron la *modestia* y la *firmeza*, cualidades que, a su vez, no

---

[1] Nos referimos particularmente a Carlos Llano, *Falacias y ámbitos de la creatividad...*, en cuyo Capítulo "Falacias de la creatividad", "Paradigmas entitativos y operativos", p. 80 y ss., presentamos un estudio de la obra de Jim Collins y Jerry Porras, *Built to last: Successful Habits of Visionary Companies*, Harper Business, 1994. Ahí presentamos un conjunto de empresas cuyos altos niveles se conservaban durante largo tiempo.

se encontraban en muchas otras empresas con una trayectoria análoga, pero cuya vitalidad decayó pronto.[2]

Los autores reconocen -como nos ocurrió a nosotros- que su hallazgo resultaba contra-intuitivo y contra-cultural por los mismos motivos nuestros: las personas, al pensar en empresas excepcionales y duraderas, suponen detrás a líderes prominentes y a grandes personalidades. Ello no ocurre en modo alguno en Darwin Smith (Kimberly Clark), ni en Colman M. Mockler (Gillette), George Cain (Abott Laboratories), Charles R. Cork (Wolgreen), Alan Kurtzel (Circuit City), Joseph Cullman II (Philip Morris). También, modestamente, comparan a estos *personajes* de los negocios con Abraham Lincoln, quien, según Collins, nunca permitió que su *ego* se interpusiera en el camino por crear una nación perdurable, lo que consiguió siendo una figura "tranquila, pacífica y tímida", como ha sido históricamente descrito.

No todas las comparaciones fueron positivas en esta investigación. Tal es el caso, por ejemplo, de Lee Iaccoca, quien, habiendo merecidamente salvado a Chrysler del borde de la derrota, derivó su atención hacia sí mismo: se le vio en más de ochenta comerciales, promovió su autobiografía (siete millones de ejemplares en todo el mundo) y acarició la idea de postularse como Presidente de los Estados Unidos. Le fue tan difícil abandonar el centro del escenario, que muchos integrantes de su organización bromeaban diciendo que *Iaccoca* eran las siglas de la expresión inglesa "yo soy el Presidente de Chysler Corporation siempre".

Este *descubrimiento* de Collins es, por lo demás, algo sabido desde antiguo. Lao Tse[3] nos dejó ya dicho que "el mejor líder es aquél que apenas se hace notar... El buen líder habla poco". Como lo dice Heifetz, el liderazgo ha de tener lugar todos los días: no es un acontecimiento excepcional.[4] Si cupiera pensar que tiene una aureo-

---

[2] Jim Collins, "Level 5 Leadership", pp. 67-76.

[3] Citado por Charles Manz y Henry Sims, *Superliderazgo. Cómo enseñar a otros a autoliderarse en la empresa*, Editorial Paidos, Barcelona, 1993 .

[4] Ronald Heifetz, *Leadership without easy answers*, Harvard University Press, USA, 1998, 8a ed.

la sería la de la *normalidad* y *la discreción*. En este terreno, Álvarez de Mon acierta al mostrarnos el caso de Ben Cohen y Jerry Greenfield que dan nombre a los famosos helados Ben-Jerry's, y nos dice en un acertado resumen que Ben y Jerry son *dos hombres normales*, y no tiene empacho en sostener, *anticulturalmente*, que detrás de un liderazgo de peso social "se encuentra *gente grande y sencilla".*[5]

2 Humildad y Firmeza

La humildad o modestia de la que estaban internamente revestidos esos dirigentes venía acompañada, tal vez para sorpresa de los propios investigadores, de una profunda firmeza en sus decisiones. No sólo tenían en común haber superado dramáticas circunstancias en su vida personal, sino que asumieron radicales decisiones audaces en compañías que marchaban bien, pero que se ubicaron con ello en lugares insospechados.

Esas personas, "blandas o mansas", "tímidas, sin alardes", que "rehuían la atención", "reservados y corteses, de modales gentiles", "plácidos", que "no hablaban de sí mismos", convencidos de que "hay mucha gente en esta empresa que haría un trabajo mejor que yo", "típicos por su falta de ostentación", cuyo insólito auto-título es ser "un *tipo* con suerte", "inherentemente humildes", "que atienden primero a su gente", ofrecen una *paradójica* combinación: "la extrema personal modestia con una intensa voluntad profesional"; "la falta de jactancia unida a una resolución indomable", de manera que considerar la modestia externa como un signo de debilidad interna sería un error craso pues tales personas muestran, a la vez, una llamativa -ésta sí- densidad personal, y una "resolución estoica en sus decisiones".

A nosotros no nos sorprende esta dualidad que es sólo aparentemente paradójica. La humildad, en efecto, no es atributo de cama-

---

[5] Santiago Álvarez de Mont. *El mito del líder*, p. 108.

leones sociales. Antes de las citadas investigaciones de Collins, Hunter había dicho con tino que el liderazgo no era cuestión de estilo, sino de carácter, encarnado en innúmeras personalidades diversas. Carácter, por cierto, cuyos fundamentales aspecto ... ra Hunter son: paciencia, simpatía, *humildad*, generosidad, re ... ilgencia, honradez y compromiso. Estos trazos del caráct ... hábitos que *aguantan la prueba del tiempo* ... pecífica el motivo de esta dualidad: ... firmes, seguras y propias[7] y no e ...

Diciéndolo con el poeta de ... ra que el árbol tenga la hoja verde, la r ... y que subrayar que "una parte sustantiva d ... proyectos... que aunen rigor y exigencia c ... es que en modo ... el líder tiene como ... r los conflictos a todo trance. ... siempre con la ec ... ón de William James, según la cual ... no ha de medirse sólo por los logros co ... ros ... de dividir por los conflicto ... ció ...

Líder es q ... :
ni logros precar ... lictos; ni con ... nales.

Para Álvarez de Mon *liderazgo* y *co* ... os vocablos indisolublemente unidos: "Liderazgo es d ... .[9] De ahí que el liderazgo requiera sumar la firmeza a la humildad, para concebir el

[6] James Hunter, *La paradoja*, p. 158.
[7] Santiago Álvarez de Mon, *El mito del líder*, p. 31.
[8] Santiago Álvarez de Mon, *El mito del líder*, p. 52.
[9] Santiago Álvarez de Mon, *El mito del líder*, p. 59.

conflicto dentro de sus dimensiones apropiadas, pero tampoco sin expulsarlo en principio del ámbito de la dirección. Al contrario, Thomas F. Crum aconseja *entrar a fondo* en los recovecos y sutilezas de cualquier situación conflictiva para salir de ella nuevo y fortalecido.[10]

El conflicto, de suyo, es natural en la poliforme vida humana: ni positivo ni negativo. Es, simplemente, la introducción de una pauta en vigor. Aparece como la primera motivación para el camino. Lo que marca la diferencia no es tener conflictos o no tenerlos. La diferencia es lo que hago yo -lo que hace el líder- con el conflicto. Ganar y perder es propio de los juegos. Los conflictos nos permiten conocer y apreciar las diferencias: a partir de aquí podemos aprender, crecer, cooperar con objetivos comunes. De cualquier modo -positivo o negativo- el conflicto nace dentro. Su génesis no debe buscarse en causas externas incontrolables. La discusión es a veces la base del trabajo en equipo. Jim Burke, de Johnson and Johnson, y Andrew Grove, de Intel, no sólo fomentan lo que denominan "confrontación creativa", sino que la demandan. Desean y se rodean de personas lo bastante inteligentes para conocer la verdad, y lo suficientemente autónomos para decirla.[11] Afirma Peter Drucker que Carnegie quiso dejar este legado a la posteridad: "aquí yace un hombre que atrajo a su servicio personas mejores que él mismo".[12] De ahí que la *firmeza* sea una característica no meramente anexa, sino solidaria de la humildad, que no corresponde a hombres apocados y mediocres.[13] "El poder requiere personalidades fuertes, libres y humildes que sean capaces de sustraerse a sus trampas y vanidades".[14]

Nosotros mismos hemos encontrado la base de las decisiones radicales y firmes precisamente en la humildad. En efecto, este tipo

---

[10] Thomas F. Crum. *The magic of conflict*, Simon . Schuster, New York, 1988.
[11] W. Bennés: *Why leaders can't lead*, Jossey-Bass Publishers, USA, 1997.
[12] The Drucker Foundation: *El líder del futuro*, Deusto, Bilbao, 1996.
[13] Cfr. Santiago Álvarez de Mon, *El mito del líder*, 67.
[14] Santiago Álvarez de Mon, *El mito del líder*, p. 17.

de decisiones suelen romper un *status quo* temporalmente bonancible, y sólo aquél que no tiene en el cimiento de sus decisiones el buen parecer del público -esto es, sólo el hombre humilde- es capaz de tomarlas, consciente de que en un corto plazo -un corto plazo insoportable para el soberbio- aparecería como equivocado. Tal arrojo -dijimos- "tiene como contrabalance la humildad".[15]

Al margen de la sorpresa emergente de su investigación, James Collins reconoce en el fondo que la *firmeza* y la *humildad* no casualmente aparecen juntas en los líderes excepcionales, sino que *deben aparecer juntas*. Reconoce que coinciden ambas "con las verdades básicas sobre lo que es mejor en los seres humanos".[16] De manera que, también él, audazmente, ha dado el salto de una encuesta empírica sobre las empresas a una intuición de la antropología filosófica.

"El liderazgo, dice Hunter, empieza con una decisión".[17] Lo cual es atisbado ya genialmente por Ortega, en un aserto que más de un estudioso del *management* debería subrayar con trazos fuertes: "Para dirigir a los demás, es requisito indispensable imperar sobre usted mismo".[18] Diremos nosotros que el dominio de sí es el mejor de los imperios. La firmeza es, en primer y prácticamente único lugar, condición del propio dominio. Por el contrario, como lo dice Álvarez de Mon, "el poder, el afán de dominar es verdadera obsesión de los débiles. Su afán de superioridad no es más que el anverso de un complejo de inferioridad que les acompaña toda su vida".[19] Adler, colocando el afán de dominio en la cumbre de los impulsos humanos, ha hecho mucho daño a nuestros gerentes contemporáneos. El propio Álvarez de Mon nos relata el caso de aquel director general que en un momento clave

---

[15] Carlos Llano, *Falacias y ámbitos...*, p. 17.
[16] Jim Collins, "Level 5 Leadership", p. 76.
[17] James Hunter, *La paradoja...*, p. 145.
[18] José Ortega y Gasset, *Obras completas*, Ediciones Aguilar, Madrid, 1997.
[19] Santiago Álvarez de Mon, *El mito del líder*, p. 24.

de su carrera profesional reconoce: "me olvidé de ser yo mismo".[20] Ser dueño de sí, ser sí mismo es -repetimos- la cima de la firmeza. Porque, dirá Eric Fromm, "en la medida en que *yo soy como usted me desee, yo no soy*... dependo de la aprobación de los demás, procuro constantemente agradar".[21] *El Arte de prudencia*, de Baltasar Gracián, en su profunda sabiduría, conoce mucho de esto desde hace siglos: no es el que desee compulsivamente agradar quien lo consigue; logra aparecer como adulador, que es, en cierto modo, la antítesis de la humildad, pues, con tal de ser apreciado, procura que no sean humildes los demás: "el secreto para obtener las cosas es despreciarlas. Cuando se buscan, normalmente no se encuentran, y luego, inesperadamente, se consiguen".[22] "El poder requiere -dice Álvarez de Mon-personalidades fuertes, libres y *humildes* que sean capaces de sustraerse a sus trampas y vanidades".[23]

Hoy se sabe que obedecer inteligentemente es más difícil que mandar: tener la capacidad de seguir a alguien que señala metas valiosas, es más difícil que obtener que otros me sigan. También se sabe que el que ignora cómo obedecer ignora también cómo mandar. No obstante, para la obediencia, si bien se necesita la humildad, quizá no se requiere siempre la humildad y la firmeza, como acaece en el liderazgo. La obediencia -lo que no suele ocurrir con el mando- es compatible con la omisión, con el silencio ante el disentimiento, siendo así que silenciar ese disentimiento es una forma de deslealtad, porque pensamos que callar nuestro mejor parecer es un modo de romper nuestro compromiso individual con el equipo (cuando, en realidad, es todo lo contrario). Ha de tenerse cuidado con esa conducta pasiva y cómoda, porque ya nos advierte José Antonio Marina que

[20] Santiago Álvarez de Mon, *El mito del líder*, p. 24.
[21] Eric Fromm, *Psicoanálisis de la sociedad contemporánea*, Paidós, México, 1986.
[22] Baltasar Gracián, *El arte de prudencia*, Temas de hoy, Madrid, 1993.
[23] Santiago Álvarez Mon, *El mito del líder*, p. 17.

"es la claudicación de la inteligencia -acallar ese mejor parecer personal- lo que hace revivir en nosotros la querencia del rebaño o de la jauría".[24] Es lo que Álvarez de Mon llama "gregarismo sumiso e impersonal", el cual no piensa "para tomar mejores decisiones, sino que racionaliza todo para justificar las ya tomadas".[25]

Es importante, pues, no confundir la humildad -y su requerimiento de firmeza- con la mediocridad, la cual produce esa "curiosa atmósfera de supuesto consenso" que relata Sorensen ante el proyecto de Kennedy sobre la intervención en Bahía de Cochinos, terminado finalmente en un estrepitoso fracaso.[26] Pero, al mismo tiempo, liderazgo no es rebeldía. Bajo la inspiración de Alasdair MacIntyre, Alejandro Llano dice que la única manera de progresar, de innovar, estriba en escribir activamente en una tradición viva, rival de otras tradiciones, *y opuesta sobre todo al rechazo sistemático de toda tradición.*[27]

Si se me permitiera, podría decirse que *humildad y firmeza* significan, especialmente, *equilibrio.* La actitud *firme* del hombre humilde consiste, como luego se verá sobradamente, en *reafirmar la evidencia,* aunque ésta atente contra nuestra *figura* por tanto tiempo preservada. El liderazgo implica necesariamente rectificar errores pasados, que es, también, una humillación sólo enfrentable por los humildes.[28] Sospechamos que el también estrepitoso fracaso de Enron, posiblemente la más grande quiebra de la historia, se debió precisamente a no rectificar a tiempo, en ocultar los errores cometidos. A esto *Fortune* lo denominó luminosamente *arrogancia,*[29] al punto que -dice- *arrogante* es la palabra que utilizan todos para describir a Enron, en cuyo

---

[24] José Antonio Marina, *Ética para náufragos,* Anagrama, Barcelona, 1995.
[25] Cfr. Santiago Álvarez de Mon, *El mito del líder,* p. 19.
[26] Cfr. Santiago Álvarez de Mon, *El mito del líder,* p. 70.
[27] Cfr. Alejandro Llano, *La vida lograda,* Ariel, Barcelona, 2002, p. 128; Alejandro Llano, *Humanismo cívico,* Ariel, Barcelona, 1999, p. 149.
[28] Carlos Llano, *Falacias y ámbitos...* p. 19.
[29] Bethany Mclean, "Why Enron Went Bust", *Fortune,* December 9, 2001.

vestíbulo podía leerse, precisando ya el desastre para los inteligentes: "la compañía líder mundial". Enron nos ofrece un caso de lo que estamos probando, pero *a sensu contrario.* Si la humildad exige firmeza, su ausencia implica la cobardía de no dar la cara: el suicidio por parte del jefe financiero de esa organización representa la más radical forma de huida.

El líder incluye dentro de sí la convicción de no serlo. Ya hemos dicho en otro lugar que una de las condiciones ínsitas en las personas de excepción es el convencimiento de no ser excepcionales, el encontrarse disgustadas de su modo de ser, buscando su continua perfección -remedando aquella contundente exclamación agustiniana: cuando dijiste ¡basta! pereciste-, un modelo superior a quien asemejarse.[30] Añadimos ahora que la persona que tiene a su cargo la dirección de los demás ha de desencadenar un proceso de *benchmarking* caracterológico en el que no se busquen ya *los mejores modos de hacer* sino *los mejores modos de ser.* Busca estar cerca de quienes puedan ejercer sobre ella la necesaria ejemplaridad en ascendencia. Y -como veremos- a veces habrá que seguir los pasos caracterológicos de personas de las que, curiosamente, somos nosotros los encargados de desarrollar.

Lo que decimos de la persona del propio líder ha de afirmarse paralelamente de quienes son por él dirigidos. El líder ha de tener, en el meollo mismo de su humildad, una firmeza segura, porque ninguna persona normal desea ser guiada por alguien voluble, con la volatilidad de los sentimientos (tantas veces indiscernibles de los caprichos). Nadie desea ser gobernado por quien fundamenta su acción de gobierno en intuiciones sentimentales. Queremos como jefes a personas que tengan en cuenta, sí, nuestros sentimientos, pero que actúen siguiendo las ideas claras y firmes de su inteligencia.

---

[30] Carlos Llano, *Falacias y ámbitos...*, p. 44.

Por eso es tan importante que la jefatura de las organizaciones se deposite en personas que sean capaces de suscitar en otros la creación de su propia personalidad, de su estilo de vida, de su paradigma de conducta, de su diseño interno característico.

Ello nos hace llegar finalmente a una conclusión: la verdadera delegación creadora, propia de un buen liderazgo, es la de delegar en los demás la tarea de *hacerse a sí mismos. Ello implica tratar a nuestros subordinados como si alguna vez llegaran a ser jefes nuestros*, y seguramente lo serán si somos capaces de ese tipo de liderazgo.

Cuando hacemos a los directores de empresa una propuesta de este tipo, nos encontramos con frecuencia actitudes de extrañeza. Parece que nadie quiere que sus subordinados lleguen a ser sus jefes.

La extrañeza deriva de una doble equivocación: si pensamos que alguna vez dejaremos de ser jefes nos provocaría supuestamente una inseguridad, olvidando que la seguridad es precisamente lo contrario: si hay algo seguro es que nosotros dejaremos de ser jefes; no ya porque nuestras fuerzas directivas decaerán en algún momento, sino también porque los cargos directivos no son objeto de propiedad, como pudiera serlo el capital monetario del negocio: *El liderazgo será mediocre si no cuenta con su transitoriedad.*[31]

Por otro lado, el pensamiento de que nuestro subordinado llegará a ser nuestro jefe nos haría conducirnos con él de una manera servilmente blanda -y a este punto queríamos llegar-. Ello constituiría un error, pues lo que verdaderamente deseamos tener en el futuro es un jefe de carácter, que desarrolle y fortalezca el nuestro. Para ello no hemos de ser blandos. Se precisa ser *firmes* pero *humildes*.

En tercer lugar, esta extrañeza olvida que los puestos directivos no son un honor, sino un encargo que depende de las capacidades requeridas en los depositarios de esa responsabilidad. Al cambiar las

---

[31] Cfr. *Infra* I, 5.

circunstancias del entorno, las capacidades requieren cambiar también. Por ello, no es raro que los cargos sean rotativos, con una rotación no sólo horizontal sino también vertical. No hay duda de que quien no sabe obedecer no sabe mandar; pero no olvidemos que quien no sabe -no supo en su momento- mandar, tampoco sabrá ahora obedecer a quien antes mandaba.[32]

Finalmente, hemos de decir que la unión en una sola persona de la humildad y la firmeza se debe a una causa profundamente antropológica y bien experimentada: quien no sabe ser humilde en el éxito tampoco sabrá después ser firme o resistente en el fracaso. Pero, además, el éxito y el fracaso siempre van juntos, entretejiéndose en las diversas coyunturas vitales.

3 Liderazgo paternalista

Con un, llamémoslo así, *liderazgo blando* puede confundirse otro estilo de líder que se calificaría como *liderazgo paternalista*. La alta nobleza de la paternidad, con su innata dimensión de liderazgo -mejor o peor aprovechado- viene a desmerecerse en lo que llamaríamos sin exagerar su antípoda: el *paternalismo*. La paternidad es una condición en virtud de la cual el término ultimo, el objetivo básico son los hijos: su protección, su desarrollo y su independencia. Rafael Alvira ve en la *liberalidad* el trazo vertebral de la paternidad: el padre se da a sí mismo por el bien de los hijos. El paternalismo, por el contrario, tiene como destino al propio padre: los hijos existen para que el padre pueda ejercer el oficio de tal, y deben conformarse, por tanto, a su modo de ser, y quedar sojuzgados por él. Jugando con las palabras diríamos que el paternalismo es una *tiranía blanda*, porque se reviste de los aparentes trazos suaves y cariñosos del padre. No superexcedentemente Álvarez de Mon dedica un capítulo de su ya

[32] Cfr. Carlos Llano, *Falacias y ámbitos...*, p. 225

citada obra precisamente al liderazgo paternalista, y cita ahí el afortunado consejo que Gibran transmite a los padres: "Padres, esforzaros en ser como vuestros hijos, pero no busquéis hacerlos como vosotros".[33] Se encuentran aquí, brevemente expresadas, las dos posiciones antípodas del paternalismo (que pretende que los hijos se hagan como el padre) y la paternidad (en la que el padre *se hace* a los hijos).

Quien fuera ya calificado antes como un líder humilde, Abraham Lincoln, nos resume también en breves palabras la piedra de toque, el papel de tornasol que diferencia a un verdadero líder de un líder paternalista: "no se puede ayudar a los hombres haciendo permanentemente por ellos lo que ellos pueden y deben hacer por sí mismos".[34]

En efecto, para nosotros la diferencia entre paternalismo y paternidad viene claramente dada por la presencia o ausencia del principio de acción subsidiaria. Ambos modos de liderazgo poseen un común punto de partida: la necesidad que el dirigido tiene de la ayuda y asistencia de su superior, en este caso el padre. Pero, como ya se dijo, la diferencia reside en el término u objetivo de esta benemérita acción. El principio de subsidiariedad, piedra clave de toda dinámica social -que deriva de la dignidad misma de cada persona-, nos dice que la ayuda que ha de prestar el más capacitado al menos capaz, debe ejercerse precisamente de modo tal que el incapaz deje pronto de serlo, y no requiera ya por tanto la inicial acción subsidiaria. Hay muchos padres equivocados y falsos líderes que llevan a cabo la acción inversa: prestar la ayuda al inferior -en este caso al hijo o al subordinado- de manera que se vea en cada acto que el incapaz sigue necesitando al líder que lo ayuda. Falsa ayuda: el incapaz seguirá permanentemente siéndolo, si no es que se degrade por ello a

---

[33] Gibran K. *Obras completas*, II, Edicomunicación, Barcelona, 1988, *apud* Álvarez de Mon, *El mito del líder*, p. 35 y 36.
[34] Kotter J, *Organizational Dynamics*, Addison-Wesley Publishing Co., USA, 1978, *apud* Álvarez de Mon, *El mito del líder*, p. 36.

una situación de menor capacidad aún. Quien así se conduce está convirtiendo a la familia en un jardín de niños, y a la empresa en una "inmensa guardería infantil".[35] Pese a todas las apariencias, esos supuestos líderes no se diferencian de otros que, sobre un asunto diverso, son mencionados por el propio Álvarez de Mon: Stalin, Milosevic, Hitler que convierten al país en una inmensa cárcel, gigante cuartel o campo de exterminio.

No resulta fácil de explicar un paso de esta clase, excepto pensando que, en ambos tipos de líder, se provoca la atrofia mental de los dirigidos, su temor silencioso. Ello queda gráficamente ilustrado con la visita de Nikita Kruschev a Estados Unidos y su reunión con el club de prensa de Washington. "La primera pregunta escrita que recibió fue: 'Hoy ha hablado usted de la horrible política de su predecesor, Stalin. Pero usted fue uno de sus más estrechos colaboradores y colegas durante esos años: ¿qué estuvo haciendo durante todo ese tiempo?' Las facciones de Kruschev comenzaron a enrojecer. '¿Quién pregunta esto?', gritó. No respondió nadie. '¿Quién pregunta esto?', insistió. De nuevo, silencio. 'Eso es lo que hacía yo' dijo Kruschev".[36]

4 Cualidades del líder

Con estos dos antecedentes conceptuales negativos (liderazgo blando y liderazgo paternalista) nos encontramos ya en condiciones de bucear en las cualidades constitutivas de un líder que ejerza con eficacia su oficio y, al mismo tiempo, la relación propia del líder con aquellos que, formal o informalmente, tiene a su cargo.

Como esta tarea es compleja y multifacética, el hallazgo y descripción de sus características también lo es. Son muchos, por otro lado, los autores que abordan este tema, por su explicable interés.

[35] Álvarez de Mon, *El mito del líder*, p. 36.
[36] Bennoris, W., *Cambio y Liderazgo*, Ediciones Deusto, Bilbao, 1955.

Intentamos, no obstante, que a lo largo de la presente obra resalten de algún modo las cualidades básicas del liderazgo, y su estrecho nexo con la humildad, que hemos considerado ya como su *conditio sine qua non.*

Según O'Toole[37] el liderazgo que se ejerce en Singapur (al parecer paternalista) posee no obstante las cualidades esenciales de la sociedad, según Confucio, las cuales habrían de serlo también del liderazgo de una sociedad de cualquier clase: *jerarquía, respeto al superior, trabajo en equipo y disciplina.* Tendremos como tarea por delante articular las condiciones humildes del líder con la jerarquía, el respeto y la disciplina, que podrían, a primera vista, presentarles oposición.

Abundan los estudios de este fenómeno social del liderazgo que incluyen entre sus propiedades la del respeto, que podría también homologarse con la honra: el hombre respetado es, de alguna manera, el hombre honrado. James Hunter nos ofrece la siguiente lista de cualidades de quien es apto para ejercer el liderazgo: es honrado, digno de confianza, ejemplar, pendiente de los demás, comprometido, atento, exige responsabilidad a sus hombres, anima a la gente, posee una actitud positiva y entusiasta, aprecia a las personas y las trata con respeto.[38]

Vemos aquí, al menos, dos versiones del respeto: la honra que se le debe prestar al jefe, y el respeto que éste ha de guardar con las personas bajo su mando. Aunque la humildad, como tal, no aparece en esta lista, resurge después, de otra manera, asociada con una cualidad que, efectivamente, no le es ajena: *el hallarse pendiente de los demás.*[39] Otra cualidad que aparece en Hunter y que, indirecta-

---

[37] O'Toole, J., *Leading Change*, Jossey-Bass Inc. Publishers, S. Francisco, USA, 1995.

[38] James Hunter considera básica dicha lista, al reiterarla en dos momentos diversos de su obra. Cfr. James Hunter, *La paradoja...*, p. 45 y p. 101.

[39] Cfr. James Hunter, *La paradoja...*, p. 101, en donde se incluye como factor inteligente del amor.

mente, compl[illegible] de tratar a las personas *como si fueran i*[illegible]isa esto con más rigor: en lugar del *como*[illegible]demás con respeto *porque* son impo[illegible]

Ha de ten[illegible]ificativo de *honrado* en Hunter se [illegible]*nza.*[40] La pregunta por "el ingrediente pa[illegible]que funcione", tiene una respuesta muy sencilla: "la con[illegible]luso se admite que en la lista de los elementos principales de [illegible]mpresas, las encuestas nos dicen que, antes incluso del dinero, se halla "el ser tratados con dignidad y respeto".[41]

Paradójicamente, una buena pista a fin de sacar a la luz las cualidades que serían requeridas para el líder, las encontramos nada menos que en *El príncipe*, de Maquiavelo, aunque erróneamente piense Maquiavelo que el príncipe no necesita poseer esas cualidades determinadas que especifica, sino que sólo *es necesario parecer que las posee* (luego diríamos que son necesarias para el líder, bien que las posea, bien que parezca poseerlas: lealtad, clemencia, religiosidad, caridad...). Lo que puede calificarse como cinismo maquiavélico no es el poco valor que le diera a estas excelsas cualidades, sino el consejo que da a los príncipes sobre la disposición que han de tener de cambiar -entrando en el mal, si es necesario- "según lo indiquen los vientos de la suerte y los cambios de las cosas".

Como contraste, Stephen Covey[42] diría que tales modos maquiavélicos generan *poca confianza*, precisamente por la falta de integridad. Para Álvarez de Mon,[43] este último concepto -confianza- es esencial en el trabajo de los líderes, su tarea prioritaria, lo más preciado de las leyes humanas, pero muy difícil de generar, pues sólo crece en un clima de

---

[40] James Hunter, *La paradoja...*, p. 52.
[41] James Hunter, *La paradoja...*, p.51.
[42] Stephen Covey, *El liderazgo...*, Paidós, Barcelona, 1996.
[43] Santiago Álvarez de Mon, *El mito del líder*, p. 39.

trabajo que sea capaz de iluminarla, propiciarla, protegerla y consolidarla.

Un sociólogo de la empresa, cuyos estudios hemos tenido muy en cuenta en nuestra antropología de la dirección,[44] Edgar Shein, supone que la principal cualidad del líder es *su postura ante el cambio*: "El líder precisa sobre todo poseer una visión de las formas, como la cultura puede procurar o impedir el cumplimiento de la misión de la empresa, y dotes interventoras para lograr que los cambios deseados se produzcan".[45]

Pero tales instancias no provienen sólo del ámbito de la empresa. Reducir el liderazgo al que tiene lugar en las organizaciones mercantiles cercena su importancia sociológica, y le suprime un radio mucho mayor. La importancia del liderazgo político no debe desmerecerse, ni tampoco a su vez reducirse a la perspectiva de *ganar unas elecciones*; diríamos, al contrario, que es a partir de ahí en el mejor caso en donde la dinámica del liderazgo tiene su desarrollo. Para Vaclav Havel en la postura del líder se encuentra la clave del estadista. Y hace, bajo esta óptica, su propia enumeración de las cualidades que el verdadero líder debe encarnar: "la experiencia irrepetible del mando, un elemental sentido de justicia, la habilidad para ver las cosas que otros hacen, un sentido de responsabilidad trascendental, una sabiduría arquetípica, buen gusto, ánimo, compasión y fe en la importancia de las medidas particulares que no aspiran a ser universales, sino una llave técnica y objetiva...".[46]

A la luz de estas exigencias cualitativas, podría pensarse que el liderazgo implica genialidad. No *podría*: *debería* pensarse que ser líder es ser genio; pero un genio humilde, calificativo que en la relación

---

[44] Cfr. p. e. Carlos Llano, *El empresario y su mundo*, p. en donde se tienen particularmente en cuenta los trabajos de Edgar Shein en *Organizational Psichology*, Prentice Hall Internacional, New York, 1980, p. 175.

[45] E. H. Shein, *La cultura empresarial y el liderazgo*, Plaza y Janés, Barcelona, 1988.

[46] Vaclav Havel, *Politics, the Art of the Impossible*, Alfred A. Knopf, Nueva York, 1997, *apud* Álvarez de Mon, *El mito del líder*, p.167.

de Havel queda expresado de una manera harto significativa: *habilidad para ver lo que otros hacen.* Ya hemos dicho que el *benchmarking*, el estudio de las mejores prácticas para imitarlas, no requiere tanto de un sistema informativo cuanto de *humildad*, la cual nos lleva al reconocimiento de que siempre puede haber otro que sea capaz de hacerlo mejor.

Álvarez de Mon nos precave para que no nos dejemos deslumbrar por aquellas cualidades que, en la opinión común, son condiciones para la presencia de un buen líder, y que pueden leerse en los *curricula* laborales con excesiva frecuencia, conforme él mismo lo ha experimentado. El punto clave de un líder son los rasgos de su *biografía libre y personal,* dice, que no se pueden sustituir con alabanzas abstractas y generalizadas: "dominio fluido de idiomas, estudios universitarios, experiencias de trabajo todas ellas exitosas, facilidad para relacionarse, personalidad atractiva...".[47]

Ya James Collins[48] nos ha hecho ver que las cualidades del liderazgo -en su caso la humildad y la firmeza- guardan una estrecha relación con las virtudes básicas de la vida humana. A la hora de definir cuáles son las características del líder no debemos olvidarnos que ellas finalmente han de cimentarse en esas virtudes básicas, en vez de marginarlas. La sociedad bien constituida debe tenerlas en cuenta si desea que el fenómeno del liderazgo subsista. ¿Cuáles son las virtudes que querríamos que se diesen en nuestra sociedad para que en ella tenga lugar un liderazgo bien asentado? No se trata de una sociedad en donde todos contemos con la propiedad de ser líderes. Basta, por un lado, que se den las condiciones necesarias para que haya siempre la posibilidad de que surjan líderes a fin de conducir las diversas actividades sociales que tengan lugar en ella. Pero el fenómeno del liderazgo -entendido ahora funcionalmente como la *ca-*

---

[47] Santiago Álvarez de Mon, *El mito del líder,...* p. 122.
[48] Jim Collins, "Level 5 Leadership", p. 76.

pacidad de ser seguido- no tendría en modo alguno lugar si no hubiera ciudadanos *capaces de seguir* a personas de valía.

Por fortuna para nosotros, la antropología y la ética han aproximado de manera visible los conceptos de *virtud* y de *carácter* (Bennett). Con ello, el carácter ha dejado de ser ya una idea de la pedagogía moderna, para retener en su seno los más valiosos aciertos de la ética tradicional. Tener carácter y ser virtuoso son ahora expresiones coincidentes.

En la consideración acerca de cuáles son las virtudes configuradoras del carácter no hay una especial disputa entre las diversas culturas. Podría decirse, sin entrar en detalles, que las más ásperas discusiones en materia religiosa se amainan cuando entramos en el tema de la determinación de las virtudes, en donde puede haber diferencias pero no discordancias. En este punto, hay una notable similitud en lo que se considera como *buen carácter,* no ya entre las diversas manifestaciones de la cultura greco-judeo-cristiana, sino incluso en referencia a la islámica, budista, confucionista, sintoísta, etcétera.

La ausencia de la humildad y de la castidad, casi generalizada fuera del cristianismo -budismo aparte- se debe en el primer caso -humildad- a ignorancia, y en el segundo -castidad- a degradación. No obstante, se encuentran presentes en las siete culturas mencionadas de un modo que podemos llamar *interpelativo.* Si a los integrantes más ejemplares de esas posturas éticas se les interpelara acerca del valor de la castidad y de la humildad, las respuestas serían manifestadamente positivas -salvo en los referidos casos de ignorancia y degradación-.

Ello es así, en buena parte, porque las virtudes se dan en el ser humano no de manera autónoma, sino fuertemente vinculadas; forman entre ellas un andamiaje o estructura que no es fácil destrabar. De modo que la ausencia de una de ellas, especialmente de las que tradicionalmente se han llamado capitales –humildad, liberalidad, castidad, paciencia, sobriedad, caridad y diligencia-, arrastra consigo la pérdida o atrofia de muchas otras; o, de la misma manera, la adquisición de una virtud básica se encuentra promovida por el logro de otras virtudes que la sigan o la preparen.

No obstante, hay aquí [illegible] stión decisiva para tenerse en cuenta. De la larga lista de [illegible] áles son las que hoy se consideran configuradoras del [illegible] que, directa o indirectamente, se limi[illegible] al: ¿qué tipo de carácter dese[illegible] de la comunidad en la que quere[illegible] stas definitivas a ambas interrogant[illegible] orientadoras.

Podemos citar, [illegible] clusiones de la llamada *Declaración de As*[illegible] lificado de educadores universitarios se p[illegible] *elementos medulares del carácter*, que deb[illegible] culcar las ins[illegible] ones que influyen sobre la juventud.

- ***Integridad*** (que implica la sinceridad y la lealtad).
- ***Respeto.***
- ***Responsabilidad*** (que incluye la autodisciplina y el esfuerzo).
- ***Equidad.***
- ***Atención*** (al ser humano, en un sentido hoy relacionado con la compasión).
- ***Ciudadanía*** (en el sentido de civismo, incluyendo la obediencia a las leyes, obligación de estar informados, deber de votar...).

A esta relación Bennet (en su *Libro de las Virtudes*) añade *valor* y *fe* (ésta en un sentido no del todo religioso, sino que diplomáticamente lo describe de una manera que Fineman denomina *neutral*, como *reverencia*; lo que sería, entendemos, la reverencia a lo sagrado, considerando, igual que Octavio Paz, lo sagrado sin Dios).[49]

Ya puede observarse que la determinación de un *elenco cerrado* no es fácil; porque siempre parece echarse en falta algún rasgo no incluido que puede ser importante, como el valor y la reverencia en el caso de Bennet o la humildad y la castidad en el nuestro. La misma *Declaración de Aspen* no menciona realmente sólo seis notas del carácter, sino el doble: podemos contar doce rasgos, si a los seis mencionados en primer lugar añadimos la sinceridad, la lealtad, la compasión, la obediencia, el estar informado y la participación en las votaciones... que no son fácilmente reductibles a las primeras seis.

Lo que importa es que el perfil característico del liderazgo no pierda de vista que la actividad del líder es una expresión que arranca de la propia persona y han de tener arraigo en ella las notas que corresponden por naturaleza a la persona misma.

Nos hemos atenido aquí a las cualidades que nosotros consideramos fundamentales para la emergencia, existencia y permanencia de un líder: no obstante, el estudio de las características que tienen de hecho, o habrían de tener, los líderes son muchas. Y son muchos los autores, no siempre coincidentes, que las han enumerado siguiendo también múltiples criterios, como a continuación veremos.

Sin embargo, la teoría de que el líder se forja mediante la posesión o adquisición de determinados rasgos, no es la única en las consideraciones sobre él. Existe también la idea de que lo importante no son los caracteres sino sobre todo *el comportamiento* (asunto que trataremos en el capítulo 14, *Sentimiento y comportamiento*) y *la situación* (de lo que nos ocuparemos en el capítulo 5, *Transitoriedad*).

En el análisis de las características o rasgos requeridos por un líder, no podían faltar los análisis de las personas que se han calificado

[49] James Collins y Jerry Porras, en *Empresas que duran*, Norma, México, 1995, emplean el término *sagrado* en un sentido análogo cuando hablan de la misión en las empresas que duran.

históricamente como tales. La variedad deriva, precisamente, de que esos líderes conocidos poseen personalidades no sólo distintas, sino aun contrapuestas. Quienes pretenden hacer una inducción generalizadora, a la búsqueda de *rasgos universales en los líderes*, pueden caer, como Broom, en concepciones en extremo simplificadas.[50]

Para hacer una descripción global de personas tan dispares como Margaret Thatcher, Ronald Reagan, Nelson Mandela, Colin Powell, la madre Teresa, Vaclac Havel, Lech Walesa y Karol Wojtyla o Josemaría Escrivá, a quienes no podemos privar del título de líderes, nos veríamos obligados a apelar a *generalidades*: carismáticos, entusiastas o valientes.

Pero singularizando a alguno de ellos, como, por ejemplo, Margaret Tatcher, tanto sus defensores como sus críticos la describen como segura, resuelta, determinada y decidida, calificativos que podrían no darse, o no darse del todo, con los otros líderes mencionados, como tal vez fuera el caso de Walesa, quien se ha destacado más bien por su indecisión o versatilidad coyuntural.

Según Robbins, los esfuerzos en las investigaciones para aislar las características del liderazgo dieron como resultado varios *callejones sin salida*: se identificaron ochenta características de la personalidad, de las cuales había pocas comunes, y éstas no aplicables a todos los líderes que fueron sujeto de la investigación.[51]

Según Kizkpatrick y Locke, las seis características en las cuales los líderes se distinguen de los que no lo son, serían las siguientes: energía, deseo de dirigir, honestidad e integridad, seguridad en uno mismo, inteligencia, y conocimiento relevante sobre el trabajo.[52] En cambio, nosotros hemos experimentado que quienes poseen *inten-*

---

[50] V. H. Vroom, "The search for a theory of leadership", en *Contemporary Management*, Prentice-Hall, 1974, p. 236

[51] Stephan P. Robbins, *Comportamiento organizacional*, Prentice Hall, México, 1999, p. 348.

[52] Shelley Kirkpatrick y Edwin Locke, "Leadership: Do traits matter?", *Academy of Management Executive*, Mayo 1991, pp. 48-60.

sos deseos de dirigir no suelen saber hacerlo. Si el deseo de dirigir fuera una característica esencial del líder, podría decirse que cuanto más fuertes sean tales deseos, la eficacia del liderazgo sería mayor; pero a veces, como sabemos, desemboca en esa antípoda suya que llamamos tiranía.

El mismo Robbins enumera una coherente serie de cualidades que no son del todo compatibles con aquellas que acabamos de mencionar: confianza mutua, respeto por las ideas de los subordinados e interés por sus sentimientos.[53]

Por un lado, Fiedler, debido a razones que enseguida veremos (cap. 5 *Transitoriedad*), se resiste a describir un estilo de liderazgo fijo.[54] Pero se siente capacitado para descubrir el estilo básico del liderazgo de una persona determinada, manejando una docena de calificativos dentro de los cuales la persona en cuestión se define, no enjuiciándose tanto a sí como a sus compañeros de trabajo; por ejemplo: agradable - desagradable; eficiente - ineficiente; abierto - retraído; apoyador - hostil.

Pero, por otro lado, Canger se atreve a enlistar una serie de características que señalarían no ya a los líderes sino, más precisamente, a los líderes *carismáticos*: confianza en ellos mismos, visión y capacidad para aplicarla, fuertes convicciones, comportamiento fuera de lo ordinario, percibirse como agentes de cambio, sensibles al ambiente...[55]

Para averiguar los trazos fundamentales del líder, algunos emplean el sistema de la *atribución*, vale decir, la opinión de los componentes del equipo mediante la cual atribuyen al líder una serie de rasgos que lo definirían como tal, es decir, atribuciones que conformarían a un buen líder.[56] De acuerdo con ello podrían extraerse algu-

---

[53] Stephen P. Robbins, *Comportamiento organizacional*, p. 348.
[54] E. E. Fiedler, *A theory of leadership effectiveness*, McGraw-Hill, N.Y. 1967.
[55] J. A. Canger y R. N. Kaňungo, *Charismatic leadership*, Jossey-Bass, San Francisco, 1988, p.91.
[56] G. N. Powell y D. A. Butterfield, "The 'high-high', leader rides again!" Group and organizational Studies, diciembre de 1984, pp. 437-450.

nas características, con cierto temor de que, por ser simplemente atributivas, resulten a la postre superficiales, como las que Robbins señala: inteligencia, personalidad desenvuelta, habilidades verbales vehementes (que no serían características, por ejemplo, de Thatcher), audacia y determinación, comprensión y habilidad.

Siguiendo en un radio más amplio el sistema de la *atribución*, ésta explicaría que los líderes eficaces son considerados en general como consistentes y que no titubean cuando toman decisiones.[57] Ello daría la razón por la que Ronald Reagan, durante su primer periodo como Presidente, fuese percibido como un líder: completamente comprometido, firme en las decisiones que tomó y en las metas establecidas. También ayuda a explicar las críticas dirigidas al presidente Bill Clinton, considerado como falto de carácter y voluble en sus ideas.

Después de estos análisis, tal vez debamos sintetizar la definición del líder asumiendo como eje determinante los rasgos de su carácter. En efecto, mientras Robert House identifica tres cualidades personales del líder: extremadamente seguro de sí mismo, dominante y con una fuerte convicción en sus creencias[58]; Robbins nos dice que debemos saber que la inteligencia, la ambición y la seguridad en sí mismas pronostican muy modestamente la eficacia del liderazgo: no es tan fuerte la capacidad de estas características para predecir el éxito del líder.[59]

Efectivamente, la fijación de las características del líder, no es fácil ni confiable empleando -como lo hacen ahora los estudiosos del *management*- la vía inductiva (del caso particular a la generalización). Preferimos por ello atenernos, como lo hemos hecho al principio del presente capítulo, a la vía deductiva (de la esencia a las propiedades). Definida la esencia del hombre, podemos encontrar las vías que

[57] J. Pfeffer, "*Managing with Power*", Harvard Business School Press, 1992. p. 194.
[58] R. J. House en *Leadership: The cutting edge*, Carbondale: Southern Illinois University Press, 1977, pp. 189 a 207.
[59] S. P. Robbins, *Comportamiento organizacional*, p. 368

contribuyan a su plenitud, y tendremos al menos la idea (elemental pero eficacísima) de que sólo un hombre que se dirija sin desviaciones a la plenitud humana, tendrá la capacidad de ser líder. Sólo el que pueda acercarse al *panaristos, a lo mejor en todo*, tendría una sólida posibilidad en el ejercicio del liderazgo. Es verdad que de esta manera señalamos más a quienes no tienen la base elemental de ser líderes, y menos a quienes en verdad lo son. Pero tal vez podamos ahora conformarnos con esta parcial conclusión: que la plenitud humana no sólo posibilita sino, más aún, nos encamina o conduce hacia el liderazgo, lo cual resulta también deductivamente obvio. Porque el hombre, como es sabido, se define por ser animal *racional* (*zoon logicon*) y por ser animal *social* (*zoon politicon*). La racionalidad y sociabilidad son notas cuya plenitud (ser más razonable y más sociable) conducen efectivamente a la capacidad de ser seguido.

Además de esto, el desarrollo que nos lleva hacia la plenitud humana produce en el hombre la *atractividad*, nota insustituible del líder, especialmente si consideramos -como lo debemos considerar- que el líder lo es ante todo por ser ejemplo.[60]

La deducción, el paso de la esencia a las propiedades, no sólo puede darse partiendo de la esencia del hombre para llegar a las cualidades que lo hacen más hombre (y, por tanto, virtualmente líder). Puede partirse de la esencia no ya del hombre sino de *su acción de dirigir*, para derivar de ella las propiedades que habrían de requerirse del director. Este último es el camino que seguiremos en la segunda parte de la presente obra.

No obstante, hemos de subrayar aquí un dato que resulta de la mayor importancia para la naturaleza de este trabajo: *ninguna de las características que los autores estudiados han considerado como propias del líder, incluye la humildad* en cuanto rasgo tipificante. Lo cual, lejos de desanimarnos, alienta nuestras consideraciones, pues ve-

---

[60] *Cfr. Infra.* I, 13.

mos -como ya se dijo- que hay un hueco, un vacío importante, una pieza ausente fundamental en los estudios contemporáneos -y en parte también clásicos- de ese fenómeno sociológico basilar que es el liderazgo.

Esta ausencia resulta más notable si analizamos uno de los estudios sobre el liderazgo que consideramos más confiables. Nos referimos al trabajo de Bernard Bass, de cuyas ideasnos hemos servido con notable provecho, en el que estudia lo que son para él los dos grandes géneros del liderazgo: aquél que busca la transacción y aquél que busca la transformación.[61]

La amplia perspectiva de Bass nos permite ahora ver con él que los perfiles del líder han evolucionado de manera poco llamativa, pero consistente, desde un modo de conducir la organización que usaba de manera principal el *intercambio*, a otro modo, quizá más correspondiente a un verdadero líder, que persigue la *influencia*. Se ve claramente que se trata de dos procedimientos muy diversos entre sí para consolidar la organización.

Bernard Bass nos describe lo que llama líder *transaccional*, como una persona cuya conducta le lleva a la *retribución ad casum*; a la *gerencia por excepción activa*, que tiene en cuenta las desviaciones a lo planeado para corregirlas; a la *gerencia por excepción pasiva*, que interviene sólo cuando no se cumplen los estándares fijados; y al *laissez faire*, lo cual más que una delegación del trabajo en los demás implica una renuncia a las responsabilidades.

Por su parte, el líder que Bass llama *transformacional*, tiene sus ejes en el *carisma* que involucra el orgullo del equipo, obtiene respeto y se gana la confianza; la *inspiración,* expresando de manera simple propósitos grandes; la *estimulación intelectual*,que suscita la solución de problemas; y, finalmente, la *consideración individualizada*, prestando atenciones de manera personal.

---

[61] B. M. Bass, "From Transactional to Transformational leadership", *Organizational Dynamics*, Winter, 1990, p. 22

No cabe duda de que el líder *transformacional*, con su liderazgo de *influencia*, requeriría un grado de humildad superior al que se pediría a un líder transaccional o por intercambio en el que quizá la virtud fundamental fuera la justicia más que la humildad. Pero incluso en el liderazgo transformacional la humildad no aparece en Bass expresamente, y menos como factor decisivo en este tipo de liderazgo. Rastreamos reliquias de la humildad cuando se le pide al líder una exposición *simple* de metas, misiones, objetivos grandes o complejos; o cuando se le pide la atención personalizada al individuo, lo cual exigiría un cierto nivel de *olvido de sí mismo*. Ni en uno ni en otro modo del ejercicio del liderazgo la humildad se presenta como elemento clave: más que presentarse, habremos de decir que se ausenta. Lo cual, por todo lo que hemos venido diciendo, no nos extraña, pero nos impulsa a ponerle remedio, infiltrando en nuestra cultura de las organizaciones un factor que sin duda le falta.

5 Transitoriedad

Los estudios que hemos hecho para encontrar los nexos existentes -en contra de las convicciones contemporáneas- entre la humildad y el liderazgo, se han desembocado en una característica que también querría dejarse marginada en un camuflado *stand by*, como la humildad misma: la expresa conciencia en el líder de que su menester es transitorio. Todo hombre inteligente tiene la conciencia implícita de que tanto sus acciones como su persona, intramundanamente vista, son transitorias. Lo que afirmamos ahora es que *la buena ejecución del liderazgo implica una conciencia expresa de su transitoriedad en la dinámica misma de su ejercicio como líder.*

Esta conciencia se exige no sólo en la persona misma del líder, sino también en la sociedad en la que el liderazgo se ejerce. *El cambio de líder ha de ser un suceso de ordinaria administración*, y no un acontecimiento de bombo y platillo ni para el jefe que sale ni para el jefe que entra. El suceso debe venir como algo esperado y normal;

tanto como lo es *un cambio de estafeta.* "*El líder imprescindible es un contrasentido*".[62] Nos atrevemos a decir algo que, por alguna sospechada razón, no hemos oído: la calidad del liderazgo no se calibra mientras éste se ejerce, sino precisamente cuando se deja de ejercer. La dimensión transitoria del liderazgo hace que el buen líder pueda considerarse como tal en alto grado si en su *sucesión* no *ocurre* nada crítico: es algo esperado, preparado... y natural.

No debe confundirse la transitoriedad expresamente consciente y la provisionalidad. La diferencia sólo puede discernirla el hombre humilde: precisamente porque soy transitorio, debo hacer mi oficio con profundidad, porque si bien la duración del cargo -o la encomienda- es temporal, la responsabilidad de las consecuencias de mi tarea es indefinidamente duradera: siempre quedará en el futuro un resquicio de mí por pequeño que sea; y ello, tanto para bien como para mal.

Ha de enlazarse íntimamente esta necesaria conciencia de la transitoriedad con la ausencia de la crisis en el cambio: McGregor Barns lo recoge en un pensamiento que debería estar presente en todo líder de calidad: "sé que me tengo que ir, porque esta experiencia no habrá cuajado hasta que pueda funcionar sin mí".[63]

Por otra parte, la transitoriedad no es sólo una actitud provechosa del jefe, sino una consecuencia de los momentos contemporáneos. Con la disolución de la burocracia, la desjerarquización, la autonomía y el imperio de la flexibilidad se ha acelerado la inestabilidad de las organizaciones.[64]

Álvarez de Mon nos hace ver el desenfado con el que los británicos dieron de baja ("mandaron a casa", dice) al veterano político Winston Churchill, el líder que Inglaterra necesitó para soportar la terrible prueba de la segunda guerra mundial. Finalizada ésta, la paz

---

[62] Santiago Álvarez de Mon, *El mito del líder*, p. 12.
[63] James McGregor Burns, *Leadership*, Harper . Row, New York, 1978.
[64] Cfr. Guido Stein, "Los ahorros en Internet", en *La Gaceta de los negocios, Opinión*, Madrid, 15-II-2002.

requiere otro líder, y Churchill hace una natural y apacible retirada, cuando otros -jefes y subordinados- lo hubieran "entronizado en la gloria eterna".[65] Hágase el contraste entre la baja de Churchill y la muerte de Stalin, para comprender que la calidad del líder se mide cuando éste deja de serlo.

El liderazgo considerado como constitutivamente transitorio no debe verse -sería un error- como un *estado*, sino como un *proceso* en el que la alternancia es una ventura, y no una desgracia. El líder como proceso se encuentra bien concebido por John Koffer.[66]

Así como no debe confundirse transitoriedad con provisionalidad, tampoco hemos de hacerlo entre transitoriedad y adaptabilidad. Hay líderes que perduran no aplicando la fuerza del poder, sino adaptándose a las circunstancias, y haciéndolo a tal grado que lo único que permanece ahí es la persona, pero no la dirección ni el estilo ni las convicciones. Es lo que diríamos coloquialmente *nadar de muerto*: estar arriba mediante el sistema de no hacer nada. Pasar de ser líder -que arrastra- a dejarse arrastrar por la corriente.

El deseo de mantener el liderazgo es de más grueso calibre que la codicia monetaria. Porque no se acaparan monedas, sino que se quieren atesorar relaciones humanas. El primer menester del jefe, desde el momento mismo de comenzar su jefatura, es el de distinguir la persona y el puesto, diferenciar ambas realidades. El *puesto es más amplio que la persona*. Sea el que fuere, otras personas pueden ejercerlo. Al mismo tiempo, *la persona es más amplia que el puesto*: puede llevar a cabo, y de hecho lleva a cabo, muchas tareas más que tienen relación estrecha con su persona, cuyo oficio jamás podría culminarse. Si ahora hay convergencia parcial entre persona y puesto, siendo los dos ámbitos de algún modo distintos el uno al otro, mañana habrá divergencia, lo que ocurrirá como un suceso natural propio de ambos

---

[65] Santiago Álvarez de Mon, *El mito del líder*, p. 12.
[66] John Koffer, *The leadership factor*, The Free Press, New York, 1988.

espacios que pueden tener algo de común, pero tienen mucho, muchísimo más de diverso. El consejo de Vaclav Havel desde su atalaya del Castillo de Praga no puede ser más lapidario: "no aferrarse al puesto". "Para hacer un buen trabajo como presidente, constituye una gran ventaja saber que yo no pertenezco al puesto y que en cualquier momento y justificadamente puedo ser reemplazado".[67]

De esta manera puede decirse que la *transitoriedad* del liderazgo se traduce como *desprendimiento* de su cargo en el líder. Ortega y Gasset nos dijo sabiamente que "yo soy yo y mis circunstancias", porque no hay allí una identificación sino una vinculación estrechísima pero no identificante. Yo soy yo y mis circunstancias, pero debo mantener la duplicidad de ambos; y la previsión de que mis circunstancias pueden cambiar afectando intrínsecamente al yo, pero *permaneciendo el yo* intrínsecamente afectado. Por eso el cambio de circunstancias con las que erróneamente nos hemos identificado "no resulta cómodo", para decirlo de manera blanda, como James Hunter.[68] "No dar por sentadas las cosas nos obliga a replantearnos nuestra posición".[69] El liderazgo no puede hacerse rutina, porque "una rutina es poco más que un ataúd del que sólo se pueden sacar los pies... *nada en esta vida es permanente*".[70] Y no se suponga por ello que un cambio de liderazgo, aunque implique un cambio para mí, que soy el líder, ha de ser siempre para mal: depende de la actitud que se tome, especialmente si se tiene permanentemente en cuenta que "no hay mejoría sin cambio".[71]

Son muy pocos los que piensan que, si bien es imposible -y perjudicial si no fuera imposible- permanecer como persona singular en el menester del líder, el estilo de mando, las improntas institucionales

---

[67] Vaclav Havel, *Politics, the Art of the Impossible, apud* Álvarez de Mon, *El mito del líder*, p.43.
[68] James Hunter, *La paradoja...*, p. 59.
[69] James Hunter, *La paradoja...*, p. 59.
[70] James Hunter, *La paradoja...*, p. 59.
[71] James Hunter, *La paradoja*, p. 59.

de la organización, pueden ir más allá de mi permanencia en el liderazgo y más allá de mi vida biológica. Hewlett-Packard, Siemens, Johnson and Johnson, Procter and Gamble, IBM... están venturosamente empeñados en sobrevivir a sus fundadores. Diríamos que ese empeño lo asentaron los fundadores precisamente al ser conscientes de su necesaria transitoriedad y de su personal oportuno desprendimiento. De ahí también la responsabilidad, por parte de quienes les subsiguen, de conservar, como diría Max Weber, el carisma fundacional. "Nada nos es dado en propiedad de por vida".[72] Pero ello no implica que la transitoriedad se transforme en precipitación. Bismarck, el creador de las pensiones estatales y la asistencia sanitaria alemanas, fijó en 1891 la fecha de jubilación en los sesenta y cinco años, cuando el alemán medio vivía alrededor de los cincuenta años. No debemos convertir años que piden cierta mesura y estabilidad, en tiempo de inseguridad y supervivencia.

La transitoriedad del líder no expresa sino una verdad del sentido común: el líder no es imprescindible. Nos habla Guido Stein de directores que piensan que los únicos trabajadores que merece la pena contratar son aquellos capaces de sustituirles a ellos mismos, teniendo el cuidado de "no situarlos en la cúspide prematuramente" .[73] "De un líder y, por lo tanto, de su sucesión, se pide que tenga las ideas adecuadas *en el momento oportuno* y, al mismo tiempo, que sea plenamente capaz de llevarlas a la práctica.[74] En Estados Unidos los dos tercios de los directores generales (*Chef Executives Officers*) son fruto de promociones internas.[75] Ya lo hemos dicho: pensar en que alguna vez nosotros dejaremos de ser jefes, no debe engendrarnos inseguridad alguna. Ahora podemos decir que el pensamiento de que indefectiblemente dejaremos de ser líderes nos dará una plácida seguridad a nosotros mismos y a nuestros jefes.

[72] Álvarez de Mon, *El mito del líder* p. 107.
[73] Guido Stein, "La sucesión", *Opinión*, Madrid, 30-IX-01, p. 6.
[74] Guido Stein, "La sucesión", p. 6.
[75] Guido Stein, "La sucesión", p. 6.

La variación múltiple y acelerada en las empresas, y las diversas exigencias en su manejo hace que la transitoriedad no sólo sea un benéfico ingrediente en el líder, sino también una contemporánea necesidad en el liderazgo.

Si se asume, con Fiedler, que el estilo de liderazgo de un individuo es fijo, tendríamos que afirmar –nos duela o no– que el requerimiento de un estilo de liderazgo, por circunstancias exógenas del entorno, o por condicionantes endógenos en el curso o provecho de la propia empresa, nos obligaría a cambiar de líder si es que éste no puede cambiar de estilo. Podemos no asumir de un modo pleno la teoría del estilo de mando único para cada individuo, sostenida por Fiedler,[76] y hasta dudar de ella, especialmente cuando sostiene que el estilo de liderazgo es innato a la persona, de manera que si no puede modificarse la situación de la empresa, debe prescindirse del individuo que se encuentra a su cabeza: "usted no puede cambiar su estilo para ajustarse a las situaciones cambiantes".[77]

Sin necesidad de estar de acuerdo con esa hipótesis, la experiencia usual y el sentido común nos dice que cada persona cuenta con un margen amplio o reducido, según el caso, de variación en sus comportamientos y capacidades de maniobra conductual. Las necesidades de la empresa podrían sugerir un cambio de conducta para el cual el líder estaría caracterológica y/o temperamentalmente incapacitado y habrá de proceder a su cambio tanto en beneficio de la organización como del propio líder.

Podemos ampliar extraordinariamente los márgenes de posibilidad de transformación en el comportamiento de la persona, hasta llegar a una factibilidad de cambio imaginada en ciento ochenta grados. Pero aun en tal supuesto, debemos contar con un plazo temporal, igualmente más o menos largo, para que el interesado consiga la

---

[76] Fred E. Fiedler, *A Theory of Leadership Effectiveness*, New York, McGraw-Hill, 1967; Cfr. Fiedler F. E., Chemers M. M. y Mahar L., *Improving Leadership effectiveness: the leader match concept*, New York: Wiley (1976).

[77] Cfr. Stephen P. Robbins, *Comportamiento organizacional*, p. 355.

transformación de su *modo de ser líder* (que implicaría en buena parte que su *modo de ser persona* mute en aspectos radicales). Tal transformación no se resuelve en general mediante un mero viraje de actitud. Cierto es que el cambio de actitud será necesario, pero muchas veces insuficiente. Las mutaciones de actitud pueden tener más incidencia en el cambio de los sentimientos. Pero pronto veremos que el nervio conductor del liderazgo no sólo consiste en sentimientos, sino en comportamientos;[78] y los comportamientos, para quien ha estado ciertos años en el mando de organizaciones, se asientan por lo regular en forma de hábitos profundos, no fáciles de desarraigar.

A esta dificultad se añade la que implican los hábitos de quienes han sido dirigidos por el susodicho líder, que ha dejado su huella a veces aún más profunda, puesto que, como a estas alturas de nuestro estudio ya se ha podido ver, el líder configura hasta un importante grado la personalidad de los miembros de su equipo de trabajo. Se da así una retroalimentación entre el líder y las personas de la organización que en su tiempo ha sido sin duda fructífera pero ahora, al cambiar las exigencias laborales, resulta malsana. Ello pediría quizá un verdadero cambio radical, implicado precisamente en el cambio de líder.

6 Convicciones profundas

Todo lo anterior es sin duda así, porque la tarea de dirigir a otros hombres, de señalarles el camino, es de tal alcance que no puede fundamentarse en una persona física, contingentemente -transitoriamente- considerada. La persona es sin duda el valor más alto del universo. Pero el universo mismo es transitorio, y la dignidad humana consiste y es causa, a su vez, del hecho privilegiado gracias al cual puede encarnar ideales transcendentes y puede imprimir cursos perennes a las entidades y a las personas que las constituyen.

---

[78] Cfr. *Infra* I, 14.

El liderazgo no se superpone postizamente a la persona. Arranca de ella, es la expresión de su más profundo modo de ser y trasunto de su insondable vida interior. No es un aditamento de *quita y pon*. De ahí la necesidad de que el líder encarne valores sustanciales y sólidos, y no se valga epidérmicamente de teorías pasajeras.

"El líder ha de tener tres, cuatro o cinco convicciones profundas y personales sobre lo que requiere una vida humana digna y plena".[79] "Aspira a lo absoluto si en lo relativo quieres prosperar".[80] Pero como veremos,[81] el líder ha de ser también realista: *no deben confundirse las ilusiones con las convicciones*. Esta confusión engendra en no pocos líderes -que calificaríamos de bengala- una demagogia intencionada e incluso inadvertida. También las convicciones, y más si están arraigadas personalmente, deben someterse a prueba de realismo. Si no se encuentran personas de bien que compartan mis convicciones, habría que cavar hasta que se sepa si tienen *fundamento y qué fundamento tienen. En lugar de ser idolatrado y perpetuado, el verdadero líder* "lo hace... y se va".[82] Siempre será bueno para no confundir ilusiones con convicciones, tener en cuenta el consejo de Santiago Álvarez de Mon, en el sentido de que "las convicciones deben cristalizar en misiones, y las misiones han de ser *claras*, *precisas*, *compartidas*, *originales* y *propias*".[83]

Igualmente hemos de precavernos frente a lo que hoy ha dado en llamarse carisma. Dice Álvarez de Mon con acierto que *carisma* es un vocablo equívoco como pocos. A falta de convicciones, al jefe carismático, con aquiescencia simulada, le rinden culto referido a su personalidad. El carisma no coincide con tener convicciones, y el tenerlas no produce de suyo jefes carismáticos.

---

[79] Santiago Álvarez de Mon, *El mito del líder*, p. 16.
[80] Santiago Álvarez de Mon, *El mito del líder*, p. 16.
[81] Cfr. *Supra* I, 2.
[82] Santiago Álvarez de Mon, *El mito del líder*, p. 25.
[83] Santiago Álvarez de Mon, *El mito del líder*, p. 53.

Pero, por otro lado, sin convicciones valiosas será difícil conseguir arrastre. El liderazgo se convierte en un sumo problema. Las metas valiosas muchas veces conllevan el costo del sacrificio personal. De ahí que el liderazgo no sea un premio sino una responsabilidad: "el núcleo del trabajo creativo descansa en la capacidad de movilizar a las personas al servicio de una meta más amplia, a menudo a costa de un gran riesgo personal".[84]

Por supuesto que las convicciones, a diferencia del liderazgo, que es indefectiblemente transitorio, tienen deseos de perennidad. Debemos, por tanto, dudar de las convicciones, en tanto que convicciones, cuando son promovidas por los instantáneos *best sellers*, las modas repentinas y las promociones mercadotécnicas.

Hay una prueba del ácido en relación con la consistencia y la perennidad de las convicciones. Nos la ofrece Needleman, con quien hemos tenido oportunidad de coincidir en diálogos sobre temas afines. La prueba para detectar una convicción genuina y valiosa es el dinero. Colocar al dinero en el nivel de fin degrada al ser humano, el cual, estando dotado de espíritu, no puede poner su objetivo integral en algo de carácter monetario. "El desafío de la vida económica, el desafío de vivir de una forma adecuada a nuestras necesidades materiales, es hacer que la vida sirva a la aspiración de lo espiritual... y si el dinero es secundario en nuestras vidas, sólo puede significar que el dinero sirve al propósito del conocimiento propio: debemos usar el dinero para estudiarnos a nosotros mismos tal como somos y en qué podemos convertirnos".[85]

A diferencia del dinero, las convicciones sirven para calibrar la capacidad de ser nosotros mismos, *sin la tendencia a compararnos con los demás*, como sabiamente lo dejó dicho Unamuno: "no te creas más, ni menos, ni igual que otro cualquiera, que no somos los hom-

---

[84] Gardner, H. *Creating Minds*, Harper Collins Publishers Inc., New York, 1993.
[85] Jacob Needleman, *Money and the meaning of life*, Currency Paperback, USA, 1994.

bres cantidades. Cada cual es único e irrepetible; en serlo a conciencia pon tu principal empeño".[86]

La persona es irrepetible precisamente por ser persona. Su irrepetibilidad proviene de que en ella se condensan o encarnan los principios por los que la persona es persona -y no animal o cosa- y por los que, al mismo tiempo, la persona -cada persona- tiene una dignidad insuperable.

Estas verdades son tan antiguas como nuestra civilización occidental, pero están siendo felizmente recordadas -mejor: redescubiertas- por no pocos estudios de la acción directiva. Para citar a uno de ellos, puede decirse que "ninguno de los principios mencionados aquí corresponde a una doctrina o religión en particular, incluida la mía. Estos principios son parte de las principales religiones, así como también de las filosofías sociales duraderas y de los sistemas éticos. Son evidentes por sí mismos y pueden ser comprobados fácilmente por cualquier persona. *Es como si tales principios formaran parte de la condición y moral humanas. Perecen existir en todos los seres humanos*, independientemente del reconocimiento social y de la lealtad a ellos, incluso aunque puedan verse hundidos por determinadas condiciones y por esa deslealtad".[87]

"Por ejemplo, continúa Covey, me estoy refiriendo al principio de la rectitud, a partir de la cual se desarrolla todo nuestro concepto de la equidad y la justicia. Los niños pequeños parecen tener un sentido innato de la idea de rectitud, que incluso sobrevive a experiencias condicionadoras opuestas. La rectitud puede definirse y lograrse de maneras muy diferentes, pero la conciencia que se tiene de ella, es casi universal".[88]

---

[86] Unamuno, *Obras selectas,* "adentro", Biblioteca Nueva, Madrid, 1997, *apud* Álvarez de Mon, *El mito del líder*, p.167.
[87] Stephen R. Covey, *Los siete hábitos de la gente altamente efectiva*, Paidós, México, 1999, p.44.
[88] Stephen Covey, *Los siete hábitos...*, p. 44.

"Entre otros ejemplos se cuentan la *integridad* y la *honestidad*. Estas crean los cimientos de la confianza, que es esencial para la compresión y el desarrollo personal e integral a largo plazo. Otro principio es la *dignidad humana*. El concepto básico de la Declaración de Independencia de los Estados Unidos considera evidente este valor o principio. «Sostenemos que estos valores son evidentes: que todos los hombres han sido creados iguales y dotados por el Creador de ciertos derechos inalienables contándose entre ellos los derechos a la vida, a la libertad y a la búsqueda de la felicidad».

"Otro principio es el *servicio* o la idea de contribuir. Otro es la calidad o excelencia".[89]

"Está también el principio del *potencial*, la idea de que tenemos una capacidad embrionaria y de que podemos crecer y desarrollarnos, liberando cada vez más potencial, desarrollando cada vez más talentos. Muy relacionado con el potencial está el principio del *crecimiento* -el proceso de liberar el potencial y desarrollar talentos-, con la necesidad correlativa de principios tales como la *paciencia*, la *educación* y el *estímulo*".[90]

"La ética de carácter se basa en la idea fundamental de que hay *principios* que gobiernan la efectividad humana, leyes naturales de la dimensión humana que son tan reales, tan constantes, que indiscutiblemente están «*allí*» como las leyes de la gravitación universal en la dimensión física".[91]

---

[89] Stephen Covey, *Los siete hábitos...*, p. 45.
[90] Stephen Covey, *Los siete hábitos...*, p. 45.
[91] Stephen Covey *Los siete hábitos...*, p. 44 y ss. (El subrayado del primer párrafo es nuestro). Nos parece que aquí Covey no hace distinción –que una antropología precisa debería hacer– entre principios, ideales, valores y hábitos. No obstante, lo citamos aquí porque constata el carácter perenne de estos conceptos, desde un punto de vista no precisamente antropológico sino práctico, perennidad que reviste especial importancia para nosotros, como enseguida veremos. Señalamos, marginalmente, que la humildad no se encuentra entre sus *siete* hábitos, aunque sea una cualidad mencionada en su citada obra, como después también analizaremos.

7 Perennidad de las convicciones

La *transitoriedad* en el liderazgo por parte *de una persona individual* encuentra su balance en la perennidad de la dignidad de la persona como persona.

Con motivo del cambio de partido político ocurrido en el gobierno de nuestro país, después de setenta y cinco años sin solución de continuidad, hemos tenido ocasión de dialogar con el gobierno protagonista del cambio, en el sentido de que *la no reelección en el poder*, principio sólidamente asentado en nuestro país, no sólo no impedía sino que obligaba a los diversos gobiernos en turno a abrir un surco para el futuro de la nación, dando arranque a un *modo de gobierno imperecedero*, basado en un *estilo de mando con un buen cimiento y* no en las personas que lo detentarían. Esta es la tarea de un líder histórico: no perpetuarse en el mando -no reelección- sino impulsar al país en un camino de convicciones duraderas sin que se den bandazos sexenales, que es el periodo de duración de nuestros gobiernos mexicanos.

Algo paralelo debe decirse del liderazgo de las organizaciones: si éste es personalmente transitorio -no sólo por necesidad biológica sino por conveniencia social- el rumbo impreso puede durar tanto como: a) el arrastre de liderato de la persona; b) la profundidad de las convicciones que encarne y la interioridad de esa encarnación.

Las personas que ejercen el oficio de dirigir -bien preparadas con su maestría en administración de negocios- parecen presentar la tendencia de que si en una compañía no se viven las convicciones que se proclaman, prefieren "agarrar lo que puedan y salir corriendo".[92]

"¿Qué queremos que la gente haga en tales situaciones? Que no se eche a correr. Que se mantenga firme en sus valores y trate de

---

[92] Mica Schneider, "Learning to put ethics last", en *Bussines Week Online*, March 11, 2002, p. 2.

resolver el conflicto".[93] Mica Schreider dice con acierto que ese tipo de gerentes formados para la dirección general "no han recibido preparación alguna para hacer tal cosa si están a la mitad de la jerarquía".[94] Nosotros diríamos que esas personas han sido formadas para cumplir un determinado oficio en la organización, pero no han sido capacitadas para ejercer el *oficio de hombres*. Es verdad lo que afirma Debra E. Meyerson en su libro *Tempered radicals:* que el empleado siempre puede idear maneras nuevas de transformar su organización sin traicionar sus valores.[95]

Sin embargo no se trata sólo del *know how* para hacer compatibles la organización y los valores. Se trata sobre todo de la formación del carácter o temple para querer hacerlo.

El liderazgo que perdura -no el líder personalmente tomado- es el que deja una estela en la corporación y en sus hombres, con un doble surco. Por un lado, crear en la organización un ámbito cultural en el que las convicciones básicas para el ser humano sean indeclinables, frente a cualquier otra meta que supuestamente pudiera lograrse a costa de ellas. Por otro, desarrollar la formación del carácter de sus hombres para que no declinen efectivamente, y para que transmitan por ejemplaridad ese estilo de conducta a las personas que les sigan (seleccionando previamente a aquéllas que serán capaces de seguirles).

Parece que fuera necesario aquí hablar de esas convicciones profundas, y lo es, en efecto. No obstante, introducirnos en ello haría nuestro trabajo inacabable. Según C. S. Lewis todos los hombres, de toda civilización -como lo ha repetido después pragmáticamente, según hemos visto, Stephen Covey- cuentan con principios inamovibles, en los que coinciden los más diversos ámbitos culturales, sistemas

---

[93] Mica Schneider, "Learning to put ethics last", p. 2.
[94] Mica Schneider, "Learning to put ethics last", p. 2.
[95] Debra E. Meyerson, *Tempered radicals. How People use difference to inspire change at work*, Harvard Business School Pr., 2001.

éticos y creencias religiosas. A lo largo del presente trabajo hallaremos especificadas las virtudes necesarias *-todas ellas relacionadas con la humildad-* para llevar a cabo una acción directiva valiosa y trazar un estilo de liderazgo perdurable,

Pero podemos adelantar ya que un principio rector de todo trabajo en las organizaciones puede expresarse de esta manera: *las personas tienen un valor infinito sobre las cosas.* Las personas se dirigen; las cosas se administran o gestionan. Por ello, el empuje del liderazgo hacia el futuro será una acción claramente centrada en el hombre más que en la tarea.[96]

Milton Maskowitz y Robert Levering han estudiado desde hace años *las cien mejores empresas para trabajar en Estados Unidos*, dando las razones que justifican en cada caso su calificación. Recientemente han publicado su interesante estudio de diez grandes centros europeos de trabajo[97] escogidos de entre otras 73 grandes empresas. Ha de tenerse en cuenta que aquí *grande* no significa únicamente dimensión cuantitativa. Se trata, sin duda, de diez empresas que se encuentran en la cabeza mundial de su ramo. Pero lo *grande* se considera aquí también cualitativamente, es decir, debían ser empresas cuyos componentes se encontraran satisfechos de pertenecer a ellas. Los autores nos lo dicen de esta manera: "para figurar entre las empresas grandes sus empleados debían decirnos que les encanta trabajar para ellas".[98]

Pues bien: del detenido análisis de ese estudio, nosotros -no expresamente los autores- podemos deducir que a los cientos de trabajos analizados y clasificados entre los diez grandes no acuden las personas para trabajar allí por ser los primeros mundiales en su ramo

---

[96] Carlos Llano, *Análisis de la acción directiva,* p. 225 Cfr. Lickert R. *New patterns of management*, McGraw-Hill, New York, 1961.
[97] Milton Moskowitz y Robert Levering, "10 great companies to work for", *Fortune*, Febrero 4, 2002.
[98] M. Moskowitz y R. Levering, "10 great companies to work for", p. 32.

-y posiblemente también los de mayor tamaño-; las cosas parecen suceder al revés: *son los más grandes porque las personas quieren trabajar allí.*

Lo importante es que su atractivo no tiene una relación directa en principio con los parámetros económicos, ni de la organización ni de quienes trabajan en ellos, sino *en el ambiente creado en torno a la persona.* Según lo dijimos antes, estas compañías parecen tener una convicción profunda -raíz de otras convicciones que se deducen de ésta-: que la persona es anterior a todo otro parámetro mercantil.

Independientemente de las legislaciones, que son muy diversas en los distintos países europeos, las propias firmas implantan programas para mejorar las condiciones de sus centros laborales. Aunque el Estado desempeñe un mayor peso que en la Unión Americana, y los sindicatos sean mucho más poderosos, la dirección es la que marca el modo de conducirse, lo cual no es resultado de leyes y reglamentos, sino del ambiente humano que generan las *convicciones profundas.* "Es la interacción cotidiana la que determina si las personas se sienten respetadas y valoradas".[99]

1. *L'Oréal,* la mayor firma de cosméticos en el mundo, puede explicar la trayectoria ascendente de su organización de una manera poco usual. Su director general lo hace así: "siempre les digo [a los analistas financieros] que una de las razones que explican nuestro éxito es la relación especial que tenemos con nuestra gente. Pero no les interesa. Lo único que quieren son las cifras".[100] "Los empleados de *L'Oréal* crecen con libertad y autonomía, cualidades que son el sello distintivo de la cultura de la organización".[101] "En *L'Oréal* uno tiene derecho a equivocarse... siempre que no sea diez veces seguidas". Uno de los directores internacionales de la compañía dice que ha aprendido "nue-

[101] M. Moskowitz y R. Levering, "10 great companies to work for", p. 38.
[99] M. Moskowitz y R. Levering, "10 great companies to work for", p. 32.
[100] M. Moskowitz y R. Levering, "10 great companies to work for", p. 38.

vas formas de ver la vida": "aquí, uno tiene derecho a ser diferente".[102] "La innovación se da tan rápidamente que no tenemos tiempo para andar haciendo política, y ello quiere decir que me puedo concentrar en mi labor".[103] Y el vicepresidente de recursos humanos: "nos importa mucho la lealtad. La gente llega, se nos une y se queda".[104]

2. Igualmente, cuando *Novo Nordisk*, de Dinamarca -que provee al mundo de la mitad de la insulina que consume-, habla de la responsabilidad social "los analistas financieros prefieren taparse los oídos".[105] Pero sus directivos no se salen por la tangente. "Este laboratorio danés se evalúa a sí mismo con base en tres criterios: ambiental, social y económico".[106] Expresamente destaca la voluntad de "encontrar el equilibrio entre compañeros y competencia, a corto y largo plazo".[107] La mayoría de las acciones la controla una fundación sin fines de lucro. "Para que el personal entienda las metas de la firma, los reúne en pequeños grupos para que escuchen a los enfermos de diabetes que hablan acerca de la forma en que este padecimiento ha afectado sus vidas y cómo los productos de Nordisk los han ayudado. En todos los sentidos, las reuniones han tenido una repercusión profunda al grado que varios trabajadores se sintieron conmovidos hasta las lágrimas".[108]

Nordisk "satisface, por otra parte, todos los estándares de las instituciones públicas de salubridad, pero sin la asfixiante burocracia".[109] En *Novo Nordisk* hay muchísima potenciación o facultamiento (*empowerment*). Este facultamiento capacita también para disentir; el personal cuenta con el poder de rebatir. Prevalece una "cultura del

---

[102] M. Moskowitz y R. Levering, "10 great companies to work for", p. 38.
[103] M. Moskowitz y R. Levering, "10 great companies to work for", p. 39.
[104] M. Moskowitz y R. Levering, "10 great companies to work for", p. 39.
[105] M. Moskowitz y R. Levering, "10 great companies to work for", p. 32.
[106] M. Moskowitz y R. Levering, "10 great companies to work for", p. 32.
[107] M. Moskowitz y R. Levering, "10 great companies to work for", p. 32.
[108] M. Moskowitz y R. Levering, "10 great companies to work for", p. 33.
[109] M. Moskowitz y R. Levering, "10 great companies to work for", p. 33.

debate y la discusión",[110] como en cualquier buena familia normal. La gerente de comunicación señala: "siento que pertenezco a una familia. Todos están dispuestos a ayudarle a uno cuando tiene algún problema".[111] La *cultura humanista* de *Novo Nordisk* no es una casualidad. "La alta dirección fomenta la creación de sistemas extrínsecos: un equipo de personas a tiempo completo, que dedica una semana a cada departamento, para presentar después un enfoque que especifica *la forma en que cada unidad puede operar según los ideales de Nordisk*".[112]

3. *ST Microelectronics* es una negociación Suiza de semiconductores establecida en Milán. Los *chips* de ST funcionan dentro de los teléfonos inalámbricos de Nokia, en las impresoras Hewlett-Packard, y en los componentes automotrices de Bosck. Cuidan especialmente el talento. Sus salarios no son los más altos del mercado, pero varios trabajadores señalaron que habían rechazado ofertas salariales más cuantiosas "por el ambiente estimulante, inspirador y de familia que impera en ST".[113] Aquí todos se hablan de tú, lo cual no es práctica común en la mayoría de las empresas italianas. En 1995 ocupó el decimocuarto lugar a nivel mundial entre los fabricantes de *chips*. En 2000 pasó al sexto y tiene la expectativa de brincar hasta el tercero, aventajada nada más por Intel y Toshiba.

4. La compañía sueca *Skandia*, dedicada a los seguros desde 1855, llevó a cabo un gran cambio en el desarrollo de su personal. Aplicó el concepto de capital intelectual -clave de su éxito mercantil- diseñando una herramienta para medir esta noción tan vaga, a la que le dio el nombre de "Navigator". Con tal instrumento sondea a sus integrantes

---

[110] M. Moskowitz y R. Levering, "10 great companies to work for", p. 33.
[111] M. Moskowitz y R. Levering, "10 great companies to work for", p. 33.
[112] M. Moskowitz y R. Levering, "10 great companies to work for", p. 33.
[113] M. Moskowitz y R. Levering, "10 great companies to work for", p. 34.

para *coordinar sus metas personales con las metas corporativas.* En uno de sus documentos se lee: "contratamos por la actitud y capacitamos por las destrezas", o "contratamos a los mejores y los dejamos moverse solos".[114] Uno de sus directivos alabó a la compañía por "aceptarme tal cual soy". Una de las directoras definió a *Skandia* como "un lugar muy humano". El "centro *Skandia* del futuro" es un instituto, ubicado a 40 kilómetros de Estocolmo, donde se imparten conferencias y se organizan retiros de trabajo. Allí los participantes se familiarizan con las ideas de la administración del conocimiento. A la directora del instituto se le ha puesto el nombre de "jardinera del conocimiento".

Un acontecimiento ocurrido en *Skandia* en los años 90, y su resolución, han sido claves en la relación con las personas que la integran. Aquejada por la amenaza de una *compra hostil*, y en medio de una seria *crisis financiera*, adopta la política de dejar asumir a las personas su responsabilidad en lugar de decirles lo que tienen que hacer. Sienten que son ellas las que controlan el asunto. "Jamás podría volver a implantar -dice uno de los directivos- el viejo modelo de mandar y controlar".[115]

5. Aparece también un Banco de Inversiones, *Morgan Stanley*, en Londres, integrado por personas de 91 países que hablan 67 lenguas diversas. En 2001 ocupó el segundo puesto europeo en emisión de bonos internacionales, el segundo en fusiones y adquisiciones, y el primero en ofertas públicas de acciones. "Más que soberbios nos parecieron estar orgullosos".[116]

En el mar de cambios financieros europeos, *la raigambre de Morgan Stanley es un símbolo.* La plantilla es joven y bien pagada. "Pero lo que mantiene a esta gente en la empresa es una cultura de

---

[114] M. Moskowitz y R. Levering, "10 great companies to work for", p. 34.
[115] M. Moskowitz y R. Levering, "10 great companies to work for", p. 34.
[116] M. Moskowitz y R. Levering, "10 great companies to work for", p. 35.

equipo, y el hecho de que *Morgan Stanley* es una *meritocracia*, no un lugar en donde se avanza por el apellido o la universidad en donde se haya graduado".[117] "Contratamos gente buena" es un viejo refrán de la compañía. "*Morgan Stanley* contrata talento, no tanto destrezas... y se les exhorta a adueñarse de su propia trayectoria profesional".[118] "Contratamos personas con excesivo afán de logro" y a pesar de ello buscan "equilibrar la vida laboral con la vida familiar... nadie nos está vigilando"... La firma ha sido elogiada en boca de uno de sus principales funcionarios "por su disposición a escuchar y no echar en saco roto los comentarios del personal...".[119]

6. ING Group, empresa de asistencia en servicios financieros, da una idea de su ambiente psíquico por su transposición al ámbito arquitectónico: no tiene salas rectangulares ni cuadradas, y todo está diseñado para que nadie quede a más de 5 metros de una ventana. Aunque su edificio fue inaugurado hace 14 años, sigue atrayendo a más de 75 mil turistas al año. "¿Por qué esta compañía derrocha tanto tiempo -y dinero- en sus instalaciones?". "La razón es muy sencilla, explica Ewald Kist, Presidente del consejo de ING: nosotros no producimos coches ni aviones ni barcos, sólo papeles. *Necesitamos mostrarles a nuestros clientes que tenemos un rostro humano*... que no somos una compañía aburrida".[120] ING ha conservado -pese a sus cien mil empleados- "*la atmósfera de una empresa pequeña*". Siempre ha hecho énfasis en que las relaciones entre los empleados *sean armónicas*. Para ING *la armonía es el mayor de los valores*, prioridad que, en ellos, hace que la organización siga siendo humana a pesar de su tamaño. La cultura de ING se fundamenta en "su respeto a la persona, pues aquí la gente no es un bien intercambiable".[121] El clima de

[117] M. Moskowitz y R. Levering, "10 great companies to work for", p. 36.
[118] M. Moskowitz y R. Levering, "10 great companies to work for", p. 36.
[119] M. Moskowitz y R. Levering, "10 great companies to work for", p. 36.
[120] M. Moskowitz y R. Levering, "10 great companies to work for", p. 36.
[121] M. Moskowitz y R. Levering, "10 great companies to work for", p. 37.

estrellato lo contaminaría todo: el consenso "brota de las raíces holandesas que ven mal que unos destaquen a costa de otros".[122]

Con razón nos dice Guido Stein[123] no refiriéndose a ING sino contrariamente a la banca en general en la que, según McKinsey, las soluciones genéricas por medio de la mera imitación tecnológica no le están funcionando por lo menos como ella deseaba. Parece preciso algo más: no olvidar que son las personas quienes poseen los conocimientos y las habilidades y las que los acrecientan con el aprendizaje.

7. A nosotros nos ha llamado la atención que *Porche*, la conocida empresa alemana de automóviles, entrara en la categoría de empresas en las que *la persona es anterior al producto*, cuando el producto se llama Porche. Para empezar, los obreros no están encadenados a sus máquinas: cada auto es fabricado a la medida. "El cliente tiene a su disposición más de mil millones de combinaciones posibles... *sin contar* el color: Porche pintará el coche con el color que usted diga, como por ejemplo, el matiz de rojo que un cliente tejano quiso para el suyo, a fin de que hiciera juego con el lápiz labial favorito de su mujer". Sabido esto, dada la singularización de cada automóvil, no extraña que los trabajadores sean singularmente personificados: el obrero que pone las tres últimas capas de pintura suele colocar su nombre en cierto espacio detrás de la calavera derecha: firmar un trabajo de pintura es un ejemplo de orgullo por el dominio del oficio. Los obreros, que tuvieron garantizado su empleo hasta el año 2005, raramente hacen dos veces la misma tarea, y son ellos los que llevan las riendas en la planta.[124] Por un lado, la dirección no especifica funciones; por otro, "no hay barreras entre los asalariados, la mano de obra y la

[122] M. Moskowitz y R. Levering, "10 great companies to work for", p. 37.
[123] Guido Stein, "Inversión en tecnología", en *La Gaceta de los negocios, Opinión*, Madrid, 23-I-2002
[124] M. Moskowitz y R. Levering, "10 great companies to work for", p. 37.

dirección. Quien tiene una propuesta o algo que quisiera hacer, siempre puede hablar con los que están en los niveles superiores".[125]

8. *Nokia*, de Finlandia, como es sabido, es la empresa mundial número uno en telecomunicaciones. También aquí, curiosamente, la arquitectura es el diseño del caparazón externo de algo intensamente interior. La "casa *Nokia*", sede de la compañía en las afueras de Helsinki, es transparente por sus cristales y revestida de madera: el imperativo fue crear un espacio que estimulara la comunicación interna y el trabajo en equipo. Recibe mil solicitudes de empleo cada semana por medio de Internet; ello puede explicarse porque siempre es agradable entrar a trabajar a la primera compañía mundial en este preciso ramo. Pero el factor para que permanezcan en *Nokia* es la forma de trabajar en la empresa. Así como *Hewlett-Packard* tiene su famosa *forma de ser HP* (HP way), así esta empresa tiene su propia *forma de ser Nokia* (Nokia way). Un solo dato de esta forma de ser: hay cambios de puestos cada dos años. "Un vicepresidente de alto rango pasa a otra función para expandir sus conocimientos y destrezas... Esto se llama aquí *bajar de escala*, pues uno va hacia abajo".[126]

En 2001 *Nokia* sufrió las consecuencias de tener que despedir a mil trabajadores. Pero el personal no permitió que reinara una atmósfera de crisis; "la gente no está preocupada... pues confía mucho en esta empresa".[127]

9. El centro de investigaciones biomédicas *San Raffaele* (Italia) ofrece lo mejor de dos mundos: "la eficiencia y excelencia estadounidense, pero con el toque italiano". Sus 300 especialistas publica-

[125] M. Moskowitz y R. Levering, "10 great companies to work for", p. 38.[126] M. Moskowitz y R. Levering, "10 great companies to work for", p. 39.
[126] M. Moskowitz y R. Levering, "10 great companies to work for", p. 38.
[127] M. Moskowitz y R. Levering, "10 great companies to work for", p. 39.

ron 6,000 estudios el año pasado. Cuenta con un hospital de 1,500 camas junto al propio Instituto, que es considerado como uno de los mejores de Italia. Al preguntar por el éxito del hospital *San Raffaele no se nos contesta con tecnologías biomédicas,* fruto de la investigación de su también importante Instituto, *sino con convicciones profundas,* incluyendo la más profunda que cabe. Los empleados aluden a Luigi Maria Verzé, su presidente y fundador, antiguo párroco que actualmente cuenta con 81 años, y dirige la organización, sin fines de lucro, de acuerdo con principios tales como "Jesús vive en todos los pacientes" o "cada paciente es ante todo un ser humano".[128] Pero las convicciones que priman en el *San Rafaelle* no terminan aquí: "esta organización trabaja no sólo para el bienestar de los pacientes, sino también de quienes prestamos servicios aquí".[129]

1 0. Logrando en sus indagaciones una rica heterogeneidad, Milton Moskowitz y Robert Levering han incluido dentro de sus resultados a *Prêt á Manger* (*listos para comer,* en francés) centro de comida rápida, distribuidora de sándwiches para oficinas, que surte al Palacio de Buckingham y al primer ministro Tony Blair. McDonald´s, la máxima cadena de comida instantánea, quedó tan impresionada con los resultados de la firma inglesa, que el año pasado compró una parte de ella.

El lema extraoficial de la empresa es: "diviértete, pero haz sándwiches", y uno de los trabajadores "lo confirma": es divertido trabajar aquí. Tiene uno la libertad de aplicar sus propias ideas, con tal de que sean comercialmente sensatas, a pesar de que en ella "todo tiene que ser inmediatamente perfecto".[130]

---

[128] M. Moskowitz y R. Levering, "10 great companies to work for", p. 40.
[129] M. Moskowitz y R. Levering, "10 great companies to work for", p. 40.
[130] M. Moskowitz y R. Levering, "10 great companies to work for", p. 41.

También aquí, como en las otras organizaciones analizadas, se han disminuido las clases y departamentalizaciones, para hacer de la firma un equipo: "cada tres meses los jefes dedican un día a trabajar en una tienda... todos tienen el número de los teléfonos movibles o celulares de Andren Rolf y Julian Metcalpe, presidente y cofundador respectivamente de la compañía.

——— o ———

De intento hemos querido describir la cultura acerca de las personas (más que la técnica de las cosas) en estos diez centros de trabajo para ilustrar sólo una idea: las convicciones profundas que dan perennidad a un estilo de liderazgo -que no a un líder- no son elucubraciones elevadas y complejas. Y como ya hemos dicho[131] las convicciones que permanecen corresponden a la situación básica de la vida. Son convicciones de las personas comunes y corrientes, y por ello son comunes y corrientes las convicciones, sin que eso les merme un milímetro, al contrario, de la profundidad que las califica.

8 La segunda generación

Hace muchos años Max Weber escribió que el momento crítico de toda institución es el de la transmisión de su carisma fundacional. De alguna manera, esta acertada tesis de Weber es válida también para cualquier transmisión del liderazgo, si esa transmisión quiere ser meritoria de su nombre. Si el líder primero no transmite su liderazgo al de una supuesta *segunda generación* (segunda en cuanto que sigue a su antecesor, no importando cuántas transmisiones haya habido antecedentemente), lo que acaece no es una transmisión sino una *ruptura*. Nuestra experiencia es que por motivo de ambos líderes, el que sale y el que ingresa en el liderazgo, es mucho más frecuente en las sucesiones la ruptura que la transmisión.

---

[131] Cfr. *Infra* I, 6.

El líder entrante piensa que debe resellar su auto-afirmación como líder, y por ello teme llevar a cabo acciones que puedan considerarse como propias de sus precedentes; y el líder saliente ha asumido el liderazgo de forma tan personal, que incluso su estilo, objetivamente considerado como funcional y exitoso, conserva su estampa propia.

De ahí la importancia de que las convicciones profundas, es decir, básicas, de su liderazgo, sean encarnadas por él de modo que cualquiera -incluyendo precisamente a su sucesor- pueda asimilarlas igualmente no como una repetición sino como una continuidad. La repetición implica hacer las cosas igual; la continuidad, hacerlas con el mismo espíritu, adaptándolo a las circunstancias actuales, forzosamente diversas de las que tuvieron lugar en el anterior liderazgo.

Para que se dé una transmisión del poder sin *ruptura* y sin *repetición* se requiere -y a ello deseábamos llegar- la humildad por parte del líder *a quo* (predecesor), que debe ser humilde, liberal y generoso para no imponer su modo; y por parte del líder *ad quem* (sucesor), en quien se precisa una actitud también humilde, sin el deseo de hacer cosas diferentes para no demostrar -a su erróneo juicio- una carencia de personalidad.

La personalidad no se logra por *oposición*, como quería Hegel. La personalidad judeo-cristiana alude al modo de relacionarse. El modo en que el nuevo líder se relaciona con las realidades sociales establecidas por el anterior, habrá de ser lo que configure el rasgo personal típico de ese líder nuevo. La oposición o simplemente ruptura denotaría, por paradoja, falta de personalidad, que se encontraría condicionada -condicionada por oposición, no por relación- respecto de la personalidad del anterior.

El fenómeno así planteado podría considerarse como implicando una excesiva fidelidad o lealtad con el líder anterior, pero no es así. Ello iría contra lo que hemos denominado arriba líder transitorio. Lo que el fenómeno de la continuidad entraña en el liderazgo es más bien la fidelidad con la corporación, no con la persona precedente.

Tiene Álvarez de Mon motivos para decir: "*el test de un auténtico ejercicio de liderazgo es la segunda generación*",[132] pensando -añadimos nosotros- que lo dicho de la *segunda* vale igualmente para la generación *siguiente.*

9 Liderazgo y humildad

Nos parece el momento de hacer una aproximación introductoria a los dos conceptos centrales de nuestro estudio. Las definiciones serias y consistentes de lo que es el liderazgo nos abrirán una puerta para subsiguientes análisis.

Entre las definiciones de liderazgo no deberíamos subrayar tanto *la capacidad de ser seguido*, sustituyendo esta expresión por la *capacidad de consecución de una meta común.* La diferencia entre una concepción y otra se encuentra dada por la humildad. En la capacidad de ser seguido lo fundamental es el líder a quien se sigue; en la capacidad de consecución de una meta común lo importante no es el líder sino la meta común. No hay entonces una distinción entre el líder y los demás, ni la meta es más del líder que de los que trabajan con él. Pareciera que el líder es *uno más* de aquellos que componen la organización. Habría que preguntarse entonces por qué causa, siendo *uno más*, es, sin embargo, el líder. Contestaremos ahora sólo negativamente: el hecho de ser uno más en el conjunto laboral no es la causa de su liderazgo, pero sí es la *conditio sine qua non* de él. Para ser líder se requieren, junto con esta condición indispensable, otras que serán estudiadas en el presente trabajo, análisis en que se verá cómo las cualidades que se mencionen, se encuentran condicionadas por este hecho de *ser uno más*, núcleo básico de la humildad bien entendida.

Lo que acontece a la humildad con las otras cualidades del liderazgo -ser condición para poseerlas- ocurre con todas las demás

[132] Santiago Álvarez de Mon, *El mito del líder*, p. 16.

virtudes humanas. Ya dijo Miguel de Cervantes que sin humildad no hay ninguna virtud que lo sea.

Gardner nos ofrece una definición que puede considerarse válida: "*Liderazgo es la capacidad y deseo de conducir a hombres y mujeres hacia un objetivo común, y el carácter que inspira confianza*".[133] Aparece aquí, como ocurrirá en otros aspectos, el *objetivo común* que homogeniza de alguna manera a todos los que lo pretendan, incluyendo al propio líder. Pero se añade que la capacidad no basta: se requiere también el deseo, aunque tampoco el deseo solo bastaría.

Rompiendo la estructura de la definición, a la capacidad de conducción a otros y el deseo de hacerlo, se añade un concepto más genérico: *el carácter*, el cual implicaría ese conjunto de cualidades que configuran a un líder, señalándose una cualidad específica de ese carácter por lo que -se supone- el líder se perfila como tal: *la confianza*. Después[134] se verá que, aunque no la única, se halla entre las más importantes notas constitutivas del liderazgo.

James Hunter, en su aparentemente sencillo estudio *La Paradoja*, nos ofrece una definición que conviene retener:[135] "Liderazgo es el arte de influir sobre la gente para que trabaje con entusiasmo en la consecución de objetivos en pro del bien común". Nos satisface que se califique al liderazgo como un arte. Que la dirección es *más arte que ciencia* (aunque no deje de ser ciencia) fue afirmado hace muchos años (al menos desde 1965) por Antonio Valero, fundador del Instituto de Estudios Superiores de la Empresa IESE, Barcelona, España), y recogido por nosotros también hace tiempo.[136] Por otro lado, se sitúa al liderazgo más en una línea psicológica que política: el *conducir* de Gardner queda sustituido por el *influir* de Hunter, nos parece

---

[133] H. Gardner, *Leading Minds*, Harper Collins Publishers, Londres, 1996. Parece que Gardner toma esta definición de Alfred Marshall, alma del Plan Marshall y premio Nobel de la Paz.
[134] Cfr. *Infra* II, 4.1.
[135] James Hunter, *La paradoja*, p. 38 y ss.
[136] Carlos Llano, *Análisis de la acción directiva*, p. 136.

que con acierto. Y acierto también es que el objetivo no sea simplemente común para los que trabajan en conseguirlo sino *el bien común*, en donde se abre para el liderazgo la importante puerta de una de las más profundas convicciones: lograr no ya sólo el bien para el grupo *sobre el que* éste se ejerce, sino para la sociedad *en la que* el liderazgo se ejerce. Si la humildad la situamos en el terreno de lo común (y corriente) y no en el de lo especial (y distinto), queda aquí más subrayada.

Para la definición del liderazgo Hunter acude sabiamente a las categorías sociológicas reveladas por Max Weber en *Sobre la teoría de las ciencias sociales*. Me refiero a la distinción que articula entre *poder y autoridad*.[137]

Poder es la capacidad de forzar o coaccionar a alguien para que éste, aunque preferiría no hacerla, haga tu voluntad debido a tu posición y tu fuerza.[138]

Autoridad, en cambio, es el arte (otra vez el arte) de conseguir que la gente haga voluntariamente lo que tú quieres que haga, debido a tu influencia personal.[139]

El mismo Hunter nos hace ver aquí que mientras el poder se define en términos de *capacidad*, la autoridad lo hace en términos de *arte*: "arte de influir sobre la gente para que trabaje con entusiasmo en la consecución de objetivos en pro del bien común".[140]

Pero, como algo más importante aún, debe destacarse que esas definiciones inspiradas en Max Weber hacen unívoca referencia al *tú* y los *demás*: sea que *tú los* fuerces, sea que tú consigas que *ellos* hagan algo voluntariamente. La característica del objeto, meta o bien

[137] Curiosa y coincidentemente, y con un tratamiento del todo diverso, Álvarez de Mon, que no tiene en cuenta a Hunter, emplea también los términos de poder y autoridad cuando se introduce en la cuestión de la definición del líder (Cfr. Álvarez de Mon, *El mito del líder*, p. 41: "Poder y autoridad en el líder").
[138] J. Hunter. *La paradoja...*, p. 39.
[139] J. Hunter, *La paradoja*, p. 39.
[140] J. Hunter, *La paradoja*, p. 81.

común, ha quedado en la sombra, permaneciendo por ello en la sombra también el concepto del equipo o grupo de trabajo, insustituible, como en su momento se verá,[141] a fin de diseñar nítidamente el perfil del verdadero líder.

Para nosotros, esta ya clásica distinción weberiana entre poder y autoridad debe reforzarse con dos ideas, también diferentes, del comportamiento humano. Mediante lo que Weber llama *poder* lograríamos *que el hombre haga lo que nosotros queremos*; pero no podemos *lograr que quiera lo que nosotros queremos*. Haga lo que haga, el hombre sigue siendo libre para querer lo que quiera, dado que la libertad no se localiza en el terreno del *hacer*, sino en el campo, más fértil, del *querer*. De tal manera que el mandato formal, en cuanto expresión del poder, puede provocar una dicotomía o separación entre lo que el hombre quiere y lo que el hombre hace. Mediante el poder lograríamos incluso que nuestro subordinado *haga lo que no quiere; pero no lograremos nunca que quiera lo que no quiere.*[142] Porque "al acto propio de la voluntad misma [querer] no se le puede hacer violencia".[143] Los empresarios prefieren estudiar cualquier problema de índole técnico, antes de encararse con una cuestión tan ambigua y escurridiza como es la de la libertad humana; en concreto, la libertad de los hombres que se encuentran bajo su mando y particularmente bajo su mando inmediato.

Esta distinción entre el *hacer* y el *querer* no es una sutileza teórica. Por lo contrario, es una distinción de considerables repercusiones prácticas. Porque, en la práctica, hay una abisal diferencia entre estas dos formas de dirigir: a) pretender sin más que el subordinado *haga lo que nosotros queremos* (que se llama *poder* o autoritarismo), o bien b) pretender que el subordinado *quiera lo que nosotros quere-*

[141] Cfr. *Infra* II, 16.
[142] Este asunto ha sido tratado por nosotros más extensamente en Carlos Llano, *Análisis de la acción directiva*, "El estilo de mando en la empresa", p. 235 y ss.
[143] Tomás de Aquino, *Summa Theologiae*, I-II. q. 6, a. 4, c.

mos (lo cual se llama liderazgo o *autoridad* por influencia, ejemplaridad o convencimiento).

Ha de tenerse en cuenta que en el liderazgo auténtico no conducimos a, o influimos sobre, nuestros subordinados porque ellos sean débiles, sino porque nuestra razón y motivos de acción, así como nuestras convicciones, son fuertes. Por ventura, estas relaciones no se reducen al dúo *yo* y *ellos*, sea que ellos *hagan*, sea que ellos *quieran*. Como ya lo explicamos hace años en el lugar citado, la autoridad por influjo, ejemplo, convicción o convencimiento no debe representarse como línea de un sólo sentido. "Yo influyo en los demás con mis razones; pero los demás influyen con las suyas en las mías. Los campos de dirección... han de estar unidos por una línea bidireccional que se llama *participación*".[144]

Pero James Hunter, a la definición dada de liderazgo, añade a su vez otra distinción que resulta para nosotros imprescindible: el liderazgo no es una relación humana que se mueve en el ámbito del *sentimiento* -como no pocos estudiosos parecen insinuar-, sino en el *comportamiento*. Nadie puede ordenarle eficazmente a nadie lo que tiene que *sentir* por otra persona.[145] Para lo que a nosotros genéricamente interesa, se nos dice que *el amor no es jactancioso ni engreído*. En efecto, el liderazgo "empieza con la voluntad, que es la única capacidad que tenemos, como seres humanos, para que nuestras acciones sean consecuentes con nuestras intenciones".[146]

El líder no sólo mueve la voluntad de los suyos a determinados fines (intenciones). Hunter nos recuerda que de poco valen nuestras intenciones si no van seguidas de acciones consecuentes.[147] Que el liderazgo se refiera a la voluntad y a los comportamientos de manera inequívocamente central, no significa en modo alguno que el líder pueda impunemente hacer a un lado los sentimientos.

---

[144] Cfr. Carlos Llano, *Análisis de la acción directiva*, p. 241.
[145] James Hunter, *La paradoja...*, p. 99 y ss.
[146] James Hunter, *La paradoja*, p. 91.
[147] James Hunter, *La paradoja*, p. 90.

De acuerdo con la *Política* de Aristóteles, el modo específico de mando por parte del gobernador con respecto a sus súbditos recibe el nombre de retórica, es decir, el arte de presentar al subalterno la orden de modo que sea libremente aceptada debido a la racionalidad, utilidad, necesidad o conveniencia para él, o para otros, de manera que el mandato no sólo *se mueve* en el nivel de lo racional sino también -no únicamente- en el de los sentimientos.

En términos filosóficos, Aristóteles dirá que la retórica es la habilidad del gobernante para hacer verosímil lo verdadero (mientras que el sofisma es la maña para hacer verosímil lo falso). Elevada esta máxima a nuestro terreno antropológico, más que político, el hombre educa sus sentimientos cuando su entendimiento ve la procedencia o conveniencia de ellos con tal claridad y persuasión que logra amainarlos o incentivarlos según el caso. Para decirlo con rigor, el hombre, gracias a la intervención de su entendimiento y su voluntad, se convence a sí mismo de la calidad de los sentimientos a incentivar, y del deterioro a desenmascarar y superar con respecto a los sentimientos inconvenientes.

La retórica es, pues, en términos modernos, un proceso de automotivación (pero ya se ve que es algo que no pende sólo de sentimientos). No podemos detenernos ahora en extenso en el hecho de que la retórica, como modo de mando a mis propios sentimientos (automotivación), es paralela al modo de mando a los de los demás (heteromotivación). Los demás tienen también sentimientos, y si el sujeto de ellos es incapaz de dominarlos enteramente en sí mismo, menos aún podrá hacerlo en un sujeto ajeno (como jefe de aquellos cuyos son los sentimientos). La retórica en cuanto heteromotivación (educación de los sentimientos de los demás) se sobrepone a la retórica como automotivación (debo yo conducir y educar mis propios sentimientos, y debo lograr que los demás se automotiven para que puedan conducir oportunamente los suyos).[148]

---

[148] Hemos tratado ampliamente este asunto en Carlos Llano *Falacias y ámbitos de la creatividad*, "¿Hay control de los sentimientos?"..., p. 231 y ss.

Esta formación de la sensibilidad es la que, con otra terminología, se denomina formación integral, pues se dan cita en ella todos los resortes formativos del individuo. Mientras no haya un ensamble funcional y adecuado entre la inteligencia, la voluntad y los sentimientos, cualquier intento de formación completa descarrilará. Y descarrilarán también los intentos de liderazgo integral. No debemos pensar como Napoleón: "El egoísmo y el miedo son las dos palancas que mueven a los hombres. El amor... es una aberración... dejemos la sensibilidad a las mujeres, y que los hombres sin voluntad ni valor no se entrometan en el gobierno..."[149]

En el terreno de la definición del liderazgo y de la caracterización del líder, nos hemos encontrado, sorpresivamente, con la conmensuración entre el amor (con su componente de humildad) y el liderazgo. Ello no debe sorprendernos. Hablar seriamente de un fenómeno sociológico importante como el liderazgo, eludiendo el hecho del amor, podría parecer sospechoso, pero no lo es en modo alguno.

Para entenderlo, nos ayuda la definición de liderazgo que aporta nuestro estimado colega Juan Antonio Pérez López: "La cualidad específica del directivo que hace o desarrolla una institución es la que se suele denominar liderazgo, y éste *siempre implica un alto nivel de autosacrificio*, cosa a la que no están dispuestas demasiadas personas".[150]

El líder "trata de mantener y acrecentar la unidad de la organización. Se preocupa de problemas como el desarrollo del sentido de responsabilidad en su gente, el que sean capaces de moverse por sentido del deber y otros similares".[151]

Pero este cumplimiento del sentido del deber y esta necesidad de autosacrificio no hace paradójicamente que el liderazgo sea des-

---

[149] E. Ludwig, *Napoleón*, Juventud, Barcelona, 1991, 24a. edición.
[150] Juan Antonio Pérez López, *Fundamentos de la dirección de empresas*, Deusto, España, 1993.
[151] Juan Antonio Pérez López, *Liderazgo y ética en la nueva dirección de empresas*, Deusto, España, 1997.

agradable. El sacrificio de muchas personas por muchas personas es fuente de gozo y alegría (piénsese en la dedicación de la madre al hijo enfermo). Esto lo ha visto con clarividencia el propio James Hunter diciendo: "hay un gran gozo en dirigir con autoridad, que consiste en servir a los demás satisfaciendo sus legítimas necesidades".[152]

Hunter mismo nos dice que ese gozo que supone servir a los demás no es una ficción, sino que requiere sólo "esforzarme un poco para ser auténtico con la gente. *Humildad* creo que fue la palabra que (se) empleó". Aquí aparecen identificados por primera vez en nuestro estudio las realidades antropológicas de *humildad* y *liderazgo* a través del concepto clave de *autenticidad.* Esta autenticidad ya fue intuida por nosotros cuando dijimos que los líderes "no sólo animan a la disensión... sino que la demandan, y se rodean de personas lo suficientemente inteligentes para conocer la verdad y lo suficientemente independientes para decirla".[153]

Tal vez sea Hunter quien se aproxime más a nuestra postura (o mejor, nosotros a la suya) respecto de la estrecha vinculación entre *humildad y liderazgo.* Para Hunter la humildad se identifica con el "ser auténtico y sin pretensiones ni arrogancia".[154] Anticipándose a Collins, admite -aunque en su libro lo ponga en boca de un sargento- que "un líder tiene... que ser fuerte, capaz de dar un puntapié cuando hace falta".[155]

Es interesante percatarse con Hunter de que sin humildad, la arrogancia y la soberbia son mentirosas, porque " crea la ilusión de que no somos, ni debemos ser, dependientes de los demás". Y continúa: "un maestro espiritual anónimo escribió: 'la humildad no es más que el conocimiento verdadero de ti mismo y de tus limitacio-

---

[152] James Hunter. *La paradoja...* p. 170.
[153] Bennis, W. *Why leaders can't lead.* Jossey-Bass Publishers, USA. 1997.
[154] James Hunter, *La paradoja...*, p. 110.
[155] James Hunter, *La paradoja...*, p. 110.

nes. Sólo quienes se ven como realmente son en verdad pueden ser humildes'".[156] Veremos[157] que no fue un maestro, sino una maestra, la cual no tiene nada de anónima, y veremos también que esta clara expresión tendría más fuerza si en lugar de afirmar con acierto que "sólo quienes se ven como realmente son pueden ser humildes", se dijera aún con más acierto que "sólo pueden ser humildes aquellos que se ven como realmente son".

Otro acierto de Hunter es el haber sabido unir la humildad que me debo a mí mismo con el respeto que debo a los demás. Se han volteado las tornas sociales contemporáneas: no ya que los súbditos humildes respeten al jefe, sino que el jefe humilde respete a sus súbditos. El respeto -ya dijimos- no es tratar a los demás *como si* fueran importantes: se *respeta* a los demás *porque* son importantes. Cada persona, singularmente considerada, es lo más valioso que podemos hallar, después de un detenido escrutinio, en el universo entero.

Debemos decir que la inclusión de la humildad entre los componentes básicos de ser del líder, siendo hoy novedosa, no es en modo alguno nueva. Se sabe, desde hace cientos de años, que el que hace de cabeza -*capitis*- en un cuerpo social, ha de contar con las tradicionales y precisamente llamadas virtudes *capitales*, de las que consideramos necesario hacer una lista, al tenor del talante *olvidadizo* de nuestra cultura respecto de culturas pasadas, pues desgraciadamente no vale entre nosotros aquello a lo que en tiempos pretéritos se consideró falsamente válido: *cualquier tiempo pasado fue mejor.*

- *La* ***humildad***, que domina -en el sentido antes precisado- o combate la tendencia desordenada a la propia excelencia, denominada soberbia.

[156] James Hunter, *La paradoja...*, p. 111.
[157] Cfr. II, 2.2.

- *La* ***magnanimidad***, que brota de la justicia y domina o combate la tendencia desordenada a la posesión de riquezas, llamada avaricia, capacitándonos para aspirar a metas altas.

- *La* ***castidad***, que domina o combate la tendencia desordenada a los deleites sexuales, llamada lujuria.

- *El* ***amor al prójimo***, que domina o combate la tendencia a entristecernos del bien ajeno y alegrarnos de su mal, lo que se llama envidia.

- *La* ***templanza***, que domina o combate la tendencia desordenada al deleite sensible del comer y beber, la cual se llama gula.

- *La* ***paciencia*** (o mansedumbre), que domina o combate la tendencia desordenada de vengarnos de o agraviar a quien pensamos que nos ha ofendido, la cual se llama ira.

- *La* ***diligencia*** (o laboriosidad), que domina o combate la flojera o decaimiento para hacer lo que debemos, que se llama pereza.

Por esto, nos complace ver que incluso Covey hace alusiones a la vinculación entre la humildad y el liderazgo. Especialmente nos satisface que quien puede considerarse en la vanguardia de la popularidad por sus estudios sobre la gerencia, acuda a la humildad según la entiende la antropología clásica: “si alguien asume roles y aspira demasiado alto como tributo a su vanidad y a su orgullo, *se engañará gradualmente a sí mismo.* Será zarandeado por las condiciones y amenazado por las circunstancias y por otras personas. Entonces se verá obligado a luchar para defender su falsa fachada. Pero si *sabe aceptar la verdad sobre sí mismo...* desarrollará gradualmente un concepto más preciso de su propia persona”.[158]

---

[158] Stephen R. Covey. *El liderazgo...*, p. 64.

Si bien no considera Covey la humildad como una *conditio sine qua non* del liderazgo, lo hace como "*la madre de todas las virtudes*: porque promueve la responsabilidad..."[159] "Si usted cae en el orgullo -'mi voluntad', 'mis planes', 'mis deseos'- deberá recurrir a sus propias fuerzas".[160]

Nos hemos referido hasta aquí a la humildad requerida en el líder. Esta virtud, como las demás, arraiga operativamente en los individuos. Al trabajar juntos, crean un grupo que puede considerarse analógicamente como un individuo social, que se comporta como si tuviera, también analógicamente, virtudes y vicios, distintos muchas veces de los vicios y virtudes de quienes lo componen. Pero la necesidad de la humildad en el individuo, considerado propiamente como tal, puede subrayarse cuando nos percatamos de que el liderazgo mismo, como institución inexcusable en las organizaciones, es susceptible de no tener la relevancia que se le ha venido dando. Nos parece que es preciso hoy no sólo subrayar la humildad del líder sino también del liderazgo, como componente de la organización, cuyo relieve la literatura del *management* ha exagerado tal vez de modo excesivo, hasta convertirlo, como lo hace notar Álvarez de Mon, en un *mito.* En este sentido nos parece un acierto que Stephen Robbins[161] se atreva a decir en este momento que "el liderazgo puede no ser siempre importante. Ciertas variables del individuo, del trabajo y de las organizaciones pueden actuar como *sustitutos* del liderazgo o *neutralizar* el efecto del líder para influir en sus subordinados":[162] empieza a aparecer recientemente la idea, sustentada en varios hechos por todos comprobables, de que los líderes no tienen siempre un impacto serio en sus subordinados, para no mencionar los hechos mostrativos de liderazgos perjudiciales en las personas y por ende en la organización misma.

---

[159] Stephen R. Covey. *El liderazgo...*, p. 65.
[160] Stephen R. Covey. *El liderazgo...*, p. 65.
[161] Stephen Robbins, *El comportamiento organizacional*, p. 366.
[162] S. Kerv y J. M. Jermier, "Substitutes for Leadership", *Organizational Behavior and Human Performance*, diciembre de 1978, pp. 375-403.

En la valoración de las repercusiones favorables o desfavorables que producen el liderazgo y/o el líder, debe tenerse en cuenta que cuando la organización presenta un resultado extremadamente negativo o positivo, estamos generalmente dispuestos a *atribuirlos* al liderazgo y/o al líder, conforme a lo que Meindl ha denominado *la teoría de la atribución.*[163] Esto es especialmente válido para los líderes llamados *carismáticos* que emergen en tiempos de crisis y de cambio. En tales coyunturas esos líderes carismáticos pueden llegar a constituir una desventaja.[164]

10 Preponderancia

La clara inserción -directa o indirecta- de la humildad en la acción del líder nos ha hecho caminar en los linderos de su contrapeso: la soberbia, el orgullo, la vanidad...; peligros que acechan a todo jefe, especialmente si lo es en el ámbito del poder y no en el de la autoridad. Estos peligros que conlleva el poder serán englobados bajo un término de consonancias más organizativas que éticas: la preponderancia. Etimológicamente se traduciría como *tener más peso*, y los signos que demuestran o conllevan este hecho. La mera consideración de *pesar más que* o *hallarse por encima de* establece una dimensión comparativa que, siendo de suyo innecesaria, facilita que a la jefatura y al liderazgo se le adhieran aquellos vicios de prevalencia a que acabamos de referirnos.

Las preguntas que al respecto formula Santiago Álvarez de Mon son actuales y procedentes: "¿qué se puede hacer si me creo el número uno? ¿Qué se puede modificar si estoy sentado en lo más alto?"[165] Evidentemente, en el aspecto exterior no se puede -ni se debe- hacer

[163] R. Meindl *et al*, "The Romance of Leadership", *Administrative Science quarterly*, March, 1985, p. 78-102

[164] J. A. Conger, "*The Charismatic Leader: Behind the Mystique of Exceptional Leadership*", Jossey Bass, San Francisco, 1988

[165] Santiago Álvarez de Mon, *El mito del líder*, p. 57.

nada. Los cambios necesarios al respecto tendrán lugar en el centro mismo del individuo. Visto monocordemente tal vez éste pueda y deba creerse el número uno; pero nada más podrá serlo considerando un solo baremo. Si tiene humildad e inteligencia para utilizar otros instrumentos de medición u otras cualidades a medir, se percataría de que su número uno resulta muy relativo e insuficiente, por considerarse sólo un aspecto de los muchos que polivalentemente afectan a todo individuo. Lo mismo se dirá acerca de su posición en el lugar más alto: depende de las cualidades cuya altura calibramos. No podemos encontrarnos al unísono en todas las cumbres. El Everest absoluto no existe: dejó de existir en cuanto se puso en órbita un pequeño satélite. Considerándolo así el jefe podrá estar en muchas posiciones, pero *no estará sentado*. Ya dijo Einstein que el hombre, igual que las bicicletas, sólo puede mantener el equilibrio moviéndose.[166]

"En el fondo sigue diciendo Álvarez de Mon la complacencia y vanidad no surgen de la nada. Son hijas de un éxito que pocos saben digerir".[167] "La paradoja del éxito... es una lección difícil de aprender".[168] Todo éxito es prematuro, dirá Leonardo Polo.

Pero también ha de tenerse en cuenta que "algunos se caen por ir demasiado aprisa... creo más en la evolución callada y seria que en la resolución histérica, ruidosa y efectista. Sólo defiendo una *mentalidad humilde* y realista e inquisitiva que permite caminar razonablemente bien por el río de la vida, incluso por sus rápidos más caudalosos".[169]

Ya sabemos que la excelencia se define no como la ausencia del error, sino como la capacidad de enmendarlo. Los biógrafos de los individuos humanamente sobresalientes, nos indican que todos han recibido *curas de humildad*.[170]

---

[166] Highfield R. y Carter P., *Einstein*, Madrid, 1966.
[167] Santiago Álvarez de Mon, *El mito del líder*, p. 57.
[168] Charles Garfield, *La edad de la paradoja*, Apóstrofe, Barcelona, 1966.
[169] Santiago Álvarez de Mon, *El mito del lider*, p. 57.
[170] Cfr. Santiago Álvarez de Mon, *El mito del líder*, p. 57.

El liderazgo concebido como preponderancia implica, sobre todo, *estar arriba*. Podemos calificarlo técnicamente, en términos organizativos: el énfasis dado al tratar del liderazgo al fenómeno de la *preponderancia* (estar más arriba, pesar más) es una versión del acento que a partir de principios del siglo XX se dió al *rango* o dimensión de las organizaciones que señala el *arriba o el abajo de ellas*, por encima de la *inclusión*, que mide diversamente el adentro o el afuera en las organizaciones, de acuerdo con el siguiente esquema.

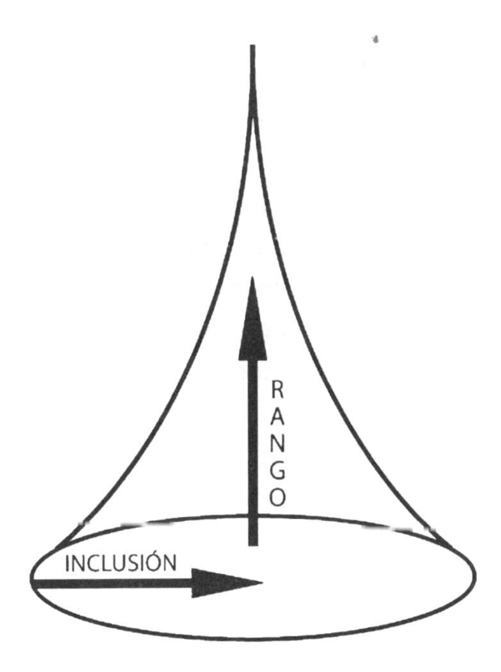

Este asunto, íntimamente vinculado con el requerimiento de la humildad en el liderazgo, ha sido estudiado por nosotros al menos en dos obras a las que remitimos al lector, y de las cuales hacemos aquí, en lo relacionado a este caso, un pequeño resumen.[171]

[171] Cfr. Carlos Llano, *El empresario y su mundo*, pp. 167 y ss., en el que se habla de los motivos de preponderancia; Carlos Llano, *El empresario y su acción*, McGraw-Hill, México, 1990, pp 34 y ss. Carlos Llano, *El nuevo empresario en México*, p. 221.

El *rango* es una línea de movimiento en la organización que señala especialmente el orden jerárquico del poder, del mando. Quien se encuentra en los niveles superiores del rango es el que *manda más* y tiene mayor poder en la organización de que se trate. Ya se ve en el esquema que acaba de presentarse: a medida que se avanza en la línea superior del mando, los espacios de la organización se estrechan. Las personas que tienen en sus manos el poder son pocas, en relación con las que tienen un nivel jerárquico inferior.

Por contrapartida, la línea de inclusión es posible en cualquier nivel de la organización y, paradójicamente, puede llegar a poseer un mayor grado inclusivo o incluyente no quien está más arriba, sino quien está más abajo; porque la inclusión no hace referencia al abajo o arriba, sino al *afuera* y *adentro*, paradójicamente, repetimos, para las consideraciones culturales de la empresa del siglo XIX. Marginando esas consideraciones, nos parece estructuralmente explicable que para tener mayor fuerza incluyente, un acento más agudo de convocatoria, la persona deba ser "una más" entre aquellos que convoca, porque posee más capacidad asociativa que capacidad de poder.

De ahí que, si procuramos no hipertrofiar el rango, como lo hicimos en la figura anterior, sino al revés, acentuar la dimensión inclusiva, el esquema de la organización adoptaría otro perfil, el cual incluso a simple vista, nos da la impresión de mayor equilibrio y solidez.

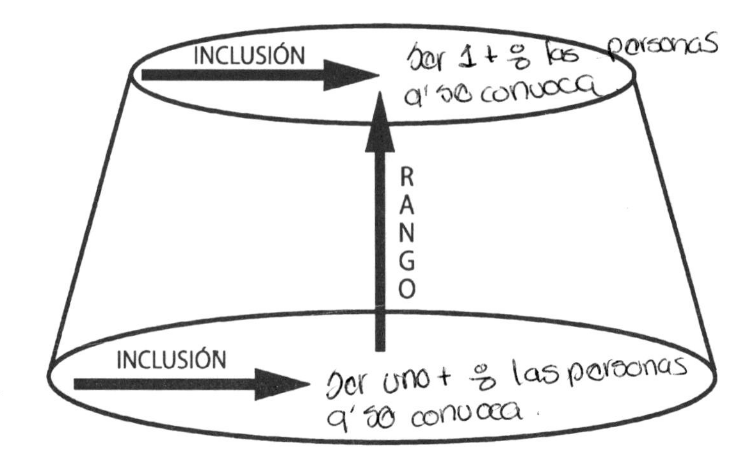

La teoría que sostenemos en las tres citadas obras es ésta: en el momento actual la eficacia del liderazgo se encuentra más por la línea de la inclusión que por la línea del rango, lo cual equivale a decir que el valor de la humildad ("ser uno más") en el liderazgo es preferible al de la preponderancia (si ésta pudiera catalogarse entre la lista de los valores).

Como muchos otros conceptos opuestos al individualismo, éste del que ahora tratamos fue ya avistado por Peter Drucker. Porque la importancia de la inclusión no sólo debe calibrarse en los niveles más bajos de la jerarquía, sino, como puede verse en la figura inmediatamente anterior, en los niveles más altos de mando o de poder. También ahí, particularmente ahí, la inclusión debería subrayarse más que el rango. Por ello Peter Drucker dice que las empresas sólidas son aquellas que tienen la *boca ancha*. Nosotros nos atreveríamos a añadir que las empresas endebles son aquellas que *no tienen prácticamente boca*, porque han adoptado, según también se ve en la penúltima figura, la forma de un embudo invertido, en donde todo se acapara jerárquicamente en el ápice.

Esa afirmación de Peter Drucker no ha quedado dentro de su pensamiento como una llamarada puntiforme. En su reciente estudio *La próxima sociedad*[172] nos dice que "el conocimiento no es jerárquico". Los llamados trabajadores del conocimiento, aquéllos que aportan a la organización, antes que nada, sus conocimientos profesionales, se resisten, incluso como mérito propio, al sometimiento de la jerarquía administrativa. El conocimiento, por naturaleza, es propiciatorio de la inclusión, de las fuerzas asociativas. Al contrario del poder y del mando, cuya inclusión puede disminuir en la persona que los detenta, el conocimiento profesional personal, a medida que se comparte, necesariamente se ensancha y se asegura al compartirlo con los demás.

---

[172] Peter Drucker, "The next society", The economist, Nov. 1, 2001 p. 12.

El peso, para tales personas, no lo tiene el poder formal establecido en la organización, sino la altura y calidad de los conocimientos de la especialidad profesional correspondiente. Esto lo ejemplifica Drucker de una manera ilustrativa: "Un cirujano de corazón abierto puede recibir mucha mejor remuneración que, por ejemplo, un terapeuta del lenguaje, además de disfrutar de una categoría social superior. Sin embargo, si en una situación en particular se requiere de la rehabilitación de la víctima de una embolia, en ese caso los conocimientos del terapeuta del lenguaje son sumamente superiores a los del cirujano". En la organización hospitalaria ni el cirujano ni el terapeuta lingüístico, como "los trabajadores del conocimiento" de todos los tipos, se ven a sí mismos como subordinados sino como profesionales.

Esto no significa -añade Drucker- que el poder (administrativo) o el dinero -que erróneamente suelen ir juntos- no tengan importancia para esos profesionales. Tienen tanta importancia como para cualquiera, pero "no lo aceptan como criterio final"; el trabajo en su profesión considera al dinero o al *status* -"en agudo contraste con los trabajadores del ayer"- como un mero "medio de vida"; la profesión en cambio es más bien "un estilo de vida".[173] Se apunta una prueba de que el conocimiento tiene características vitales diversas a las del dinero: el dinero puede heredarse; el conocimiento no: el conocimiento tiene que *aprenderse*.

Resulta notorio que estas consideraciones son útiles para visualizar las relaciones -¡y las oposiciones!- entre el liderazgo y la preponderancia. Nos parece oportuno, además, adelantar ahora una observación que tendrá atingencia cuando abordemos el inexcusable tema del líder y su trabajo en equipo -inexcusable, decimos, al tratar de su humildad-: los trabajadores del conocimiento "deben su principal lealtad hacia su ramo de conocimiento especializado", más que a su organización.

---

[173] Peter Drucker, "The next society", p. 12.

En corriente contraria a cuanto decimos, se ha de reconocer que todas las *circunstancias extrínsecas* que rodean a la dirección general conspiran para que el director tienda al *encumbramiento* siendo que, en contraste, se le exige como *responsabilidad intrínseca* el *adentramiento*. Adentrarse y sobresalir; incluirse y destacar; agruparse y preponderar son movimientos sociales adversos respecto de los que el líder debe optar. Se ve claro que de tal opción resultarán dos formas disímbolas de liderazgo. Nuestra tesis, sostenida desde hace años, es que la armonía y el equilibrio entre ellas, si no imposible en teoría, resulta muy difícil en la práctica.

En efecto, como ya hemos podido entrever líneas arriba, se ha hecho casi una identidad entre liderazgo y preponderancia; esta identidad deriva de su correspondencia biunívoca: el liderazgo no podría darse sin preponderancia, ni se daría la preponderancia sin liderazgo. La identidad, sin embargo, ha comenzado a despegarse cuando se ve que el liderazgo bien entendido siempre se puede y conviene incrementar, y no así la preponderancia. Esta, que se origina más bien a partir de señales extrínsecas, se puede exagerar, en vistas precisamente a un pretenso liderazgo que no se acaba de consolidar. Cuando crece la preponderancia y no repercute en una mayor capacidad de *arrastre* o *empuje*, esto es, en una mayor intensidad del líder, la preponderancia tiene efectos contraproducentes. Gravemente contraproducentes: se hace antipática.

Nuestra última afirmación ha comenzado a vislumbrarse modernamente, abriendo así una puerta al tema central de nuestro estudio. La puerta consiste precisamente en considerar que el *líder no es soberbio*, mientras que la preponderancia tiene el inminente peligro de serlo. Ello es el prefacio para llegar al atisbo de que la humildad podría ser, tal vez, una nota de entre las muchas que debe poseer el líder.

The Conference Board ha publicado recientemente un estudio –quizá el más definitivo hasta la fecha en que ahora estamos escribiendo: Agosto de 2002-, que denomina *La formación de líderes de empresa para el año 2010.*[174] Conforme a tal estudio, nos hallaríamos ante un *déficit de liderazgo.* En 1997 el *Conference Board* hizo una encuesta entre las empresas con él asociadas, y la mitad de las organizaciones calificaba la fuerza de su liderazgo como "excelente o buena". Cinco años después, en 2001, en una encuesta paralela, sólo una tercera parte de las empresas calificó con los mismos adjetivos a su fuerza de liderazgo.

Ante tal *déficit* no cabe otra solución que la de acometer con energía la formación de líderes. Pero la formación de líderes no está exenta de riesgos porque son muchas las habilidades que se le piden a la persona que debe ejercerlo.

El estudio que comentamos enumera algunos de los fenómenos que surgen a borbotones en el mundo de la empresa. La sola visión conjunta nos introduce en la complejidad del tema:

> ***Globalización.*** Que exige mover a un equipo geográficamente disperso.
>
> ***Competencia.*** Antes debíamos cuidarnos de las competencias nuevas surgentes. Hoy, además, la globalización produce el dramático fenómeno de *antiguos gigantes que despiertan.*
>
> ***Tecnología.*** La tecnología ha sido siempre sinónimo de mayor velocidad. Pero ahora, y también por génesis de la globalización, la velocidad es endógena a la propia tecnología. Queremos decir no ya que con novedades técnicas podemos hacer nuestras operaciones más velozmente, sino que las propias novedades técnicas nacen y mueren ellas mismas a mayor velocidad.
>
> ***Decisiones de riesgo.*** Antes era frecuente decidir sobre lo que llamábamos inversiones de desarrollo, que hacíamos para exten-

[174] Patrocinado por *Development Dimensions International* (DDI), *The Conference Board,* New York, N.Y.

der los campos que una empresa aún tuviera por explotar o por explotar más plenamente. Pero hoy la frecuencia se da en lo llamado *decisiones de riesgo*, en donde asumimos el trabajo de creación de nuevas empresas o de cambios tan radicales en las ya existentes, lo cual supone un verdadero acto creativo, resumible en la gráfica expresión de "apostar la empresa entera".

Énfasis en las relaciones con los clientes. No sólo con la globalización sino específicamente con la globalización de la informática, el cliente ha adquirido un poder antes insospechado. No hay ya cliente pequeño. Con las proliferaciones de las *networks*, cualquier pequeño cliente se nos puede hacer repentinamente grande. Bueno es el liderazgo *ab intra*, en el interior de la empresa; pero mejor aún el liderazgo *ad extra*, que convierta a la empresa en un nudo neurálgico entre el numerosísimo universo de proveedores y el innúmero planetario de clientes.

Cambios de estructura de la organización. El encadenamiento de los fenómenos que acabamos de exponer presiona a las empresas para que su esqueleto se adapte a las nuevas circunstancias o, dicho de otro modo, para que su organización deje de ser esquelética (*hardware*) para transformarse en muscular (*software*).

Expectativas del empleado. Lo que el estudio que comentamos llama *guerra por el talento*, nos hace ver que hemos de encararnos con diferentes expectativas respecto de las personas que trabajan en la organización, como lo acabamos de analizar precisamente en el estudio de Peter Drucker, según el cual, los trabajadores de hoy en agudo contraste con los trabajadores de ayer, *no aceptan el sueldo o el rango como criterio valorativo final.*[175]

---

[175] Cfr. Peter Drucker, "The next society", p. 12.

Estos fenómenos requieren más específicas aptitudes críticas en el liderazgo. Las escogidas y resaltadas por el *Conference Board* son dignas de tener en cuenta: dominar la estrategia, dirigir el cambio, constituir relaciones, gobernar el trabajo en red, desarrollar talento...

Estas aptitudes nos llevan de la mano a un conjunto arduo de destrezas que deben incorporarse en el líder: potencia del entendimiento, agilidad mental, rapidez en la operación de la tecnología, habilidad analítica, apertura a múltiples fuentes de información, concentración en los detalles del caso, decisión sensata ante la ambigüedad e incertidumbre, *ascendiente y persuasión respecto a los integrantes de la empresa: clientes, proveedores, socios estratégicos, grupos externos con intereses en la compañía, e inversionistas.*

No podemos dejar de extrañarnos, de nuevo, por el hecho ausente de la humildad. Es llamativo que un estudio de esta naturaleza y de este tiempo la haya marginado. Lo cual, lejos de desanimarnos, nos reafirma de nuevo en la utilidad provechosa de nuestro trabajo.

Porque, a fin de cuentas, el estudio sobre *La formación de líderes de empresa para el año 2010* no sólo tiene en cuenta este impresionante conjunto de fenómenos, aptitudes, habilidades y destrezas del líder. Señala precisamente los cinco enemigos que se colocan enfrente de la formación del líder.

1) Aversión al riesgo.
2) *Soberbia.*
3) Inmovilidad.
4) Control excesivo.
5) Resistirse a hacerle frente a asuntos difíciles.

La soberbia como uno de los cinco principales peligros para la formación del líder es un buen principio para introducirse en la esencia de un verdadero y estable liderazgo, pero no resulta suficiente. Señalar a la soberbia como un obstáculo para ser líder resulta en el momento contemporáneo sumamente acertado, cuando la cultura en las organizaciones del siglo vigésimo discurría en dirección contraria. El liderazgo constituía al menos la preciada meta de los soberbios. Hoy se piensa, a Dios gracias, que la soberbia se ve como un notable obstáculo para llegar a esa meta. Los soberbios que deseaban ser líderes, se constituían -por soberbia- en el obstáculo mismo de sus pretensiones.

Definimos que el descubrimiento de este paradójico fenómeno constituye un avance -incluso nos atreveríamos a decir que *un gran paso*-, pero insuficiente. Señalar a la soberbia no como un motor sino como un obstáculo, nos lleva a la *erradicación de un vicio*, y, a mayor abundancia, del vicio más desagradable. Pero lo que en la formación del líder ha de hacerse presente (y ello no ocurre en el mencionado estudio del *Conference Board*), no es ya la erradicación de la soberbia sino la adquisición de la humildad, que es, en sentido contrario precisamente a su vicio opuesto, la más grata de las virtudes.

Recibí una particular satisfacción al leer en una importante revista de negocios lo que mi colega Mario Zavala contestó taxativamente a la pregunta que se le hizo: ¿qué es lo que jamás debe hacer el director general?: "*el factor más importante que debe omitir es la soberbia*".[176]

Esta omisión de la soberbia, este finiquito a la inflación del yo, enfermedad endémica de los mal llamados líderes decimonónicos, resulta hoy tanto más necesaria -como lo indicó el estudio sobre la formación de líderes que estamos analizando- por cuanto que ha penetrado internamente en la empresa lo que puede denominarse *nueva diversidad*: la presencia activa, y no sólo virtual, de *diferencias culturales* en colaboradores, clientes, proveedores y gobiernos, con su correspondiente decisivo estilo de mando, que exige vaciarnos de nuestro propio yo, gracias a lo que, inspirándonos en William Pagonis,

[176] En *Mesa de Discusión, Alto nivel*, México, Agosto 2002, p. 43.

hemos denominado *liderazgo anamórfico.*[177] Hay muchas formas de dirigir. Pero ha de haber una forma *-la anamórfica-* que origina la capacidad del líder para trabajar con personas de idiosincrasia diversa, o, dicho negativamente, para evitar que sólo pueda trabajar con colaboradores que tengan la misma idiosincrasia.

Stephen Covey ha sabido ver y hacer ver en nuestro tiempo los peligros que la soberbia entraña para el liderazgo. Nos parece que, de todos sus aciertos, debemos poner en éste un especial énfasis, precisamente por lograr *popularidad* manifiesta con una perspectiva del liderazgo que es manifiestamente *impopular.*

El aspirar alto, nos dice, no es un atributo de la vanidad y el orgullo. Al contrario, tal supuesto líder se irá engañando a sí mismo gradualmente: se encontrará condicionado, cada vez con mayor profundidad, por otras personas: "se verá obligado a... defender su falsa fachada".[178] El remedio ante tal horizonte no es otra cosa que saber aceptar la verdad sobre sí mismo, desarrollando gradualmente un concepto más preciso de su persona. En su momento veremos[179] que hay una relación estrechísima -casi identidad- entre la humildad y la verdad sobre sí mismo, lo cual constituye una de las funciones sustantivas de la dirección.

Este apetito de preponderancia y ostentación, que se hipertrofia en el peor momento (en el momento de dirigir las organizaciones) tiene un raro y difícil contrapeso. En efecto, el liderazgo y la humildad, lo dijimos al comienzo del presente estudio, se nos presentan como realidades antropológicas contrapuestas.

Las "aspiraciones y la ambición desenfrenadas" encuentran su restricción "si decido dedicar mi talento y recursos... a prestar servicios a los demás".[180] De lo contrario, no parece haber más camino

---

[177] William G. Pagonis y Jeffrey L. Cruikshac, *Moving Mountains: Lessons in Leadership and Logistics from the Gulf War,* Harvard Business School Press, Boston, 1992. Cfr. Carlos Llano *El nuevo empresario en México,* Cap. 7 "El liderazgo anamórfico".

[178] Stephen R. Covey, *El liderazgo...,* p. 64.

[179] Cfr. *Infra* II, 2.2.

[180] Stephen R. Covey, *El liderazgo...,* p. 65.

que la búsqueda de ser el número uno, meta humana que se confunde con el liderazgo: se encarna “concentrada en el poder, la fortuna, la fama, la posición, el dominio y las posesiones”.[181]

Sin un acuerdo mutuo, Covey enumera aquí lo que nosotros hace muchos años denominamos motivaciones de *preponderancia* o *disgregadoras*: 1) Posesión de bienes materiales; 2) Posición social o *status*; 3) Poder sobre otros; 4) Preponderancia ante los demás; 5) Prestigio; 6) Popularidad.[182]

Dijimos entonces que hay una recíproca opacidad o rechazo entre las personas que desean cualquiera de estos bienes, y que los comportamientos derivados de esas apetencias de preponderancia son disolventes y disgregadores.

Por su propia naturaleza, los bienes que corresponden a las motivaciones de preponderancia han de ser comparables entre sí. Esta comparación, que se convierte fácilmente en competencia, hace que las mencionados bienes (prestigio, poder, popularidad, posición social, preponderancia...) se transformen en bienes prototípicamente exclusivos, ya que la comparación es por naturaleza excluyente.[183]

El más destacado comentador aristotélico, Tomás de Aquino, nos señala el carácter íntimamente vicioso que conlleva el deseo de cargos o funciones de preponderancia. Al preguntarse si es lícito tal deseo, contesta radicalmente que no. Podemos disentir de esta negación tan definitiva, pero resulta conveniente analizar las razones de semejante aserto.

Si alguien se considera más digno que otro para asumir un puesto o una función de preponderancia, daría muestra de *falta de humildad.* En efecto, quien se prefiere a sí mismo sobre otro respecto de tal cargo, no se encuentra en condiciones de objetividad para emitir ese

---

[181] Stephen R. Covey, *El liderazgo...*, p. 65.

[182] Carlos Llano, *El empresario y su mundo*, Cap. VI; Motivaciones asociativas y motivaciones de preponderancia.

[183] Cfr. Carlos Llano, *El empresario y su mundo*, p. 182.

juicio con acierto (será juez y parte). Su juicio no será humilde ya que no está en condición apropiada para juzgar. Pero si, por otra parte, no considerándose el más apto, deseara para sí la posición de preponderancia, mostraría señales de *falta de justicia*, pues es injusto desear un puesto habiendo alguien más capaz para el mismo. Santo Tomás no concluye, sin embargo, de un modo totalmente negativo, sino al revés: no es ilícito sino virtuoso el desear adquirir cualidades que nos harían aptos para determinadas funciones.[184]

11 Motivaciones

11.1 Motivaciones asociativas

La restricción o contrapeso más eficaz de las motivaciones de pre ponderancia es el desarrollo de lo que también hemos llamado motivaciones asociativas,[185] que no necesariamente se oponen a las de preponderancia, pero orientan al hombre hacia otras direcciones más sanas para la organización: la salud, los conocimientos, la amistad y la alegría.

Para algunos, demeritar la fuerza de las motivaciones de preponderancia implicaría cortar las alas de la ambición y cercenar el espíritu de competencia. Esta teoría proviene de una falsa idea de la ambición. El hombre verdaderamente ambicioso es el que pretende y consigue metas altas, que generalmente no puede lograr por sí mismo. La ambición es un impulso asociativo. Pero hoy por desgracia se considera ambicioso no al que quiere llegar alto, sino a *quien quiere llegar más alto que los demás*, lo cual tiene que conseguir, evidentemente, él solo, si es que ha de estar en la cumbre: cumbre como pináculo, no como plataforma.

---

[184] Cfr. Tomás de Aquino, *Quaestiones Quodlibetales* II, q.6, a.1.
[185] Carlos Llano, *El empresario y su mundo*, p.191.

Guy Sorman muestra, valiéndose de experiencias como las que observamos en Japón y Silicon Valley, que la productividad radica más en el *compañerismo* y en la *pertenencia* a la organización que en la *competencia* individual.[186]

Las motivaciones asociativas y las motivaciones de preponderancia se entienden mejor en su contraste (no necesariamente oposición). Las motivaciones de preponderancia siguen en la organización la línea señalada de abajo hacia arriba, por el *rango*; las asociativas, en cambio, la línea que hemos llamado *inclusión*, y transcurren de afuera para adentro. Aquí se ve claramente, otra vez, cómo las motivaciones de preponderancia y rango se mueven entre bienes que resultan exclusivos, en tanto que las motivaciones asociativas o de inclusión tienen su ámbito en los bienes comunicables.

Si nosotros incitamos a los individuos de la organización para que anhelen bienes comunicables, ampliamos sus espacios de desarrollo y la pirámide se ensanchará hasta dejar de serlo, pues sus integrantes buscarán más la inclusión que el rango. Pero lo importante no sería esto. Lo importante es que se *ensancharía* verdaderamente a la persona como tal, al encauzarse hacia dimensiones más amplias, de mayor compatibilidad mutua. Seremos jefes de personas propiamente tales, y no de individuos encogidos por su egoísmo posesivo y progresivo.

La distinción entre estos dos movimientos de la organización (inclusión y rango), estas dos tendencias motivacionales (de preponderancia o asociativas), y estos dos tipos de bienes (exclusivos y comunicables), es un importante factor sociológico al que necesariamente tendrá que atenderse cuando en su momento estudiemos el liderazgo que tiene lugar en una tarea de equipo. Pero no sólo esto. La importancia que estos conceptos (tan poco tenidos en cuenta hoy) poseen en la sociología, proviene de su *distinta constitución ontológica,* que

[186] Guy Sorman, *La revolución conservadora americana*, Editorial Atlántida, Barcelona 1985.

debemos subrayar -aun a costa de un aparente *excursus*-, porque sólo así se entenderá con plenitud el hecho de que el liderazgo tenga su cimiento en lo que nosotros hemos llamado *convicciones profundas y perennes*,[187] y Covey denomina *principios*.

¿Cómo puede el individuo cambiar de un proyecto que busca la preponderancia a otro cuya meta es la solidaridad?

Ya dijimos que las motivaciones de inclusión buscan preferentemente bienes comunicables, y las de rango, bienes excluyentes. La comunidad -a diferencia de la exclusividad- es una característica diferencial de los bienes espirituales. Los bienes del espíritu le son al hombre plenamente connaturales, como los de la materia. Sin embargo, yendo al fondo de la cuestión tendremos que afirmar, con Tomás de Aquino, que "los bienes espirituales pueden poseerse simultáneamente por muchos, pero no los bienes corporales".[188]

Más aún: nosotros nos atrevemos a decir que la diferencia entre materia y espíritu no es algo sólo comprensible a nivel metafísico (o incluso místico), extraño al mundo de la vida corriente y, sin duda, de la cultura materialista de nuestra sociedad contemporánea. La diferencia entre materia y espíritu es algo que alcanzamos a vivir cotidianamente, y en ella y por ella nos conducimos. Sea una piedra de toque, la siguiente regla existencial por la que nos percatamos, de modo inmediato, si nos encontramos frente a bienes de la materia o bienes del espíritu: *son bienes materiales aquellos que se deterioran al repartirse; son bienes espirituales aquellos que al compartirse se incrementan.* El lector puede comprobar esta sabia regla existencial examinando una por una las motivaciones que hemos llamado de pre-

[187] Cfr. *Supra* I, 6 y 7.
[188] Tomás de Aquino, *Summa Theologiae*, III, q.23, a.1, *ad* 3.

ponderancia o de asociación. Las motivaciones de preponderancia son materiales o para-materiales, y, en su virtud, comparables entre sí (*más que aquél, menos que éste*); las motivaciones asociativas, en cambio, tienen su referencia en el fondo de la persona, y la persona, en cuanto espiritual, resulta incomparable. Ya la sabiduría popular lo dice taxativa y tautológicamente: *cada uno es cada uno.*

Las observaciones anteriores no son sólo filosóficas ni somos nosotros solos quienes las hemos aplicado a la empresa con ánimos ocultos de moralización. Alguien nada sospechoso al respecto ha llegado a nuestra misma conclusión, aunque sea de una manera indirecta. Peter Drucker, en su trabajo *"La próxima sociedad"*[189] dice taxativamente que "*el conocimiento no es jerárquico*". Los trabajadores del conocimiento se ven a sí mismos no como jefes y subordinados sino como profesionales. Nosotros diremos que el conocimiento, como actividad espiritual que es -no la hay más- engendra la *inclusión*, y no el *rango*, que corresponde a las realidades para-materiales, y por eso se puede decir que, efectivamente, el conocimiento no es jerárquico, no puede medirse con el parámetro del rango, esto es, del arriba y del abajo.

Drucker apela allí en su apoyo a alguien que resulta menos sospechoso aún, John Kenneth Galbraith, quien por primera vez, en 1958, dijo en *"La sociedad afluente"* que en la sociedad del conocimiento hay muchas personas para las que lo importante no es ni siquiera la seguridad económica sino el *peso* o la *afluencia* social. Podemos fácilmente percatarnos de que el individuo que busca la *afluencia* es precisamente el que se ve impulsado por la *inclusión.* Puede aquí entreverse el cimiento antropológico a tener en cuenta para analogar con cuidado las condiciones requeridas a fin de que el líder pueda serlo de un equipo eficaz de trabajo.

---

[189] Peter Drucker, "The next society".

11.2 Servicio

Ya hemos visto que Stephen Covey nos presenta como contrapeso principal de la preponderancia el *servicio a los demás.*[190] Pero el concepto de *servicio* no puede desvincularse del concepto de *amor*, por extraño que parezca éste en el ámbito de las organizaciones, y, específicamente, de las organizaciones mercantiles.

No debería ser extraño: la importante y densa obra de James C. Hunter[191] se encuentra estructurada de modo tal que el nervio básico de todo líder es precisamente el amor, por más que el nombre se encuentre *desprestigiado* -indebidamente desprestigiado- como una nota lírica y disonante en el mundo de los negocios. El atrevimiento de Hunter llega al punto de que el título original de su obra sobre la esencia del liderazgo es: *The Servant*, que Mariano Velázquez de la Cadena, de *Columbia University*,[192] traduce no sólo como quien por cortesía se pone a la disposición de alguien, sino que también lo llama, con crudeza, sirviente, criado, siervo y aún esclavo. Ello debe tenerse en cuenta en nuestro estudio, que trata precisamente sobre la *humildad del liderazgo.*

Una persona con aspiraciones en busca de su *propia* fama se encuentra polarmente preocupada por sus *propios* planes. "Puede incluso llegar a considerar a su *propio* cónyuge y a *sus* hijos como posesiones y tratar de arrancar de ellos el tipo de comportamiento que le dará más popularidad y consideración a la vista de los demás".[193] Este tipo de *amor posesivo* destruye.

Quien no tenga vocación de servicio no responderá a las necesidades de los demás cuando ellas afecten negativamente a su propia vida. Esto es lo que Covey llama la doble mentalización, que con-

---

[190] Cf.n. 11. Sthepen R. Covey, *El liderazgo...*, p. 65.
[191] James Hunter, *La paradoja.*
[192] Wilcox and Fallet, N. York, 1955.
[193] *Idem*, p. 66.

duce a una inevitable pelea con nosotros mismos. "Lo contrario de la doble mentalización es... la integridad. La logramos en la precisa medida en que nos dedicamos desinteresadamente a servir a otros".[194]

Precisamente en el servicio sitúa Covey uno de las tres maneras de lo que nosotros hemos llamado contrapesos de la preponderancia, y él denomina *resoluciones para superar las fuerzas de la aspiración y la ambición desenfrenadas.*

Nos parece que Pérez López ha ido más allá: el servicio no es para él un mero acto de la *libertad* humana, aunque se requiera la libertad, pues nadie sirve si no quiere servir, excepción hecha del esclavo; para Pérez López el servicio es una *auténtica necesidad de todo individuo*, y ha sabido ponernos a la vista los beneficiosos frutos que una organización produciría si sus miembros se encontraran atraídos por esa necesidad, y -lo que es más notable- cómo esa necesidad puede constituir la mayor atracción para el individuo, si en la organización se ensancha el campo de las motivaciones en márgenes no usuales pero sí posibles (y, en algunos casos, imperiosos para la vida de esa organización).[195]

El servicio debe, con todo, *desdramatizarse*. No se puede ejercer como quien obra en *contra de sí mismo*: no hay tal costo. Con fundamento nos dice Álvarez de Mon que, desmintiendo el sentir general, el afán de servicio que mueve a Gandhi, Matushita, Havel y Edith Stein no tiene que revestirse de seriedad y mirada hierática.[196]

La transitoriedad del líder[197] es una consecuencia de su actitud de servicio. Porque el verdadero servicio se concentra en el desarrollo y capacitación de las personas que se hallan bajo mi cuidado, como líder o director que de ellas soy: por eso el líder crea él mismo su

---

[194] *Idem*, p. 66.
[195] Cfr. Pérez López, Juan Antonio, "Humanismo y técnica en la dirección de empresa", *Istmo*, No. 142, México, 1982. Cfr. Carlos Llano, *Análisis de la acción directiva*, pp. 43 a 58; *El empresario y su mundo*, Cap. VI.
[196] Santiago Álvarez de Mon, *El mito del líder.*
[197] Cfr. *Supra* I, 5.

prescindibilidad, al saberse intercambiable, e insuficiente para culminar una misión tan alta y tan vasta como la que se propone. Se constituye así en el propio contrapeso de la preeminencia.

Hemos abordado, con éste del servicio, un punto crucial del liderazgo, que resulta clave en el actual momento. Romano Guardini, en una conferencia dictada en Bruselas (1962), cuando recibió el premio al *Mejor humanista europeo*, afirmó nada menos lo siguiente: "Europa supo suscitar a lo largo de varios siglos una impresionante *cultura del dominio*. Su tarea actual consiste en configurar una *cultura del servicio"*.[198]

Hunter lo dice por boca de uno de los personajes de su libro (cuyo nombre original ya hemos revelado: *The servant*): "¿quién es el mayor líder? El que más ha servido"[199]; por ello "el liderazgo puede concretarse en una sencilla descripción de tareas que cabe en cinco palabras: *Identificar y satisfacer las necesidades"*.[200] Pero el servicio no es algo que atañe meramente a sus destinatarios sino, de manera particular, a sus otorgantes. Se emparienta con una de las cualidades propias del líder, que es la del dominio. Entendámonos: nos referimos al dominio sobre sí y no sobre otros, séalo en la forma de autoridad, séalo en la de poder. Lo ha visto también claramente Stephen Covey: "usted no puede decir *estoy a su servicio* hasta que no pueda afirmar que es dueño de sí mismo. Dicho de otra forma, deberíamos profesar una ética de servicio, pero cuando nos vemos sometidos a presiones y tensiones podemos caer bajo el control de determinada pasión o apetito. Perdemos nuestra moderación, nos volvemos celosos, envidiosos, lascivos y vagos... a pesar de nuestra ética de ser "*servidores de la gente*, nos convertimos en sirvientes o esclavos de todo lo que nos domina".[201]

---

[198] Cfr. Patricia Montelongo, "Líderes o últimos lugares", *Istmo*, México, No. 258, 2002, p. 3.
[199] James Hunter, *La paradoja*, p. 91.
[200] James Hunter, *La paradoja*, p. 91.
[201] Stephen Covey, *El liderazgo centrado...*, p. 67.

Como muchas de las aseveraciones de Covey, tiene ésta un *background* clásico, que quizá él mismo ignora aunque se encuentra indudablemente dentro de nuestra civilización, gracias a los estudios greco-cristianos que llegan a nosotros como verdaderos orientadores del pensamiento, de manera silenciosa pero eficaz... Años antes que Covey, Karol Wojtyla nos dijo que "para servir digna y eficazmente a los otros, *hay que saber dominarse*, es necesario poseer las virtudes que hacen posible tal dominio".[202]

La antropología cristiana, en efecto, nos dice que la cultura del servicio sólo puede sustituir a la cultura del dominio, cuando la persona posee tal dominio no sobre los otros sino sobre sí. Y el hombre adquiere un verdadero autodominio, cuando, paradójicamente, se pone al servicio del bien absoluto, ante el cual los bienes relativos amenguan su ímpetu. En cambio, el fenómeno humano que se produce cuando no hay esta sujeción al bien absoluto, que se llama amor, se encuentra descrito con fuerza y profundidad por San Josemaría Escrivá: "... se produce un vacío de individual y responsable ejercicio de la propia libertad: allí -no obstante todas las apariencias- todo es coacción. El indeciso, el irresoluto, es como materia plástica a merced de las circunstancias; cualquiera lo moldea a su antojo y, antes que nada, las pasiones y las peores tendencias de la naturaleza herida..."[203]

Estas observaciones no sirven sólo para hablar del tono personal interior del cristiano, con vistas al cual se hacen, sino también para concebir el perfil de un líder auténtico. Cuando, por ejemplo, se le pregunta a Peter Drucker cuáles son las tres lecciones más importantes que las escuelas de negocios de hoy en día deben enseñar a los directivos del mañana, el interrogado contesta de inmediato: "la primera es que deben aprender a *responsabilizarse de sí mismos*".[204]

---

[202] Juan Pablo II, *Redemptor hominis*, n. 28, 1979.
[203] San Josemaría Escrivá, *Amigos de Dios...*, n. 29.
[204] Christy Chapman, *"Un balance de la enseñanza de la dirección de empresas"*, Biz Ed. Nov-Dic. 2001, p. 14.

Y el propio Covey nos recuerda que "*la responsabilidad* es la capacidad de elegir nuestra respuesta en cualquier circunstancia o condición".[205]

La persona que depende de las circunstancias, que cambia en su profundo modo de ser por el hecho de haber adquirido una fortuna o un puesto social (o por el hecho de haberlos perdido), falla en esa identidad personal, que es una de las responsabilidades del individuo:[206] no tiene dominio de sí.

El autodominio, en la persona racional, hace una necesaria referencia al grado con que la razón y la voluntad -facultades superiores del hombre- tienen supremacía sobre los sentimientos, cuyo origen y persistencia no puede el hombre controlar. Lo que a la persona humana le cabe -y en eso consiste el núcleo del autodominio- es ejercer una conducta que no tenga su fuente única en los sentimientos, pasiones, emociones, afectos... cuya llave de apertura y cierre no posee. Posee, en cambio, predominio sobre su comportamiento, de manera que éste se ajuste a las orientaciones de la razón y a los mandatos de la voluntad sin que prime en él la fuerza de los sentimientos por intensa que sea.

La educación de los sentimientos es, en realidad, una educación de nuestra conducta con respecto a ellos, o, si se quiere, un manejo tal de nuestras tendencias sentimentales que no lleguen a imperar sobre la conducta. A esta postura *del hombre* María García le llama *humanismo*.[207]

El líder posee dominio, liderazgo sobre sí cuando posee *humanismo* en el sentido que indicamos. Esta formación de la propia sensibilidad es lo que, con otra terminología, se denomina formación integral, pues se dan cita en ella todos los resortes formativos del indivi-

---

[205] Stephen Covey. *El liderazgo...*, p. 59.
[206] Carlos Llano, *Dilemas éticos...*, p. 206. Cfr. Carlos Llano, *Dilemas éticos...*, Cap. IX. "Responsabilidades", p. 294.
[207] María García, "¿Es posible educar los afectos?" *Mercurio Peruano*, Piura, Perú, 1999, n. 512.

duo. "Mientras no haya un ensamble funcional y adecuado entre la inteligencia, la voluntad y los sentimientos, cualquier intento de formación completa descarrilará".[208]

Este *ensamble* es el *carácter*. Una persona sin carácter, sin autodominio, no puede -insistimos- ponerse al servicio de los demás: prevalecerá el servicio que preste a sus gustos, caprichos, tendencias sentimentales... Pero no sólo esto. *Para el líder la posesión de carácter implica ya, de suyo, la mejor forma de servir a los demás*: el que cuenta con carácter (vale decir, el que logra la armonía o articulación entre el entendimiento, la voluntad y los sentimientos), trasmina ese carácter suyo a toda la organización. El líder es, así, quien *contagia* con su modo de ser a los otros, no en el grado de que los otros pierdan el suyo, sino en la medida que la personalidad del líder deja siempre un rastro o huella profundos en el individuo al que dirige. Ya veremos[209] que la acción principal de quien conduce a un equipo de hombres es el ejemplo. Pues bien: no se puede dar ejemplo de nada si se carece de personalidad; y ésta, el carácter, sólo se puede replicar, inspirar o reproducir mediante el ejemplo, según veremos también después.

Ya se intuye claramente que no será posible esculpirnos un carácter si no prevalece el esfuerzo de la voluntad en su desarrollo, bajo la ley del apotegma platónico: "las cosas bellas son difíciles", que leemos en *La República*, así como en la *Política* de Aristóteles: "el estudio es siempre penoso", citado por Cortos Giner.[210]

No se piense, sin embargo, que esta adquisición y mantenimiento del dominio de sí es de suyo desagradable, creencia en virtud de la cual muchos jefes de organizaciones confían en las *técnicas psicológicas* para reconducir a los demás hacia las metas elegidas. No tienen

[208] Carlos Llano, *Falacias y ámbitos...*, p. 240.
[209] Cfr. *Infra* II, 12.
[210] Ma. Isabel Cortos Giner, "El esfuerzo y la voluntad como ejes de la formación de la cultura", *Expansión*, No. 792, 7 y 21 de Junio

más remedio que depositar en esas técnicas psicológicas su esperanza, pues consideran que el dominio de sí es -por duro- inasequible. Ya sospechamos que es mucho más fácil saber psicología o ser psicólogo, que ser dueño de sí. Pero no podemos quedarnos en esto. El líder ha de tener la seguridad de que si su decisión voluntaria persiste en su empeño, y la acción emprendida logra -pese a todo- su propósito, suele brotar un sentimiento redundante intensamente positivo, porque "la satisfacción que le produce al hombre haberse vencido a sí mismo no tiene igual. Es difícil encontrar una emoción placentera de mayor hondura que la de la consecución del logro pretendido, cuando el obstáculo para ese logro no estaba representado sólo por dificultades u obstáculos exteriores, sino por los propios sentimientos personales, íntimos y aparentemente irreversibles. No hay satisfacción, decimos, equiparable, a la conquista del Everest de sí mismo".[211]

El servir es un atributo de la persona. Las estructuras realizan funciones, pero no pueden realizar servicios. Más aún, en alguna oportunidad me he atrevido a decir que la expresión "servicio público" es una cierta contradicción en los términos, como, por cierto, comprobamos con frecuencia los usuarios de estos presuntos servicios colectivos. Servir es, sobre todo, cuidar de los demás. Cuidar de alguien no es imponerle las propias exigencias: es ayudarle a crecer según sus propias inclinaciones y proyectos; es facilitarle, como decía Marcel Proust, "esa prolongación y multiplicación posibles de sí mismo que constituyen la felicidad".

12 Motivaciones competitivas

12.1 Competencia y colaboración

Los anhelos de preeminencia, por un lado, y sus consectarias motivaciones disgregadoras, por el otro, proponen en su fondo último un con-

[211] Carlos Llano, *Falacias y ámbitos...*, p. 264.

cepto de persona diverso que debemos desentrañar, porque el modo de liderazgo depende, como de su base o cimiento, de un apropiado concepto de persona. El liderazgo, en efecto, o es liderazgo de personas o es otra realidad por completo diversa: *conductor de manadas.*

En la cultura contemporánea se dan dos conceptos opuestos en la consideración de la persona, que, por vasos comunicantes, indiscernidos pero reales, han venido a tener fuerte resonancia dentro de las paredes de las organizaciones, que son -repetimos- comunidad de personas.

Se trata de la persona constituida en sí misma *por oposición* o constituida en sí misma por *relación.* Según Tomás Hobbes y Friedrich Hegel, la génesis constitucional de la persona, su autoafirmación como tal, lo que la hace en su núcleo ser persona y ser esta persona, es su oposición a otra. En cambio, para Aristóteles, y sobre todo para Tomás de Aquino, la persona se define y se distingue por su modo característico, peculiar e irrepetible de relacionarse con los demás. De uno u otro concepto de persona se desprende uno u otro sistema de motivaciones, uno u otro medio de trabajo, uno u otro modo de dirigir la organización. A la hora de la elección, tal vez debamos hacerle caso a Charles Taylor[212] cuando nos dice que "la autorrealización por oposición" es una forma narcisista, superficial y trivializada de estar en la sociedad, y a Alan Bloom,[213] para quien esta opción egocéntrica es *angosta y chata.*

Pero la identidad de la persona entendida por oposición o entendida por relación no es sólo un concepto filosófico: es también un operativo estilo de vida, que cada uno asume como propio por causas y razones diferentes. Una de ellas, para la primera opción citada, es el falso supuesto de que el egoísmo es más afirmador e individualizante que la generosidad, lo cual es demostrativamente falso; hay en el

---

[212] Charles, Taylor, *Fuentes del yo*, Paidos, Barcelona, 1996.
[213] Alan Bloom, *El cierre de la mente americana*, Plaza y Janes, Barcelona, 1988.

acto generoso un factor de identidad y personificación individual de nivel máximo, muy superior al acto egoísta.

Estos dos conceptos de persona, que dan lugar a los dos movimientos detectados en el seno de la organización (rango e inclusión) y en los sistemas de motivaciones (asociativos y disgregadores), ponen un distinto acento en el modo de relacionarse las empresas y las personas: sea por competencia -que resulta hoy continuamente subrayada- sea por colaboración, desmerecida en las condiciones antropológicas de las empresas actuales.

Parece que las *instancias éticas* del hombre lo empujan a la solidaridad mutua, a la involucración en las sociedades en y de las que vive. Esta solidaridad establece una sana y natural restricción en el apetito -obsesión- de ascenso, poder y preeminencia: aunque son fenómenos que no se opongan, es mejor ser amigo que ser jefe.

Pero, por otro lado, parece que las *instancias mercantiles* del mismo hombre lo impulsan no a la solidaridad o colaboración, sino a la competencia. Ambas realidades se encuentran presentes -por más que a algunos les pese- en las organizaciones de hoy. Se trata de ver cómo se compatibilizan la competencia y la colaboración: si podemos hacer posibles una *colaboración competitiva* o una *competencia colaboradora.* No se nos escapa que estas cuestiones resultan cruciales en nuestra aproximación al liderazgo, y sin embargo han sido sociológicamente desatendidas.

Guido Stein nos advierte que en el momento actual de las empresas se dan *joint ventures* con otros competidores -lo que antes era impensable-, aunque sea para incrementar la competencia, el poder de compra frente a proveedores comunes[214] (y, como rebote, añadimos nosotros, se darán asociaciones de colaboración entre proveedores antes sólo competitivos). Es evidente *a priori*, como lo está siendo

[214] Guido Stein, "Los ahorros del internet", en *La Gaceta de los negocios, Opinión*, Madrid, 15-II-2002, p. 6.

ya también *a posteriori,* que este movimiento de sístole y diástole, colaboración y competencia, aunado a la disminución de la burocracia y al demérito de las jerarquías introduce en las empresas un talante flexible e inestable propiciador de la transitoriedad que ha de inherirse también en el liderazgo.

Peter Drucker puede sacarnos de dudas sobre la compatibilidad, armonía o equilibrio entre las fuerzas cooperativas y competitivas que se dan inevitablemente en toda empresa, y entre las empresas; y sobre el protagonismo que (en caso de no poder lograrse la compatibilidad, armonía o equilibrio predichos) se trata de otorgar a la colaboración o a la competencia. Nos dice que la movilidad ascendente de la sociedad tiene un alto precio: las presiones psicológicas y traumas emocionales que surgen en toda carrera; sólo puede haber ganadores si hay perdedores. Nos pone dos ejemplos ilustrativos por su contraste y su paralelismo: las carreras de ratas y el insomnio que los jóvenes sufren ante el resultado de cada examen por la posibilidad de ingresar en una universidad más que en otra. Este hecho decide su carrera profesional para siempre. Tales presiones crean -dice-*hostilidad hacia el aprendizaje.*[215]

Este sentido competitivo de la vida tiene un límite, como ocurre en las luchas deportivas: llega una edad en que el deportista no puede ya superar sus metas, sino que será indefectiblemente superado por los más jóvenes: muchos se *estabilizan* a los 40 años: saben que han logrado todo lo que pueden lograr en el futuro. Por ello el austriaco *gurú* de la gerencia recomienda a los *trabajadores del conocimiento* una vida y comunidad no competitivas y propias, como -por ejemplo- la contribución voluntaria en una comunidad, la participación en una orquesta local, asumir una parte activa en el gobierno de una ciudad pequeña.[216]

[215] Peter Drucker, "The next society", p.12.
[216] Peter Drucker, "The next society", p. 12.

Estos trabajos, que pueden ser paralelos al que se ejerza en una organización formal, e incluso mercantil, no constituyen, para nosotros -no sabemos si también para Drucker- un mero *side line* de consuelo o de descanso en la lucha competitiva del *mundo serio laboral*: transforman el carácter de las personas, porque incorporan un talante vital no competitivo: se puede -se debe ser- competitivo y colaborador, o, más bien, colaborador y competidor, si se quiere ser hombre: como tal, no es unipolar, ni transcurre por un sólo carril de la existencia.

Para Drucker, el laboratorio de investigación propiedad de la compañía (el orgulloso invento del siglo XIX) se ha hecho obsoleto. Ello explica por qué se está llevando a cabo el desarrollo y crecimiento de empresa no tanto *dentro* de la corporación misma, cuanto a través de asociaciones, coinversiones, alianzas de participación minoritaria y contratos de adquisición de conocimientos con industrias de tecnología diferente. "Algo que apenas hace 50 años hubiera sido impensable se está haciendo común: las alianzas entre instituciones de carácter totalmente diverso: una compañía mercantil y un departamento universitario; un gobierno municipal que contrata un servicio específico como la limpieza de las calles, la administración de prisiones, el manejo de aeropuertos..."[217]

Esta asociatividad -llamémosla así- que está apareciendo impetuosamente en nuestras empresas, nos inclina a considerar, de una manera más cuidadosa que antes, la colaboración y competencia entre organizaciones cuyos servicios o productos, que hace unos años se consideraban particularmente aislados, se miran ahora entre sí como *complementarios* que es la primera fase de la *cooperación*. Los créditos de las empresas mercantiles privadas compiten con los créditos comunes bancarios, y se unen de manera que las empresas emiten pagarés que son negociados bancariamente. El cartón, plástico y alu-

[217] Peter Drucker, "The next society", p. 12.

minio compiten con el vidrio en el mercado de botellas y se asocian entre sí empresas con productos tan diferentes como los mencionados. La pensión vitalicia de las empresas hace a un lado los seguros de vida tradicionales, y las compañías de seguros asesoran y cooperan con aquellas pensiones. A su vez, las compañías de seguros, y no las instituciones de servicios financieros, se están convirtiendo en administradores de riesgos comerciales.

Los ejemplos proporcionados por Drucker son vastos e inobjetables. General Motors está cambiando de ser una empresa que mantiene la unidad mediante el control administrativo gracias a su peso en el accionariado, a tener el control por fuerza de su habilidad en la técnica de administración, aunque participe en el accionariado en minoría: controla así, pero no es su propietaria, a Fiat, una de las fábricas de autos más activas y grandes; controla también de manera análoga a Saab en Suecia y a dos pequeñas fábricas de autos japoneses (Suzuki e Isuzu).

Siendo General Motors el fabricante de autos más grande del mundo, hace contratos con Toyota, a la que se podría llamar la más exitosa. Toyota se califica no ya por no ser la fabricante de una buena parte de las piezas que constituyen sus automóviles, sino por el contacto estrechísimo que mantiene con sus proveedores: práctica de *outsourcing* a nivel masivo.

Toyota está creando también un grupo mundial, pero, a diferencia de General Motors, no es un grupo de control sino de independencia. Sus objetivos actuales llaman la atención por representar un nuevo modo de llevar a cabo la empresa, de particular significado para el tema que ahora nos ocupa, esto es, concebir un perfil de liderazgo en donde la cualidad sobresaliente no sea la de *competir* sino *colaborar*.

En efecto, una de las finalidades actuales de Toyota es la de no contar con más de dos proveedores para cualquier pieza de sus proyectos. Estos proveedores, tal como Drucker nos lo explica, serán compañías *separadas e independientes, de propiedad local*, pero

Toyota dirigirá su operación de manufactura. Esta finalidad de Toyota atrae nuestra mirada de estudio, pues hasta hace no muchos años las relaciones entre el proveedor y cliente se encontraban verdaderamente regidas por la idea de la competencia. El nuevo trato de proveedor-cliente se vertebra gracias a la colaboración; y la colaboración en su sentido paradigmático: la que consiste en aprender juntos. Tenemos aquí una clara muestra del distinto ámbito en que se mueven las motivaciones competitivas y las asociativas.[218] Cuando lo importante de la relación entre entidades e individuos es el precio, con la carga cuantificable material que conlleva, estas relaciones toman el tinte de la competitividad (pues uno pretende dar menos por más, lo que supone que el otro procurará recibir más por menos). En cambio, cuando la relación es establece en un ambiente incuantificable, cultural, como es el de los conocimientos, la competencia cede el paso a la cooperación.

Dice Drucker que esta actividad de Toyota respecto de sus proveedores no es nueva. Sears Roebuck hizo lo mismo con sus proveedores en las décadas de 1920 y 1930; e igualmente Mark and Spencer, de Gran Bretaña, el cual fuera el minorista más exitoso del mundo durante 50 años.

Y lo mismo está haciendo, finalmente, la propia General Motors, la cual se ha despojado de una gran parte de su manufactura, concentrando la fabricación de piezas y accesorios, que representa el 60% o 70% del costo de producción de un auto, en una compañía separada que ha denominado Delphi. Quizá el fenómeno más expresivo sea éste: "General Motors se ha unido a sus competidores estadounidenses Ford y Daimler Chrysler para crear una cooperativa de adquisiciones independiente, que compra para sus miembros a cualquier proveedor que ofrezca el mejor trato"[219]

---

[218] Cfr. Cfr. *Supra* I, 11.1.
[219] Peter Drucker, "The next society", p. 13.

Y es que sólo una *visión mercantilista* químicamente pura –y por tanto inexistente, ya que lo químicamente puro es un ideal que carece de existencia–, que se convierte por ello en *visión materialista,* pudo llegar a concebir unas relaciones personales en las que se diera sólo la fría y rígida máxima del *do ut des*: *doy para que me des*. Los negocios no se hacen con pura, neta y exclusiva competencia; o, mejor, con pura, neta y exclusiva competencia no se hacen negocios. Hay siempre en ellos rasgos de colaboración que parecen sutiles pero que son en verdad poderosos.

El paso de la competencia a la colaboración, con lo que ello implica de transformaciones en el perfil del líder, llega a ofrecernos fenómenos antes increíbles. Nos dice Peter Drucker que General Motors "pretende comercializar su consultoría de manufactura a empresas no automotrices, convirtiendo su habilidad nuclear de manufactura en un gran negocio separado",[220] con lo que estaría en cierto modo dando pábulo a competidores virtuales.

Hay muchas variaciones sobre este tema: los fabricantes estadounidenses hacen ahora productos para media docena de empresas japonesas competidoras; hay especialistas independientes que diseñan *software* para fabricantes de *hardware,* competidores suyos. De manera parecida, hay especialistas independientes que diseñan tarjetas de crédito para bancos estadounidenses también competidores.

No obstante, si ha habido una relación competitiva clara y tirante en el pasado, lo fue en el caso de las relaciones que se establecieron entre empresa y sindicato, más aún que las que se constituyeron entre clientes y proveedores. También en el caso de las empresas y sindicatos se dan *revoluciones* antes inimaginables. "El *sindicato* manejará la entrega de los productos de todos los miembros y les prestará servicio en todos los mercados. Cada miembro será propietario

[220] Peter Drucker, "The next society", p. 13.

de una parte del *sindicato,* y el *sindicato*, a su vez, será propietario de una parte del capital de cada uno de los miembros.[221]

Finalmente, si había otro campo de tensiones competitivas que pudiera presentarse como típico, es el existente entre los capitalistas y los empleados: las utilidades de los primeros se harían a costa, en buena parte, del perjuicio de los segundos. Esta sería una antigua versión común en las empresas occidentales y no sólo una consideración exclusivamente marxista.

Pero los meros accionistas cuyo surgimiento desde 1960 ó 1970 produjo su soberanía, *no son capitalistas. Son empleados* que tienen una participación en las empresas a través de sus fondos de pensión y retiro. En el año 2000 los fondos de pensión y los fondos mutuos han llegado a ser propietarios de la mayoría del capital bursátil de las grandes compañías de Estados Unidos.

No quiere esto decir que las tensiones competitivas entre el capital y el trabajo hayan desaparecido. Los dirigentes de las corporaciones tendrán que seguir poniendo atención a los resultados mercantiles a corto plazo -que es lo que desean quienes llamábamos antes capitalistas-; pero deben atender también al valor futuro de la inversión, para satisfacer el requerimiento de seguridad que tiene como primer término el pensionista o el jubilado. Las dos pretensiones no son inconciliables, pero sí diferentes, y, como vaticina Drucker, "tendrán que equilibrarse". Nuevamente nos encontramos ante unas circunstancias en las que la colaboración se debe injertar dentro de la competencia.

La relación actual entre clientes y proveedores, entre empresa y sindicatos, entre capitalistas y trabajadores, exige un tipo de liderazgo que sepa hacer armónicas la competencia -en donde priman las moti-

---

[221] Dice irónicamente Drucker ("The next society") que si lo anterior no nos resulta extraño se debe a que tal modelo es la cooperativa de los agricultores del siglo XIX, con lo que se comprueba que el binomio dialéctico competencia-colaboración en que parecían moverse las empresas en siglos pasados es un modelo falso.

vaciones de preponderancia- y la colaboración -en donde priman las asociativas-.

Esto nos lleva de nuevo a un problema del liderazgo moderno que tiene que ver con la humildad. Nos referimos al carácter transitorio del líder.[222] No hay líderes para toda época: quien pudo serlo para el momento de la competencia tal vez no lo sea ya para el tiempo de la colaboración. Este diverso modo de mando transitorio -y cada vez más- exige del líder un talante moldeable, de adaptabilidad, íntimamente relacionado con su carácter anamórfico,[223] pero al mismo tiempo compatible con la perennidad de sus convicciones.[224]

La transitoriedad y variabilidad exigida en el mundo contemporáneo no arranca sólo de esta traslación de la importancia que tenía antes la competencia hacia la que está adquiriendo la colaboración. No es lo mismo el líder competitivo, instigado por la preponderancia y el rango, que el líder asociativo o colaborador, estimulado por la inclusión y la asociatividad.

Además de ello, se dan en el momento actual tres dimensiones fundamentales en la cooperación que piden a su vez tres modos básicos -y diferentes- de directores. El modelo alemán enfatizó la dimensión social; el modelo japonés la dimensión humana, y el estadounidense la dimensión económica (lo que antes se llamó la *soberanía del accionista*). Cada una de estas tres dimensiones, se dijo, pide un modo diferente de liderazgo. Pero Drucker[225] nos hace ver certeramente que *ninguna de las tres es adecuada por sí sola* (lo que nos hace concluir a nosotros que ninguno de los tres tipos de dirección a aquéllas correspondientes se reviste de un carácter absoluto).

---

[222] Cfr. *Infra* 5.
[223] Cfr. *Infra* 8.
[224] Cfr. *Infra* 7. Esta exigencia *a simultaneo* de un tipo de liderazgo transitorio o adaptable, junto con la necesidad de convicciones perennes puede ser estudiado con amplitud en C. Llano, *Falacias y ámbitos de la creatividad,* en donde se distingue entre la mutación de los paradigmas operativos y la permanencia de los paradigmas entitativos.
[225] Peter Drucker, "The next society".

El modelo alemán logra éxito económico y estabilidad social, pero a costa del desempleo derivado de una falta de competitividad por sus gastos precisamente sociales. El japonés logró un éxito asombroso durante 20 años, pero el bienestar ha reblandecido las características del esfuerzo y lealtad del factor humano, que se ha convertido en el obstáculo principal para recuperarse de su actual recesión. Por su parte, el modelo norteamericano se ha visto precisado a cambiar el énfasis económico de su capital para fijar su atención en el capital del conocimiento, que exige un modo de atraer a los proveedores del capital intelectual de un modo radicalmente diverso de aquél con el que logra la atracción del capital monetario.

Pues bien, al tratar de la competencia y la colaboración como parámetros basilares del comportamiento del líder, sostenemos la tesis de que estas tres dimensiones de empresa: social (modelo alemán), humana (modelo japonés) y económica (modelo norteamericano); no podrán conjugarse si no se conjugan por su lado la competencia y la colaboración, con el destacamiento de esta ultima y disminución del peso de la primera.

En toda corporación mercantil ha de estar presente, sí, su aspecto monetario y material, con sus derivadas relaciones comparativas y competitivas. El problema de la remuneración a unos y a otros permanecerá siempre. Pero en toda corporación mercantil ha de estar presente también la dimensión del servicio a la comunidad social (modelo alemán), ya que de no haber servicio a la sociedad no habrá una consistente generación de valor añadido. Por último, no ha de faltar la dimensión humana (modelo japonés), porque si en algún lado hemos de concentrar el fontanal del servicio a la comunidad y del valor agregado, ha de ser precisamente en el desarrollo de los hombres.

A diferencia de lo que ocurre en el modelo económico de la empresa, en donde resultan irresistibles las fricciones competitivas, derivadas de su sustancia predominante material, en el modelo social y el modelo humano destacan los nexos de solidaridad, ya que el hombre, como tal, y no sólo como *homo oeconomicus*, es más asociativo que competitivo, y es la asociatividad la que expansiona a la sociedad y desenvuelve al individuo, como hemos dejado ver arriba.[226]

Sucede, ahora, que el capital monetario está dejando su paso al capital intelectual, en el que, de nuevo, aparece la solidaridad por encima de la competencia. Desde diversos ángulos, pues, puede verse que en lo más profundo del quehacer directivo, la colaboración -necesitada de un líder humilde- sobresale por encima de la competencia, en la que cabría, por el contrario, un líder preponderante.

Pero la relación, oposición y complementariedad entre la competencia y la colaboración, no debe estudiarse sólo, como lo hemos hecho, observando las grandes tendencias por las que discurren las empresas en su marcha hacia el futuro. Hay también criterios axiológicos y criterios operativos para optar por una o por otra de las acciones de empresa que este binomio representa. Dejaremos ahora a un lado, para no desviarnos de nuestro tema, la referencia a los criterios axiológicos,[227] para centrarnos en un criterio operativo que sostenemos mediante la siguiente tesis: la colaboración es más eficaz que la competencia.[228]

La empresa, igual que toda actividad humana, tiene como meta ganar. Nadie emprende una actividad para perder (a menos que perdiendo alguna cosa se gane otra, siguiendo aquel "pierde si quieres ganar" del místico castellano). Lo que acontece es que el verbo *ganar* puede usarse con los modos acusativo (*ganar algo*) o dativo (*ganarle a alguien*). Si el ganar lo tomamos en el primer sentido desembocamos en la colaboración; si en el segundo, en la competencia.

Pero a su vez la competencia tiene en nuestro lenguaje un doble sentido: el que deriva del competente y el que proviene del competidor. Se nos dan aquí, pues, dos dilemas que tienen profundo sentido

[226] Cfr. *Infra* I, 11.1.
[227] Cfr. Carlos Llano, *Dilemas éticos...*, Cap. V, Criterio, p. 114; *Criterios axiológicos*, p. 114.
[228] Cfr. Carlos Llano, *Dilemas éticos...*, *Criterios operativos*, p. 121.

y orientación ética y que acarrean consecuencias importantes al enfocar con rigor el acto del liderazgo; el primero: a) si pretendemos ganar algo o b) si pretendemos ganarle a alguien. La empresa de nuestros días ha optado ya en este dilema, favoreciendo -equivocadamente, a nuestro juicio- la segunda alternativa, aunque, como acabamos de decir, se esboza ya la intuición del error cometido. Pero, además, se le ofrece un segundo dilema: a) ser competente y b) ser competidor.

En estas opciones influye no poco la visión darwiniana de la vida, de la que se ha hecho difusión indiscriminada en las escuelas, so pretexto de la enseñanza de la biología.

No se trata de una opción en exclusiva, sino de una excesiva acentuación en pro de uno de los caminos a elegir. No se discute que hay campos y objetivos en los que se debe competir, en el sentido de ganarle a alguien como competidor suyo. Hay metas excluyentes o disyuntivas en las que no cabe ser logradas por unos sin perjuicio de otros. Lo que se discute es si hemos ampliado en exceso los campos de validez de la competencia, atrofiando el sentido de la colaboración y de la solidaridad, y deteriorando por otro lado la imaginación, que nos llevaría a proponernos metas conjuntivas y complementarias, las que, por el contrario, no pueden conseguirse si no son alcanzadas por varios al mismo tiempo.

La competencia exalta el individualismo y el afán independiente de la vida; la colaboración, por su parte, propone la sociabilidad y el avenimiento (que no es lo mismo que el sometimiento). Se ha hecho un axioma según el que lo primero es más eficaz que lo segundo: ¿por qué? La empresa actual tiene aquí un dilema: ¿cuál es el aire prevalente que debe darse a la organización: la colaboración o la competencia?

Se nos dirá acertadamente que no hemos de ver esta alternativa como un dilema; Entre la competencia y la colaboración cabe una postura de complementariedad. Sin embargo, las personas de talante competitivo no serán capaces, por definición, de encontrar los aspectos complementarios: convertirán precisamente el dilema en una competencia: frente a lo uno y lo otro sostenemos que si la empresa es una *comunidad de personas*, tiene que haber en ella una preferencia por la colaboración, porque *en el nivel de la persona no cabe competencia*. La persona, punto de la máxima dignidad del universo, es una totalidad de sentido, y como totalidad, incomparable. La competencia no es viable sin cooperación.

Lo anterior es patente en el caso de las relaciones internas de la empresa (que son las que en este momento nos importan). No podrán evitarse comparaciones respecto de los sueldos, los niveles jerárquicos, el avance cuantitativo de los diversos trabajos y trabajadores. Pero no se trata de evitar la comparación; lo que sugerimos es que no se estimule ni se erija como el principal motor para alcanzar el éxito.

La tesis que hemos sostenido[229] y sostenemos ahora es que en el competidor -dentro de la empresa, si lo hubiere, o fuera de ella- encontramos siempre una persona. No podemos verlo como puro y mero competidor. La persona representa un *plus* respecto de su actividad (en este caso actividad competidora de la mía). Y, al propio tiempo, yo mismo, como persona que soy, no puedo conmensurarme con mi actividad competidora, pues me es propio un *plus* que sobrepasa esta actividad.

De ahí que ambos competidores, en lo que tenemos de persona, encontremos muchos más puntos de contacto para la colaboración, que de distancia para la competencia. Además, la persona no es sólo un *plus* respecto de su actividad, sino un *prius* respecto de ella. Antes es la persona que sus acciones; la acción arranca de la persona misma. Por ello la actividad inicial mía en los negocios es una actitud de colaboración antes que competitiva: hay de antemano una anterioridad temporal proveniente de una prioridad ontológica.

---

[229] Carlos Llano, *Dilemas éticos...*, p. 123.

La cooperación, pues, no resulta una etapa inevitable a la que se llega como resultado nefasto de una exacerbada desavenencia competitiva. A la competencia se llega en aquellos puntos -pocos- en los que no cabe la conjunción y sólo se presentan metas disyuntivas. Pero caracterológicamente *todos deberíamos tener un espíritu y una actividad nuclear de conjunción, complementariedad, armonía y entendimiento en el seno mismo de las actividades de competencia. Ello sería manifestación de que no hemos depuesto, al competir, nuestra condición de personas.*

——— o ———

Podemos ya percatarnos de que los conceptos anteriores (humildad, inclusión, preponderancia, rango, soberbia, motivaciones asociativas y disyuntivas, servicio y autodominio; pero sobre todo la contraversión que hemos hecho entre colaboración y competencia), configuran la idea de liderazgo mediante categorías mentales que no suelen aparecer en el estudio de esta importante relación sociológica entre los hombres por la que unos se subordinan a otros, y éstos conducen la actividad de aquéllos.

Pero en el discurso de la exposición de estas importantes ideas, no siempre manejadas al estudiar nuestro presente tema, han quedado subyacentes otros dos conceptos que serán abordados en los parágrafos que siguen. Por un lado, se ha manifestado el liderazgo muy próximo a la *ejemplaridad*; por otro, quedando aún más entre líneas, salen al paso ideas contemporáneas con las que debemos encararnos: me estoy refiriendo a que la dinámica del liderazgo se mueve más por la vertiente del *comportamiento* que por la del *sentimiento*.

13 El ejemplo

Suele pensarse que el líder en una colectividad es el primero. Pero el calificativo de *primero* es un término vacío si no se especifica con cuidado en qué orden de cualidades es el primero, o *en qué se debe ser el primero antes para poderlo ser en otros órdenes.* Ante tal cuestión no dudamos en afirmar que el liderazgo bien entendido *no requiere el primer lugar en el mando, sino el primer lugar en el ejemplo.* Álvarez de Mon nos presenta un tipo de líder al que estamos desacostumbrados en el mundo de los negocios. Se trata de Michael Jordan, quien podría calificarse sin exageración como el primer jugador del mundo en básquetbol.[230] Pensando en Michael Jordan no cabría la duda de contestar que fue el primero en el juego del baloncesto. Sin embargo, en el caso que hemos escogido, no pensamos que sea el primero en ese ámbito del juego. Fue, en cambio, el primero en lo que respecta a horarios, entrenamientos, regímenes de alimentación, respeto por el compañero, movimientos de coordinación ensayados, tácticas preparadas... La habilidad del juego es, sin duda alguna, importante. Pero fue el primero más en otros órdenes diferentes y en apariencia diversos: exigencia, rigor, disciplina... Parece ser que éstos son los puntos en los que Jordan se apoyaba para mantenerse como líder, como *primero* de su equipo.

El ejemplo del líder se encuentra muy conectado, por lo que hemos dicho, con el concepto de *inclusión.* Esta óptica es consecuente con el pensamiento de que la esencia de las acciones del director es la de constituirse como un motor de la empresa que la impulsa desde dentro, no que la empuja o arrastra desde fuera. La acción directiva, y el liderazgo que ésta requiere, es la del germen o la levadura, que sólo pueden producir efectos en la medida en que penetran y se identifican con el cuerpo que buscan transformar.

En cierto sentido, no se trata sólo de no destacarse en exceso, ni siquiera de adentrarse, sino también de desaparecer para hacer sentir su presencia en la realidad de sus resultados y no en el aparato exterior de sus acciones. De esta manera, *todo depende* de *la fuerza interior de la persona.* El problema de la organización merece

---

[230] Santiago Álvarez de Mon, *El mito del líder*, p. 65.

por eso un tratamiento antropológico, antes que sociológico o puramente organizativo".[231] *Antes que líder ha de ser hombre.*

"El funcionario -dice Messner- sólo puede comprender debidamente la responsabilidad que le atañe cuando dispone de tiempo y de ocio para la recapacitación, la reflexión, el ensanchamiento de su horizonte espiritual, y para la conservación de aquellos valores de la personalidad de los que tantas cosas dependen, dada su posición clave".[232]

Hemos desembocado así, mediante el análisis de la responsabilidad máxima de la organización, a conclusiones que podrían parecer sorpresivas. La dirección general debe desprenderse de sus adornos y boatos faraónicos, de los signos aparatosos de brillo y egolatría, para subrayar la *simplicidad de los valores personales.* Decimos que una perspectiva de esta naturaleza se halla en contra de las corrientes por las que generalmente discurre la actividad del *management.* Pero también es momento de destacar otra corriente adversa a la anterior, la cual, por su propia idiosincrasia, resulta de suyo menos aparatosa -y por tanto menos conocida- y que ha sido denominada por Jaime Castro *regreso a la vida sencilla.*[233]

Se trata de una sustitución en el protagonismo de los valores. Los bienes materiales y el trabajo esclavizante se desplazan al involucrarse en comunidades que poseen un sentido más trascendente que el de los puros negocios, comenzando por esa comunidad primera e insustituible que es la familia. Es un abandono de lo espectacular para acogerse a la intimidad del valor humano. Tal traslado en las valoraciones de la vida se manifiesta en detalles aparentemente triviales que Jaime Castro no deja de descubrirnos con agudeza: la antigua brocha de afeitar sustituye a la espuma en bote de presión;

---

[231] Carlos Llano, *El nuevo empresario...*, p. 242.
[232] Cfr. Carlos Llano, *El empresario y su mundo*, pp. 19-31
[233] Jaime Castro, "The simple life comes back", *Time*, 8 de marzo de 1991. Cfr. Carlos Llano *El nuevo empresario en México*, p. 242.

cada vez más personas se interesan en comprar juguetes que no requieran baterías...[234]

Aunque pudiera pensarse lo contrario, esta tendencia que va a la caza -sin saberlo quizá- de esos espacios de interioridad y vida personal reclamados para el *manager* por Johannes Messner y Joseph Höffner, no implica una decadencia en el liderazgo sino que señala las vías de su futuro auge: lo más importante no es un *empresario total* sino un hombre completo; que no siga siendo el valor de la persona el gran desplazado por el trabajo en la empresa.[235]

Apoyados en lo anterior, podemos decir que la ejemplaridad requerida por el líder no es la *manifestación en una vitrina*, para que se vea, sino lo que llamaremos una *ejemplaridad a la inversa*: *ser uno más del equipo en el que es jefe*. La ejemplaridad consistiría en *que el mejor sea uno más*, pero -repetimos- no porque destaque en ser uno más sino precisamente por serlo sin destacar. En este sentido, el líder debería escuchar lo que Plutarco dice del general romano Cayo Mario, vencedor de cien batallas (que es, como se sabe, quien *profesionalizó* al soldado romano): "no hay cosa que más disfrute el soldado romano que ver a su oficial de mando comer abiertamente el mismo pan que él, o tenderse sobre un sencillo lecho de paja, o ayudando a cavar un surco o erigir una empalizada. Lo que admiran de un jefe es su disposición para compartir el peligro y las dificultades, más que la habilidad para conseguir honor y riqueza, y sienten más aprecio por los oficiales que son capaces de hacer esfuerzos junto a ellos que los que les permiten pasarlo bien".

A tal grado esta acción de *ser ejemplo* ha de constituirse en algo normal, que lo es sin que el líder lo pretenda. Debe tener en cuenta lo que nos dice Hunter: "todo lo que hace el líder se constituye en mensaje".[236]

---

[234] Carlos Llano, *El nuevo empresario en México*, p. 244.
[235] Cfr. Carlos Llano, *El nuevo empresario en México*, p. 245.
[236] James Hunter. *La paradoja*, p. 131.

El racionalismo o intelectualismo de la dirección, al que tantas veces nos referimos,[237] así como ha preferido el *sistema* a la persona, ha postergado también la persona por el ideario. Lo importante, al parecer, no sería *cómo es* la persona a la que me subyugo en el trabajo, sino cuál es el ideario que persigue. No queremos demeritar las ideas, y menos los ideales. Hemos dedicado a la profundidad y perennidad de las convicciones del líder dos capítulos[238] de la presente obra. Pero queremos resaltar aún más los trazos de la personalidad del jefe. Las ideas pueden transmitirse intelectualmente, pero, como acabamos de decir, el carácter sólo se comunica por contagio existencial. Es requerido que el líder *sea* aquello mismo que quiere que *sean* los demás.

El propio Hunter nos lo expresa de manera convincente: "una vida disciplinada de liderazgo fundado por la autoridad [que no por el poder], *equivale a un ideario personal.* Se ha hecho muy popular en estos últimos años entre las organizaciones publicar sus idearios y articular sus principios. Pero pensemos en lo importante que es tener un ideario personal que hable de lo que somos y de por qué luchamos. Alguien dijo que si no luchamos por algo nos dejaremos vencer por todo...; no olvidemos que la gente se deja convencer más fácilmente por el líder que por el ideario. Una vez que hayan dado por bueno el líder, darán por bueno cualquier ideario que el líder apoye.[239] El inexplicable fenómeno masivo de la Alemania hitleriana es una dramática prueba específica de ello.

John B. Thompson, de la Universidad de Cambridge nos ha dicho recientemente en su libro *El escándalo político*:[240] a medida que las ideologías pierden peso y las decisiones políticas se tecnifican, la cues-

[237] Carlos Llano, *Análisis de la acción directiva, passim*
[238] Cfr. *Supra* I, 6 y 7.
[239] James Hunter. *La paradoja*, p. 163 y 64.
[240] *Political Scandal*, Ed. Esp. *El escándalo político*, Paidos, Barcelona, 2002. Cfr. Ignacio Aréchega, "El escándalo político como acontecimiento", *Aceprensa*, Madrid, Septiembre, 2002.

ción de la credibilidad y de la veracidad de los dirigentes políticos se pone en primer plano. "Cuanto más se oriente nuestra vida política hacia cuestiones relacionadas con el carácter y la confianza, más significado concederemos a todas aquellas ocasiones en que la veracidad de los dirigentes políticos sea puesta en cuestión", asegura Thompson.

Ante la pérdida del peso ideológico en la lucha política, los partidos ya no pueden apoyarse unicamente en sus votantes tradicionales y han de buscar la ayuda de un creciente grupo de electores no vinculados con una corriente política determinada. Y en esta lucha por el voto de los independientes, la cuestión del carácter de los adversarios y su conducta se convierten en armas poderosas.

Thompson nos habla de tres tipos de infracciones que son proclives al escándalo en los medios de comunicación colectivos: los escándalos sexuales, los escándalos financieros (conexión clásica entre dinero y poder) y los escándalos de poder excesivo (contravenir las leyes y reglas que rigen el ejercicio del poder político).

Aunque en el conjunto de la sociedad el listón ético no esté muy elevado, los escándalos sexuales pueden tener repercusiones políticas graves (piénsese en Edward Kennedy o en Clinton), pues son susceptibles de revelar hipocresía: una conducta privada que contradice las proclamas que hacen en público sobre cuestiones en las que "están en juego la reputación y la confianza". Estas afirmaciones que se tienen como válidas para la sociología pública, las podemos nosotros considerar con validez para la sociología de las organizaciones privadas: ¿cómo confiar en un jefe que engaña a su mujer?

Einstein, en medio de su sobriedad, pudo decir de Gandhi: "en nuestro tiempo de absoluta decadencia moral él era el único verdadero hombre de Estado que en la esfera política defendía las relaciones humanas".[241] "Dijo lo que pensaba y puso en práctica lo que dijo, de modo que su mente, su espíritu y su cuerpo estaban en armonía".[242]

---

[241] Howar Gardner, *Creating Minds*, Harper Collins Publishers, N. 4. 1993.
[242] *Ibidem.*

Rav nos dice también de Gandhi: "Ha demostrado que se puede reunir un poderoso séquito humano, no sólo mediante el juego astuto de las habituales maniobras y trampas políticas, sino también con el ejemplo convincente de una vida moralmente superior"[243]

Y es que, como hemos visto,[244] lo que se ejemplifica principalmente es el carácter o personalidad, y estos no pueden transmitirse más que con el ejemplo. Esta afirmación debe hacerse en la etapa final del proceso. Si podemos sostener nuestra personalidad porque en ella se plenifican en alto grado las esenciales propiedades del hombre, hemos hecho, con nuestro ejemplo contagioso, un verdadero e inmejorable servicio a quien trabaja con nosotros, por haberse reduplicado en él, de cierto modo, nuestra personalidad, esto es, nuestro acercamiento al ser humano pretensamente pleno. Sin embargo, resulta peligroso que la etapa final se coloque en su inicio: seleccionar a aquellos que cuentan ya con una personalidad paralela a la nuestra, sin examinar si nuestro perfil caracterológico es deseable o no. De esta manera, haríamos nuestra selección de personal teniendo en cuenta sobre todo la simpatía, la afinidad de carácter, las personas que -hablando coloquialmente- "nos caen bien". Este proceso es de una ejemplaridad inversa: en vez de hacer a los demás como nosotros -no por ser nosotros así sino por ser nosotros caracterológicamente seres humanos que buscan su plenitud o logro como hombres-, elegimos ya de antemano a quienes se nos parecen en sus cualidades personales, pero no por ser buenas cualidades sino por ser meramente semejantes a las nuestras.

Esta tendencia a trabajar con personas que nos son simpáticas, puede convertirse en un verdadero hábito -en modo alguno virtuoso-, progresivo como todos los hábitos. Por esta causa, nosotros mismos incorporamos en nuestro interior un sistema de selección cada vez

---

[243] Rav H., *Alma grande*, Temas de hoy, Madrid, 1994.
[244] Cfr. *Supra* I, 11.

más encogido y estrecho. No haremos un *equipo de trabajo* sino un *grupo de personas afines*, lo cual resulta grave si este afectivo sistema de selección no es una técnica que se incorpora a la empresa (y de ella podría en algún momento desecharse), sino un vicio incorporado a mi persona.

La tarea de *ejemplificación* -llamémosla así- que le corresponde al líder (no sólo ser ejemplo sino ejemplo transmisible) se encuentra muy lejos de una tarea material espontánea consistente en el *mero dejarse ser*. Los hombres que trabajan conmigo han de ser capaces de sacar de sí sus propios perfiles caracterológicos, incentivados por los míos, y he de acompañarlos en varios pasos que son necesarios. Aquí sólo los enumeraremos, pues ya los hemos desarrollado más ampliamente en otro lugar:[245] descubrimiento de cualidades inéditas, preparación teórica sobre ellas, motivación para ponerlas en acto, preparación práctica, ejercicio dinámico de extracción, reflexión sobre los resultados, y descubrimiento de nuevas cualidades.

Es una lástima que las teorías de la organización, y especialmente su estudio de las relaciones humanas, haya comenzado a finales del siglo XIX con el auge de un supuesto progreso que podríamos llamar destructor del pasado: avanzar sin mirar lo mucho que se ha adelantado a través de la historia, e imaginar cada teoría organizativa como si comenzara de cero. Esto ha hecho que la bibliografía del *management* haya cometido el error de dar en general la espalda -con contadas excepciones- a los profundos estudios clásicos sobre las relaciones humanas. Las relaciones industriales parecen algo creado *ex novo*, como si los pensadores de Occidente no hubieran profundizado en el hombre hasta niveles que hoy todavía ni siquiera sospechamos.

Este fenómeno histórico hace que en nuestras organizaciones se ignoren conceptos clásicos que estaban fijados en la mente de

---

[245] Carlos Llano, *Falacias y ámbitos...*, p. 210

quienes nos precedieron. Para exponer sólo un caso relativo al ejemplo como forjador del carácter, tenemos la seguridad de que ningún licenciado de relaciones humanas, que se precie de moderno, tiene conocimiento de los *Moralia* de Gregorio Magno, quien, agudamente, nos dice en ese importante tratado que cuando un ser humano observa prolongadamente el ejercicio de la virtud en una persona que le es operativa y afectivamente próxima, se le facilita de modo insospechado la propia vivencia de la misma virtud, especialmente si es el destinatario directamente beneficiado por ella.

Este es el fenómeno que nosotros hemos denominado *contagio*, el cual no es más que esa ejemplaridad que ha sido tan valorada por los antiguos.

Aparece aquí el concepto de *proximidad*, que facilita ese contagio, y que es más necesario subrayar en la medida en que surgen las macro y mega organizaciones. Por ello no resulta extraño que en el *Nican Mopohua* se hable del Dios "de la cercanía y de lo inmediato". No nos extraña, porque Dios es el único creador, y la creación corresponde al ser de las cosas y es, como el ser mismo, lo más íntimo de ellas.

Podría parecer que la metáfora *contagio* resultara imprecisa, y lo es: la transmisión de las virtudes, cualidades y dones a otras personas es inexplicable. Karl Jaspers diría que tal transición se logra cuando resuena en el otro el eco de la voz propia, pero ello no deja de ser otra metáfora tan imprecisa como la primera. Hoy día se ha admitido sin dificultades la metáfora del *virus* que transmite el defecto de una máquina electrónica a otra. *Virus* parecería el término menos apropiado para emplearlo hablando de seres inanimados, es decir, carentes precisamente de virus alguno.

Admítase, pues, el término *contagio* para hacer una semejanza entre el contraer una enfermedad corporal y la transmisión de una virtud caracterológica. Se puede dar *ejemplo* de optimismo; de optimismo imitable, pero debe darse, además, el *contagio*. El optimismo se contagia de manera muy análoga al modo como se contagia la gripe (y al modo como se contagian ciertos rasgos psíquicos, como la neurosis).

El ejemplo, la imitabilidad del ejemplo y el contagio son formas elementales y simples de decir lo que para nosotros es principal: crear, en sentido ontológico estricto, es descubrir y desarrollar en las personas cualidades que hasta ahora eran ignoradas e inexploradas. Esto es labor específica del líder, el cual debe encarnar, si no todas, algunas de las cualidades que deben despertarse en las personas a su cargo.

Un aspecto concreto del carácter puede clarificarnos esta manera de crear en otro una forma caracterológica por medio del contagio: precisamente el *optimismo.* Una expresión que el sabio lenguaje común utiliza con frecuencia nos dice que el optimismo o la alegría se contagian (como también el pesimismo y la tristeza). No basta que un individuo sea optimista por temperamento o por carácter. No basta que su conducta optimista sea ejemplar, y una ejemplaridad que propenda a imitarla. Se requiere algo *climático*, que no resulta fácilmente descriptible y que llamamos *contagio*, a falta de una analogía mejor.[246]

Nosotros decimos que la formación del carácter se consigue de manera insustituible mediante la convivencia con personas que transfundan en nosotros el carácter en el que debemos ser formados. El sello que dejan en nuestro modo de ser las sociedades idiosincrásicas, según la expresión de Alejandro Llano, que otros llaman comunidades locales, o subjetividades sociales autónomas, es la clave de la configuración de la sociedad, descubriendo de nuevo la vida institucional de la familia, la fábrica, la escuela, la parroquia o la uni-

[246] Sospechamos que este contagio se encuentra emparentado con lo que la epistemología tradicional llamaba conocimiento por connaturalidad; sería importante un análisis de este tipo de conocimiento que, para bien o para mal, no deja de darse en todas las organizaciones, como lo dijimos al tratar del fenómeno de la empatía (cfr. Carlos Llano, *Falacias y ámbitos...*, p. 123 y ss.)

versidad en la que brotan los verdaderos hábitos de ser, y en donde el protagonista de la política y de la economía nos remite a la virtud moral de la gente de la calle, a la reciprocidad civil de la que surgen inconteniblemente iniciativas sociales: la valoración de los grupos familiares, la reafirmación del voluntariado, la eficacia de las llamadas organizaciones no gubernamentales, los movimientos de espiritualidad religiosa... Junto a la ejemplaridad caracterológica que, invariablemente, se da en las sociedades vitales de carácter personal, contribuyen a la formación del carácter los que George Herbert Mead llamó *significant others,* los interlocutores relevantes: mis familiares, mis alumnos, mis directores, mis compañeros de trabajo, mis amigos. Por esto el líder -indudablemente un *significant other-* carga con tanta responsabilidad en la caracterología de sus colegas, porque es el más decisivo factor de la organización.[247]

Vemos así que el ejemplo se difunde con mayor profusión y profundidad en lo que Max Weber llamó *comunidades de carácter personal,* en las que pesa más la persona que la función o el sistema. Parece razonable que así sea, pues el ejemplo es una relación humana de connotación personal muy profunda.

Sin embargo, tenemos que añadir algo que no ha sido dicho por nadie hasta ahora -que sepamos-, pero es igualmente razonable. *Si el ejemplo tiene su caldo de cultivo privilegiado en esas sociedades de carácter personal (más persona, menos sistema), y si una dimensión vertebral del liderazgo es el ejemplo, el líder ha de brotar precisamente en las sociedades vitales de proximidad y cercanía, de voluntariado y servicio, que acabamos de mencionar, antes aún que en las sociedades formales, incluyendo entre éstas a la empresa misma.*

Lo dicho agiganta su importancia si tenemos en cuenta que en nuestro capítulo *Competencia y colaboración*[248] acabamos de afirmar

[247] Carlos Llano, *Falacias y ámbitos...,* p. 241 y ss.
[248] Cfr. *Supra* I, 11.

que *la acción principal de quien conduce un equipo de hombres es el ejemplo.* Estas verdades, tan sabidas como olvidadas, poseen a su vez una contratuerca: para que el liderazgo posea garra ejemplar debe haber en la empresa, equipo de trabajo o grupo, según sea el caso, el clima propio de esas sociedades vitales de proximidad y cercanía. Tanto lo uno -el liderazgo- como lo otro -las comunidades personales- deben irse dando paulatina y simultáneamente. Pero aun en ese caso, el valor de la ejemplaridad queda subrayado, porque, a nuestro parecer, esas sociedades de cercanía y proximidad se incuban precisamente por motivo del ejemplo; el ejemplo del líder debe referirse a aquellas características que forman el meollo de tales comunidades.

Tal vez sea ésta la razón -aunque no fuera por él expresamente dicha- por lo que Sthepen P. Robbins afirma con seguridad que "si usted quiere apertura, dedicación, compromiso y responsabilidad de parte de ellos (los componentes del grupo) debe mostrar esas cualidades usted mismo... lo verán como un papel modelo, así que asegúrese de que sus acciones sean un reflejo de sus palabras"[249]

Dar ejemplo resulta necesario en todo tipo de liderazgo. No se debe perder por el lado de la personalidad lo que quiere ganarse por el lado de la exigencia. Más que *exigir lo que alguien debe ser*, lo que ha de hacerse es *ser nosotros lo que queremos que los otros sean.* Ya lo decía con rigor Lope de Vega: "*si no lo permite quien lo imita, o deje de imitar o lo permita*". A veces prohibimos formas de actuar que nosotros nos permitimos impunemente.

Éste requerimiento de ejemplaridad resulta obvio en el tipo de líder, popularizado recientemente, que podríamos llamar *líder visionario.*[250] El líder visionario requiere de varias capacidades, cada una de ellas fructífera. Obviamente, la primera es la de explicar la visión a

---

[249] Stephen P. Robbins, *Comportamiento organizacional*, p. 381.
[250] B. Nanus, *Visionary Leadership*, New York, Free Press, 1992.

otros; por igual, la de transmitir un fuerte sentido de esa visión. Pero a nuestro juicio la capacidad más importante es la de ser capaz de expresar la visión no sólo verbalmente sino a través del comportamiento del líder. Con ello introducimos nuestro siguiente capítulo, que analiza precisamente el comportamiento del líder.

14 Sentimiento y comportamiento

Al término de nuestro capítulo I, 12.1 (Competencia y Colaboración) nos dimos cuenta de que, al tratar estas dos categorías sociales (que suelen ser ajenas al estudio del liderazgo), nos encontramos con otros dos conceptos que se hallaban entreverados con ellos. Nos referimos, concretamente, al ejemplo, por un lado, y a los sentimientos y comportamiento por el otro. Acabamos de analizar en el capítulo anterior (I, 13) el decisivo papel que tiene *el ejemplo* en el liderazgo. Nos corresponde ahora estudiar la otra cuestión prometida: *¿qué es lo que más pesa en el liderazgo: el sentimiento o el comportamiento?*

Parecería congruente en primer término que a aquella persona a la que llamamos líder le exijamos que sus sentimientos estén en *consonancia* clara con los sentimientos de aquellos otros con los que trabaja. Estos sentimientos harían que la personalidad del director se constituyese en sí misma por sus *relaciones con las otras personas*, como la señala Morandé Court. Lo contrario sucedería si nuestros sentimientos personales configuraran en nosotros un perfil psíquico, una personalidad, no por *nuestras relaciones sino por nuestras oposiciones* respecto de otras personas, como lo querrían Thomas Hobbes y Friedrich Hegel, para quienes la génesis constitutiva de la persona, su autoafirmación como tal, lo que le hace en su núcleo ser persona y ser esta persona, es su oposición a otras. En cambio, como ya dijimos, para Aristóteles, y sobre todo para Tomás de Aquino, la persona se define y se distingue por su modo característico, peculiar e irrepetible de relacionarse con los demás. A la hora de la elección, tal vez debamos hacerle caso a Charles Taylor[251] cuando nos dice que la "autorrealización por oposición" es una forma narcisista, superficial y trivializada de estar en la sociedad, y a Allan Bloom[252] para quien esta opción egocéntrica es *angosta y chata.*

En otro lugar[253] hemos dicho que de uno u otro concepto de persona se desprende uno u otro sistema de motivaciones. Ahora hemos de decir que, por lo que parece, un determinado conjunto de sentimientos configuran el modo de ser del individuo. De ellos, en lo que a la coordinación con los demás concierne, debemos atender especialmente a dos grupos o tendencias sentimentales que se encuentran emparentados con los estilos de liderazgo que analizados en el capítulo I,12.1, como competencia y colaboración. Nos estamos refiriendo al egoísmo y la generosidad. No se requieren análisis complejos para intuir que el egoísmo y la competencia se encuentran en la vertiente de la soberbia, en tanto que la generosidad se encuentra del lado de la actitud humilde y del trabajo en colaboración.

A estas alturas de nuestro estudio empieza a verse ya claramente la importancia que encierra la humildad para el ejercicio de un liderazgo verdadero. Lo que al principio se presentaba como una suposición disparatada, o al menos sorprendente, aparece ya: el liderazgo, la humildad y la generosidad (así como la colaboración que les es consectaria) son elementos que se complementan mutuamente. No sólo resulta cierto -como parece serlo- que para ser líder se necesita ser humilde, sino que la actitud del hombre humilde es el comienzo para *ganarse a las personas*, para conducirlas y aglomerarlas en torno a él. La humildad es asociativa tanto como la soberbia lo es disgregadora.

Lo que, en cambio, requiere una consideración más cuidadosa es definir si el egoísmo y la generosidad (soberbia y humildad; cola-

---

[251] Charles Taylor, *Fuentes del yo.*
[252] Allan Bloom, *El cierre de la mente americana.*
[253] Carlos Llano, *Dilemas éticos...*, Cap. VII. "Motivaciones", p. 206.

boración y competencia; asociación y disyunción), son resultados de dos conjuntos diversos de sentimientos o quieren indicar más bien dos maneras de comportarse.

No hay duda de que la psicología de las organizaciones comienza a prestar ahora la atención que se le debe a los sentimientos humanos, los cuales en las organizaciones *serias* que componen lo *importante* de la sociedad, habían quedado marginados por un exceso de racionalismo y formalismo. Por una especie de reacción pendular, los sentimientos han vuelto a considerarse ingredientes básicos de las personas humanas y de las organizaciones que aquellas constituyen.

Sin embargo, la tesis que sostenemos es que se ha emplazado en las empresas un *psicologismo sentimental* que no beneficia ni a las empresas ni a los hombres que en ellas trabajan. Sin exclusivismos ni atrofias, sin reduccionismo, debemos considerar al hombre completo, con sus cuatro tipos polares de facultades: a) aprehensiva de lo universal, que llamamos inteligencia; b) aprehensiva de lo concreto, que denominamos sensibilidad; c) tendencial hacia lo universal, que llamamos voluntad; y d) tendencial hacia lo concreto, que llamamos apetito sensible, el cual incluye una serie muy variada de actividades: sentimientos, emociones, pasiones, gustos...

Considerar al hombre marginando cualquiera de estos tipos polares de facultades (entender, querer, sentir y apetecer) es ya, de principio, iniciar una antropología falsa (no parcialmente verdadera, o parcialmente falsa, sino falsa) porque estos cuatro sistemas operativos humanos que llamamos facultades o potencias, se encuentran a tal grado interconectados que la depreciación de uno arrastra tras de sí la de todos los demás.

No obstante, el hombre integral, esencialmente concebido, es ser humano porque está dotado de inteligencia y de voluntad. Estas son las dos posibilidades operativas que lo distinguen como hombre. Es, sí, además, animal. Pero el *racional*, que se añade a su animalidad no es un ingrediente yuxtapuesto que se encontraría simplemente encima de su adjetivo animal. La racionalidad y voluntariedad humanas penetran hasta el tuétano de su ser animal, al grado que el ser animal del hombre es radicalmente distinto del ser animal de los animales no humanos. De ahí que no pueda darse a los sentimientos humanos (que si no estuvieran guiados por la razón compartirían la igualdad de rango con el resto de los demás animales) un predominio sobre la razón y la voluntad, y menos aún si ese predominio es solapado. Debemos concluir que el egoísmo y la generosidad, la soberbia y la humildad no se definen en el campo de los sentimientos sino de la conducta.

Nos parece, sin temor a equivocarnos, que quien ha edificado decididamente el fenómeno del liderazgo humano (no el liderazgo de manada), por el lado del comportamiento, en una hora en que parece que el liderazgo se considera sobre todo como una errónea fuerza de atracción emocional, es James C. Hunter[254]

Su modelo de liderazgo está compuesto por cinco piezas fundamentales e inseparables: autoridad, servicio, sacrificio, amor y voluntad. El nivel basilar de estas fuerzas es precisamente la voluntad: "poco valen nuestras intenciones si no van seguidas de acciones consecuentes".[255] "El liderazgo empieza con la voluntad, única capacidad que, como seres humanos, tenemos para que nuestras acciones sean consecuentes con nuestras intenciones".[256] El mayor líder no es el que tiene sentimientos más profundos en relación con el grupo al que pertenece. "¿Quién es el mayor líder? El que más ha servido". Esta es una "interesante paradoja".[257]

Si el liderazgo tuviera como columna vertebral a los sentimientos, carecería de valor lo que hemos dicho en nuestro capítulo I, 11.2 (*Servicio y autodominio*), porque el hombre que depende, como conductor y guía, de sus sentimientos, no podrá ser dueño de sí. Lo cual (conforme al

[254] James Hunter, *La paradoja*, passim.
[255] James Hunter, *La paradoja*, p. 90.
[256] James Hunter, *La paradoja*, p. 91.
[257] James Hunter, *La paradoja*, p. 91.

contexto del capítulo 10) lo incapacitaría para servir, que es la expresión más alta del liderazgo según Hunter. "No siempre puedo controlar mis sentimientos hacia los demás, pero lo que sí puedo controlar es *mi comportamiento* hacia ellos. Los sentimientos como vienen se van y... ¡a veces también dependen de cómo nos ha sentado una comida!". [258]

Un punto básico para entender tan disonantes expresiones es -como lo oí a un verdadero líder a quien tanto le debo-: "no confundir el amor con unos sentimientos dulzones y blandos".

Hunter lo dice de una manera tal vez demasiado doméstica y personal, pero muy ilustrativa. "Puede que yo no le guste a mi esposa, pero sigue amándome con sus actos y su compromiso".[259]

Los sentimientos pueden tener importancia por la cercanía -o lejanía, en dirección contraria- que propenden en las personas, y ya hemos visto que la proximidad (incluso la proximidad sentimental), posee gran valor en la relación con los demás. Pero al liderazgo no le basta la relación sentimental, por valiosa que sea. Implica además la relación de autoridad y... "¿cómo puedes ordenarle a alguien lo que tiene que sentir por otra persona?"[260]

James Hunter, para enfatizar la importancia del comportamiento sobre el sentimiento, se sirve de un validísimo recurso que no suele ser utilizado en los libros de *management*: la Biblia. Y lo hace con verdadera puntería y acierto. Escoge como argumento de indudable autoridad el capítulo 13 de la primera carta de San Pablo a los Corintios, texto que, según se sabe, es considerado desde su origen, hace cientos de años, como el himno al amor. El texto, viene a decir que el amor es paciente, afable, no jactancioso ni engreído, no es grosero, no busca lo suyo, no lleva cuentas del mal, todo lo sufre, todo lo soporta. El amor no falla nunca.[261]

---

[258] James Hunter, *La paradoja*, p. 99.
[259] James Hunter, *La paradoja*, p. 99.
[260] James Hunter, *La paradoja*, p. 99.
[261] Respetamos esta transcripción parcial de I *Corintios*, 13, tal como es expresada por Hunter, *loc cit* p. 100. Nos dice que en una antigua versión de la Biblia, amor como *agápe* (paciencia, afabilidad, humildad), se tradujo como *charity*.

Hunter resume esta lista de las cualidades del amor en lo que llama sus principales puntos: paciencia, afabilidad, *humildad*, respeto, generosidad, indulgencia, honradez y compromiso. Su hipotético interlocutor le hace notar que estos puntos coinciden con las cualidades del líder que antes, inductivamente, se habían detectado. Al concederlo así, Hunter nos interpela con estas preguntas: "¿dónde vemos aquí un sentimiento?"; y su definitiva respuesta: *todos son comportamientos.* "Caridad o servicio son mejores definiciones de *agápe* que amor, tal como lo solemos entender"

Estos hechos salen al paso de algunas consideraciones que suelen hacerse hoy en relación con el liderazgo. Uno de los consejos que se hacen al líder es *elogiar* a los subordinados, felicitarles para que se *sientan* satisfechos. Vemos en la posición de Hunter un concepto menos sentimental y más realista. Concede que es bueno para aquellas personas que se encuentran a nuestro cargo *recibir elogios*, pero con tres condiciones cuya finalidad no es el que tengan sentimientos gustosos. *Primero*, el elogio debe ser sincero, esto es, debe ser precedido de un buen comportamiento, que es lo que elogiamos. Nosotros diríamos que los elogios y las felicitaciones deben hacerse *a posteriori*, con base en los resultados; no deben ser *a priori*, porque entonces el buen trabajo se daría por descontado. *Segundo*, debe ser *concreto.* No se deben elogiar generalidades ("todos han hecho un buen trabajo"), pues ello más que buenos sentimientos puede provocar resentimientos, ya que es posible que no todos hayan hecho un buen trabajo, y los que realmente lo han hecho pueden resentirse de ser tratados de la misma manera que los que se han dejado llevar por la vagancia o el descuido. Al ser concreto, el elogio se hace *objetivo*: "me alegra que en esta semana hayas producido tantas -concretándolos numéricamente- piezas" o "te felicito por haber vendido en esta quincena veinte automóviles". *Tercero*, y como consecuencia, el elogio debe ser *selectivo.* No toda acción merece felicitaciones. Hay conductas que requieren reproches y aún castigos. Entonces las felicitaciones se revalorizan.

Esto es lo que los anteriores psicólogos llamaban *reforzamiento selectivo*: premiar lo funcional y castigar lo disfuncional de manera que el premio propicie la frecuencia del comportamiento funcional, y el castigo inhiba la conducta disfuncional. El ejercicio del reforzamiento selectivo debe ser muy prudente en el líder para *no traducir los comportamientos en sentimientos.* Si no se cuida este punto -del que prácticamente nadie, ni siquiera Hunter, queda libre- suscitaremos en nuestros subordinados *la apetencia a la felicitación y el miedo al regaño.* Ciertamente que en la conducta humana es más beneficioso actuar buscando el elogio que huyendo del regaño. Pero en ambos casos el trabajo humano se guiaría por resultados apelantes al *ego* del individuo -y no a lo mejor del *ego*-, en lugar de buscar el resultado objetivo de la tarea.

Su sinceridad, concreción y selectividad en el elogio -y en el reproche- es una consecuencia natural del líder humilde y firme, que atiende más al comportamiento (suyo y de los demás) que al sentimiento (de los demás y suyo). Uno de los hilos que tejen la humildad es la autenticidad, sin pretensiones y sin petulancias. Esto se relaciona íntimamente con el justo manejo de los premios y los castigos. Bien interrogado, el supuesto líder se ve impelido a confesar que, en los premios y castigos, muchas veces más que pensar en los sentimientos de los demás está pensando en sus *propios sentimientos.*

Con estas ideas fundamentales sobre el liderazgo como amor o *agápe*, y el amor o *agápe* como comportamiento, puede Hunter establecer una lista de cualidades del liderazgo, a la que páginas atrás nos referimos, y, *más importante aún*, de comportamientos de los que tales cualidades han de ser acompañadas, como origen que son de ellos.[262]

[262] Cfr. James Hunter, *La paradoja*, p. 122.

Paciencia	Mostrar dominio de uno mismo.
Afabilidad	Prestar atención, apreciar y animar.
Humildad	Ser auténtico, sin pretensiones ni arrogancia.
Respeto	Tratar a los otros como si fueran gente importante.
Generosidad	Satisfacer las necesidades de los demás.
Indulgencia	No guardar rencor cuando te perjudiquen.
Honradez	Estar libre de engaños.
Compromiso	Atenerse a tus elecciones.
Servicio y sacrificio	Dejar a un lado tus propios deseos y necesidades; buscar lo mejor para los demás

Lo anterior, sin embargo, no debe interpretarse como la fractura o desglose entre sentimientos y acciones. El hombre constituye una unidad afectiva y operativa que nadie debe separar. Las señales de Hunter, sin embargo, calan más hondo. No se refieren a una separación entre el sentimiento y el comportamiento, sino al lazo de un auténtico nexo entre ambos, contraviniendo las creencias antropológicas superficialmente usuales.

Hay, en efecto, quien piensa como un buen ejercicio de liderazgo el *suscitar sentimientos que desemboquen en comportamientos*. Las cosas deben verse, precisamente, al revés: "nuestro comportamiento tiene también una influencia sobre nuestras ideas y nuestros sentimientos"; "vamos desarrollando sentimientos hacia el objeto de nuestra atención"; "nos apegamos a todo aquello a lo que prestamos atención, a lo que dedicamos tiempo, a lo que servimos".[263] Jerome Brunner, psicólogo de Harvard, asegura que es más fácil traducir nuestras acciones en sentimientos que traducir nuestros sentimientos en acciones.[264]

Ahora bien, en este punto cabe o es exigida la pregunta: si nuestras acciones no provienen de nuestras afecciones; si nuestro comportamiento no surge de nuestros sentimientos, ¿cuál es su origen?

Es la hora de contestar, sin temor, que nuestra conducta proviene fundamentalmente (movimientos vegetativos e instintivos aparte) de nuestra inteligencia y nuestra voluntad, que son los verdaderos motores del hombre.

Esto no lo decimos nosotros, que hemos sido tachados -tal vez con causa- de voluntaristas, sino el propio Hunter. No sabemos cuáles sean sus raciocinios precedentes, pero conocemos una conclusión suya valientemente proferida en un ámbito cultural que puede calificarse sin exageración como psiquiátrico y freudiano: *el liderazgo empieza por una elección.*[265] Hemos de desarrollar los músculos emocionales como otros desarrollan los músculos físicos. En ambos casos, el desarrollo empieza con la acción voluntaria.

Comprendemos que no pocos escucharán nuestras propuestas con el escepticismo psicológico en que han sido mal educados. Le hemos hecho demasiado caso a Sigmund Freud y a Burrhus Frederick Skinner. Tanto por parte del uno como por parte del otro muchos se han adherido -como quien se quita un fardo de encima-, al *determinismo de nuestro comportamiento.* Como el propio Hunter nos lo expone, el determinismo significa que para cada suceso, físico o mental, existe una causa.[266] Hunter no se mete en profundidades, pero nosotros sí debemos hacerlo, dado nuestro menester.

---

[263] James Hunter, *La paradoja,* p. 143.
[264] James Hunter, *La paradoja,* p. 144.
[265] James Hunter, *La paradoja,* p. 145.
[266] James Hunter, *La paradoja,* p. 147.

Evidentemente, para cada suceso existe una causa. Nada ocurre por génesis espontánea. Importa mucho distinguir bien entre el principio de causalidad (todo lo que acontece tiene una causa) y el determinismo. El principio de causalidad se funda en el conocimiento de que todo lo que ocurre, sucede o acaece tiene necesariamente una causa. Afirmar esto no es determinismo, sino reconocimiento de que los sucesos -especialmente los humanos- poseen una explicación y origen inteligible. Como veremos en un momento, el principio de causalidad es una condición *sine qua non* para que antropológica y socialmente podamos hablar de responsabilidad.

El determinismo, por el contrario, sostiene no que todo suceso tiene necesariamente una causa, sino que *toda causa produce necesariamente un "determinado" efecto* -de ahí el determinismo-. Así como el principio de causalidad es el único fundamento para sostener la responsabilidad del individuo (yo soy responsable de este efecto pues he sido su causa), el determinismo lo priva de su libertad: en el hombre, conocidos ciertos factores, ya se sabe cuál va a ser su comportamiento. No es libre de elección; carece de decisiones o elecciones libres porque sus actos están ya predeterminados.

Esta última conceptualización vale tanto para Freud como para Skinner y, sin saberlo, muchos de nuestros gerentes son deterministas. Si piensan que deben cambiar un comportamiento concreto, se apli can a modificar las condiciones externas de la persona cuyo comportamiento debe transformarse, en vez de apelar directamente a la inteligencia y a la voluntad de tal individuo, de donde arranca básicamente -y no de otro lado- su comportamiento. Para uno -Freud- la acción del sujeto brotará necesariamente de su pasado, vívido aún en su subconsciente. Bastaría que *tome conciencia de su subconsciencia* para que su actuación pueda cambiar. Para el otro -Skinner- mi conducta es la respuesta instintiva -inevitable- de los estímulos que yo reciba. Bastará cambiar tales estímulos circundantes para que la conducta se transforme. Ambos mantienen que en lo fundamental los seres humanos no poseen auténtica posibilidad de decidir, y que la libertad no es más que una ilusión (diríamos que el *buen deseo*) de algunos. Si tenemos del hombre un conocimiento suficiente de su herencia biológica, del ambiente que lo rodea, de los estímulos que recibe, podemos hacer una predicción muy acertada de su comportamiento, incluyendo aquellas decisiones personales que se supone que podría hacer.

El trabajo del líder sería así un *trabajo de predicción*, diríamos irónicamente de *adivinanza*: el trabajo de aquél que ha de saber ya, anticipadamente, cómo van a comportarse quienes están a su cargo. Hecha esta predicción o adivinanza, si quiero transformar el comportamiento ya predicho, debo cambiar los estímulos a que cada uno está sujeto o hacerlo consciente de los impulsos ignorados que le mueven.

Aparecen así diversos tipos de determinismo (genético, psíquico, ambiental) que explican nuestra conducta, y a los que el líder debería apelar para cambiarla.

Aunque los genes, las sensaciones, la educación y el ambiente tengan sin duda efectos o consecuencias ya predeterminados, hay un espacio -y un espacio amplísimo- para mis libres decisiones. Muchos se adhieren a esos tipos de determinismo porque así se liberan de su propia responsabilidad. Para ser responsables de algo, debemos tener la capacidad de actuar -por eso se precisa el principio de causalidad: nosotros somos la causa- y de actuar libremente -por eso se requiere no apegarnos al determinismo, porque no se localizaría la causa en nosotros, sino en otro factor.

Como nos lo relata Hunter, aunque en boca de uno de sus alumnos, las personas con problemas psicológicos padecen con frecuencia *trastornos de responsabilidad*, tanto por carta de más, como por carta de menos. Por carta de menos, porque esperan que ocurra algo no dependiente de ellos, para ponerse en marcha y actuar, cuando debieran hacerlo ya *motu proprio* sin estar a la espera de algún acontecimiento que lo produzca. "Comenzaré a tratar a mis hijos con respeto cuando ellos empiecen a portarse mejor" o "me ocuparé de mi esposa cuando ella rectifique su manera de actuar" o "escucharé a mi marido cuanto tenga algo interesante que decirme" o "daré lo mejor de mí mismo a favor de mis subordinados cuando me aumenten de sueldo" o "trataré con dignidad a mis subordinados cuando mi jefe empiece a tratarme dignamente a mí".[267]

Aunque Hunter no lo diga, es obvio para nosotros que, muy probablemente, los fenómenos ocurran precisamente al revés, sin resolver a nuestro favor el dilema de lo que será primero: el huevo o la gallina. Es un problema de actitud: en lugar de "cambiaré cuando...", debemos decirnos: "¿cuándo cambiaré?" Somos nosotros -no los demás- los que hemos de provocar, producir, causar libremente nuestro cambio.

Si enfocamos nuestro trabajo en sociedad con una óptica propia del líder, seremos nosotros quienes con nuestra acción daremos el primer paso, el cual será precisamente *activo*, en lugar de esperar acontecimientos eventuales que supuestamente originarían un paso *reactivo*. Así, habrá de decirse que mis hijos comenzarán a portarse mejor cuando yo los trate con respeto; que mi esposa cambiará su modo de actuar cuando me ocupe de ella; que mi marido me contará cosas interesantes si me apresto a escucharlo; que me aumentarán el sueldo cuando trate dignamente a mis subordinados; que mi jefe me tratará mejor cuando yo trate mejor a mis súbditos.

Pero dijimos que estos trastornos de responsabilidad se dan tanto por carta de menos -como hemos visto- como por carta de más, como ahora veremos. En efecto, cuando asumimos una postura determinista, anulando nuestro yo (pues todo es consecuencia de algo ajeno a nosotros) con una falsa humildad, por ausencia de coraje y brío, entonces también anulamos por la misma causa el yo de los demás, pues ellos tampoco actuarían por sí mismos, sino por factores externos.

---

[267] James Hunter, *La paradoja*, p. 145.

Pero hay neurasténicos soberbios que se consideran el factor externo y culpable principal del comportamiento de los demás. Todo lo que acontece es culpa propia: "mi marido es alcohólico porque yo soy una mala esposa" o "mi hijo fuma mariguana porque he fracasado como padre" o "el tiempo es malo porque no dije mis oraciones en la mañana". En una palabra, se asume excesiva responsabilidad ante todo.[268]

——— o ———

Independientemente de lo anterior, ya hemos dicho[269] que para muchos el liderazgo no puede basarse en las *características del hombre*, sino en *los comportamientos del hombre*; o, por lo menos, frente al grupo que debe dirigirse importan más éstos que aquéllas. Si esto vale para las características, vale más aún para los sentimientos.

Pero no nos encontramos del todo conformes con las conclusiones expresadas por Robbins[270] en el sentido de que la *teoría del comportamiento*, para explicar la eficacia del liderazgo, desplaza la *teoría de los rasgos personales* para lo mismo. Según Robbins, la teoría del comportamiento que se centra en el hecho de que podemos enseñar al futuro líder a comportarse como tal, posee evidentes ventajas. En cambio, la teoría de los rasgos personales o característicos no considera al hombre como susceptible de desarrollo en su capacidad como líder: si no posee las características necesarias para ello, tal desarrollo se hará imposible, al carecer del punto de partida. "Si las teorías de las características fueran válidas entonces el liderazgo básicamente se posee desde el nacimiento: usted lo tiene o no lo tiene. Por otro lado, si hubiera comportamientos específicos que identificaran a los líderes, entonces podríamos enseñar a ser líderes...".[271]

---

[268] James Hunter, *La paradoja*, p. 146.
[269] Cfr. *Supra* I, 4.
[270] Stephen P. Robbins, *Comportamiento organizacional...*, p. 349.
[271] Stephen P. Robbins, *Comportamiento organizacional...*, p. 349.

Nos parece que este planteamiento se incurre en varias fallas derivadas del olvido, ignorancia o marginación de la antropología clásica. No todas las características son innatas. El carácter, precisamente, es lo que el hombre forja sobre sí mismo partiendo de un temperamento (que sí es innato), el cual puede a su vez *temperarse* por el carácter. Ahora bien: ¿cómo se adquiere el carácter, para encarnar *características* superiores a las meramente nativas? Precisamente por el *comportamiento.* El divorciar ambos aspectos humanos genera una grieta que obstaculiza el desarrollo del hombre propiamente tal. Lo mismo que dijimos de la relación entre sentimientos y comportamientos, hay que decirlo ahora para explicar la relación intrínseca entre caracteres y comportamientos. Es verdad que ciertas características facilitan determinados comportamientos (o los dificultan), pero también lo es, y en mayor grado, que un comportamiento volitivamente decidido, puede sedimentarse en el hombre en la forma de carácter. Esta es la tesis aristotélica sobre los hábitos, que aquí, más que en ningún otro campo, no puede dejarse de lado.

No obstante, estudiar el comportamiento del líder atenidos a sus sentimientos (lo cual, como vimos, no es aconsejable), o centrados en las características del propio líder (lo cual a veces es inevitable y a veces modificable), conforma un estudio del comportamiento del líder claramente parcial, ya que refiere el comportamiento al sujeto. Pero el modo del comportamiento no ha de estar condicionado sólo por el sujeto. Es obvio que ha de tener en cuenta, también y sobre todo, a los destinatarios del comportamiento del líder.

Por causa de ello, Robbins señala que la atención unipolar a las características del líder (como lo hemos hecho nosotros en nuestro capítulo 4, *Cualidades del líder*) no ha probado ser la mejor para explicar la eficacia del liderazgo. Una de las razones que se ofrecen para respaldar esta afirmación es que el estudio de las características del líder "*pasa por alto las necesidades de los seguidores*".[272]

---

[272] Stephen P. Robbins, *Comportamiento organizacional...*, p. 349.

Como es sabido por todo aquel que se haya asomado al amplio campo de las relaciones industriales, resulta ya clásica la división del comportamiento del líder en dos grandes vertientes: la orientación al hombre o la orientación a la tarea, que ha de tener en cuenta, precisamente las características de los hombres que deben dirigir y las tareas que ellos deben llevar a cabo. Rensis Lickert en *New Patterns of Management,* lo plantea inicialmente hasta llegar a la llamada cuadrícula o matriz de Blake,[273] la cual señala las distintas posiciones en que puede encontrarse nuestro liderazgo teniendo en cuenta estas dos coordenadas básicas: interés por la producción e intereses por el hombre. Un liderazgo que se centre en el equipo de trabajo más que en el trabajo del equipo es presentado con razón como un estilo de liderazgo deseable y productivo, aunque los hombres que hacen un trabajo y el trabajo que hacen los hombres, no deban disociarse.

Es importante retener que las actuales perspectivas del liderazgo se orientan de modo franco hacia el desarrollo de las personas, aunque no pocas confunden la orientación a la persona como una manera apropiada para que ésta se encuentre satisfecha. Sostenemos que una mera satisfacción sin el desarrollo humano, termina siendo improductiva y constituyéndose en una satisfacción de vida corta. Es un asunto que trataremos más adelante,[274] en donde se verá que el verdadero líder no procura, con mirada miope, la mera respuesta a los deseos de las personas que con él trabajan, si estos deseos constituyen un sólo capricho y no una verdadera necesidad. Adelantamos ahora, sin embargo, que la necesidad básica de todo individuo es su desarrollo integral como hombre, sea o no consciente de esa necesidad.

Tendremos que decir que un liderazgo que tenga en cuenta a sus destinatarios debe considerar el desarrollo de éstos como su finalidad principal, a partir de la que podemos cubrir cualquiera de las

---

[273] Blake et al., "Breaktrough in Organization Development", *Harvard Business Review*, Nov-Dic. 1964.
[274] Cfr. *Infra* I, 15: *Necesidades y deseos.*

muchas otras finalidades que una organización de trabajo puede y debe pretender.

En este sentido, Peter Drucker critica con agudeza y acierto el motivo del manejo de personal que está en las organizaciones, según el cual la *administración* de las personas de una compañía se subcontacta como *outsourcing* a diversas corporaciones especializadas en proporcionar y *administrar* todos los procedimientos -cada vez más complicados, es verdad- de "contratación, capacitación, asignación de trabajos, ascensos y despidos",[275] de las personas que trabajan en una empresa. Tampoco se trata ya de proporcionar trabajadores administrativos de bajo nivel, como "tenedores de libros, recepcionistas, estenógrafos o integrantes del grupo de mecanógrafos",[276] sino de empleados profesionales. Nos dice que el *outsourcing* de la contratación y vinculación con los trabajadores es *una tendencia intencional.*[277] De esta manera, crece el porcentaje de empleados que se contratan por un tiempo determinado, o no por tiempo completo, o como ejecutores de tareas momentáneas, específicas.

Con este sistema, afirma, se diluye lo que denomina *grandeza* de la empresa, la cual radica en "buscar el potencial de las personas y en invertir tiempo en desarrollarlo".[278] Lo cual es más válido cuando estamos hablando de trabajadores del conocimiento. El desarrollo es, pues, algo que no puede dejarse en delegación de terceros: los trabajadores del conocimiento no son *mano de obra* sino *capital.* "El rendimiento de las personas no sólo depende de cómo y dónde son colocadas, sino también de quién las dirige y motiva".[279]

Esta orientación del liderazgo hacia el desarrollo de las personas, equivaldría, si seguimos a Drucker, a un incremento de capital. Sin embargo, las personas se encuentran en una situación determi-

[275] Peter Drucker, "The next society", p. 153.
[276] Peter Drucker, "The next society", p. 153.
[277] Peter Drucker, "The next society", p. 154.
[278] Peter Drucker, "Son personas", ed. cit. p. 159.
[279] Peter Drucker, "Son personas", p. 156.

nada. Hemos de hablar siempre, como Ortega y Gasset, del *individuo y sus circunstancias*, el individuo y su situación, esto es, el conjunto de circunstancias en las que se encuentra situado. Esto hace que el comportamiento del líder dé lugar a lo que, con mayor acierto, ha dado en llamarse liderazgo *situacional*. Para Stephen Robbins[280] la *situación* de los destinatarios de una actividad directiva que debe tenerse más en cuenta es la actitud ante el jefe, que denomina *disponibilidad*: "dimensión importante que ha sido pasada por alto o menospreciada en la mayoría de las teorías del liderazgo."[281]

La contingencia de las situaciones es, como puede intuirse, muy variable y, por ello, los modos de actuación del líder, indescriptibles. No obstante, Hersey y Blanchard han logrado un fructuoso intento de simplificación que, a grandes rasgos, podría resumirse de esta manera:

1) Personas incapaces y no dispuestas.

2) Personas incapaces pero dispuestas.

3) Personas capaces pero no dispuestas.

4) Personas capaces y dispuestas.

En estas cuatro diversas situaciones, el comportamiento del líder ha de ser obviamente distinto. En el primer caso, da órdenes; en el segundo, enseña; en el tercero, motiva; en el cuarto, delega.[282]

Lo dicho es suficiente, nos parece, para ver con claridad que si el liderazgo discurre por el lado de los sentimientos y no de los comportamientos,[283] el líder resultaría responsable de todo -lo cual es un error por hipertrofia- o responsable de nada, atrofiando erróneamente la responsabilidad.

---

[280] Stephen Robbins, *Comportamiento organizacional*, p. 358.
[281] Stephen Robbins, *Comportamiento organizacional*, p. 358.
[282] P. Hersey y K. H. Blanchard, *Management of Organizational Behavior*, Prentice Hall, 1993. Los comportamientos del líder (ordenar, enseñar, motivar y delegar) han sido modificados por nosotros de acuerdo con nuestra teoría personal en torno a lo mismo.
[283] Cfr. *Supra* I, 14.

Pero hay otro aspecto bajo el que tampoco se debe separar el comportamiento y el sentimiento. El sentimiento en relación con la conducta puede encontrarse en tres fases temporales, como ya hemos descrito en otra ocasión:[284] hay sentimientos que anteceden *a* nuestras acciones, los hay concomitantes *con* ellas y también consecuentes *de* ellas.

Cuando distinguimos el sentimiento del comportamiento, y lo hacemos al tratar del liderazgo, deseamos contravenir modos usuales directivos que no cumplen debidamente su función, por no llevar a cabo esta diferencia. Algunos ejemplos elementales pueden ilustrar lo que deseamos decir.

Antes de emitir una orden, que puede ser agradable o desagradable para nuestro destinatario, nosotros tenemos ya previamente un sentimiento que antecede a la orden supuesta. Esta antecedencia es incluso más rápida que el mismo hecho de pensar sobre el provecho (intelectual, no sensible) de la orden susodicha. (Es uno de los peligros del sentimiento: una rapidez mayor que la del pensamiento). Generalmente, nosotros sentimos desagrado cuando prevemos que nuestra conducta va a desagradar a quien la recibe; y por ello sentimos resistencia cuando percibimos que la orden va a resultar adversa a los sentimientos del ordenado; a tal punto que, presintiendo, con esa rapidez de la que acaba de hablarse, que la orden va a generar desagrado, ni siquiera planteamos ya su posibilidad: el sentimiento *bloquea* e impide el pensamiento, y el comportamiento -en este caso la orden- se anula.

Si hay en nosotros una mixtificación de sentimiento y comportamiento, las indefectibles resoluciones serán éstas: daré sólo las órdenes que agraden a nuestros subordinados (y por eso me agradan antecedentemente a mí), y omitiré las órdenes que desagraden a sus destinatarios, y que por ello a mí me desagradan antecedentemente.

---

[284] Carlos Llano, *Formación de la Inteligencia...*, p. 122 y 123.

El proceso del sentimiento, en este caso sentimiento *antecedente*, no tiene en cuenta las piezas principales de la baraja: la conveniencia para el sujeto receptor, para el equipo en que trabajamos, para la organización e incluso para la comunidad que nos rodea. *La conveniencia intelectual no siempre* -hay temporadas que diríamos *casi nunca- coincide y embona con el sentimiento agradable.*

Si, en cambio, nos acostumbramos a abrir un hiato entre el sentimiento y el comportamiento, nuestras actuaciones como líder seguirán la línea que señala la conveniencia objetiva de la indicación, instrucción u orden, sin dejarme llevar por el desagrado de aquél a quien esté destinada, y de mí mismo que la destino. Evidentemente, habrá de tener en cuenta los sentimientos de los destinatarios, y actuar con la prudencia del caso, pero la prudencia no debe matar a la conveniencia.

Algo semejante acontecerá cuando la orden resulte agradable para aquél a quien se destina: no hemos de seleccionar las órdenes teniendo en cuenta como factor principal la satisfacción con que se reciban.

Se da frecuentemente un espécimen de jefe que monopoliza lo que a los demás les resulta agradable, y *delega* -capciosa delegación- lo que tiene visos de desagradar.

No obstante, pese a todas las apariencias, hay jefes que disfrutan proponiendo acciones que a los demás les repugnan, y ello, no *aunque* desagraden sino *porque* desagradan. No puede apuntarse aquí el calificativo que una tal persona mereciera.

Ya se ve, por lo dicho, que lo importante en la dinámica de nuestro trabajo con otros, no reside en los sentimientos que broten de ellos, sino el comportamiento que ante ellos guardamos. Esto es imprescindible tenerlo en cuenta, sobre todo, como ahora lo hacemos, en las etapas previas a nuestra actuación de líder mediante las indicaciones, sugerencias, orientaciones y órdenes que debamos transmitir.

Pero no sólo en las etapas previas. Si entonces logramos superar los sentimientos adversos a lo conveniente, y superamos el punto de partida de conductas que a los demás y/o a nosotros nos displacen, pero lo hacemos, con displacer, por la conveniencia intelectualmente aprehendida, nuestros sentimientos anteriores frente a tales conductas pueden cambiar. No siempre los sentimientos *concomitantes* a la acción coinciden con los que antecedentemente a ella teníamos. Muchas veces, el mismo hecho de haberlos imperado en el inicio de esa actividad específica, nos gratifica: nos complace *habernos vencido a nosotros mismos*. Por tal motivo, ocurre que tanto más grata es la sensación de haber actuado a contrapelo de los sentimientos cuanto más profundos hayan sido los sentimientos de desagrado antecedentes.

Esta gratificación -que es un sentimiento más, generalmente no provocado- hace llevadero el trabajo, de modo que también las sensaciones, sentimientos, emociones, pasiones, adversas a los pensamientos tienen una función positiva. A veces nos hacen sentir que nuestras previsiones sensibles eran exageradas, que el camino se hace más fácil en el instante mismo de dar el primer -doloroso- paso.

No siempre es así: en no pocas ocasiones los sentimientos adversos antecedentes permanecen y hasta se recrudecen en el decurso de la acción ya empezada. Como en muchos ámbitos -pero especialmente en el de la sensibilidad y el liderazgo- las predicciones, suposiciones o *presentimientos* no suelen coincidir con la realidad: lo real no es ni tan agradable ni tan desagradable como lo eran nuestros supuestos. Es una lástima que el hombre, aun después de haber constatado múltiplemente lo anterior, siga prestando tanta atención a sus sensibles conjeturas anticipativas. Esto es una razón más que nos inclina a no prestar excesiva atención a nuestros propios sentimientos.

Si el adverso sentimiento antecedente permanece y aun se incrementa cuando o mientras desarrollamos la actividad presentida como ingrata, el líder tiene la oportunidad de manifestar a las personas a su cargo el alto valor práctico de la constancia: ha de seguirse trabajando, aunque cueste. Ello es uno de los principales aspectos de la ejemplaridad. Como ya hemos dicho en otra obra,[285] el líder no ha de significarse por su genialidad cuanto por su constancia: constancia para sostener la de las personas a su cargo, en medio de condicionantes sensibles adversos.

Además de la antecedencia y la concomitancia de los sentimientos respecto de la acción que ha de llevarse o se lleva a cabo, poseen también relieve los sentimientos consecuentes de la acción. Terminada ésta, al patentizarse sus resultados, brota en los individuos un sentimiento halagüeño, que es tan gratificante como el resultado mismo. Un ingrediente no menospreciable de esta gratificación es, de un lado, el logro objetivamente conseguido; y de otro -más importante aún- el conseguido dominio de sí, el auto vencimiento que ha acompañado a la acción cuyos frutos ahora constatamos.

Este gozo no ya de *haber conseguido* el fin sino de haber contrariado la adversidad para conseguirlo, no es sólo -aunque lo sea- un mero sentimiento. Es él mismo un logro que se condensa en el propio individuo, fortificando su carácter. Esto debe considerarse teniendo en cuenta no ya individualmente la persona del líder, sino a todos los componentes del equipo: *han crecido interiormente* cuando han actuado de acuerdo con los dictados del entendimiento y no con los ciegos impulsos de la apetencia.

Tal hecho es denominado por Hunter[286] con este término: "la recompensa del gozo". Un supuesto interlocutor pregunta: "¿qué tiene que ver el gozo con el liderazgo?" Hunter es pronto en la contestación: la felicidad puede fundarse en los sucesos. El gozo, en cambio, no se basa en circunstancias exteriores. "El gozo tiene que ver con la

[285] Carlos Llano *Falacias y ámbitos...*, p. 282 y ss.
[286] James Hunter, *La paradoja*, pp. 166 y ss.

satisfacción interior y con la convicción de estar siguiendo los profundos e inmutables principios de la vida".[287] "Cuanto más consigo rebajar mi *ego* y mi soberbia, más gozo tengo en la vida".[288] La humildad misma, por tanto, conlleva su gozo correspondiente. Hunter relaciona esa notable satisfacción con el servicio, que ya nosotros hemos relacionado con el autodominio:[289] "servir a los otros nos libera de las cadenas del egoísmo que estrangulan el gozo de la vida".[290] Estos pensamientos no son tan inusuales como cualquier gerente utilitario pudiera gratuitamente suponer. Ya hace muchos años que Schumacher en su *Good Work* nos dijo que el trabajo en equipo era la mejor terapia de la egolatría.

Nosotros, sin embargo, nos atrevemos a dar un paso más allá en este buen camino indicado por Hunter. Decimos, en efecto, que este gozo por el resultado conseguido y por el vencimiento que ha supuesto el conseguirlo, no es una mera sensación consecuente de la actividad. Se erige, además, como otro sentimiento antecedente de cualquier análoga acción futura. Porque queda depositado en nosotros como un antídoto o analgésico frente a los sentimientos adversos que sin duda nos surgirán ante futuros deberes. Esta sensación de gozo por un resultado adverso conseguido, después de ejercer acciones iguales, se sumará o mezclará con las sensaciones desagradables que surgirán en nosotros ante eventuales nuevos menesteres arduos. Llegaremos a pensar más en el gozo que advendrá en el cumplimiento de aquello desagradable, que en el desagrado mismo que presagiamos ante tal cumplimiento.

Téngase, pues, en cuenta, que nuestra división en sentimientos antecedentes, concomitantes y consecuentes, no es tan simple como acabamos de exponerla, no se trata de una sucesión lineal de senti-

---

[287] James Hunter, *La paradoja*, p. 167.
[288] James Hunter, *La paradoja*, p. 160.
[289] Cfr. *Supra* I, 11.2
[290] James Hunter, *La paradoja*, p. 167.

mientos, sensaciones o afectos, sino circular, por cuanto que el sentimiento consecuente puede convertirse con facilidad en antecedente. El hombre tiene una inteligencia reflexiva, y en la reflexión, como en la trayectoria de un círculo, el final muerde la cola del comienzo.

Es verdad que en ocasiones las sensaciones consecuentes a la acción no siempre son gratificantes, satisfactorias y gozosas. A veces el final de nuestra acción nos frustra, sea porque no se logra lo perseguido, sea porque el logro es desproporcionadamente pequeño comparado con el esfuerzo y adversidad implicados en su precaria consecución, sea porque los ideales suelen ser más atractivos que las realidades. Pero vale entonces, aún más, lo que dijimos de la constancia: hemos de acostumbrarnos y acostumbrar a trabajar a *palo seco*, a *contrapelo*. No puede verse, ciertamente, el trabajo como unilateral superación de dificultades; pero la superación de dificultades no debe excluirse impunemente de la acción laboral.

Por último, en lo que a lo anterior respecta, no debe verse la constancia sólo como empeño cerril, o esfuerzo denodado *voluntaristamente* sostenido. La constancia no es sólo una respuesta a la adversidad dinámica y final del trabajo. Es también origen del optimismo: tarde o temprano el trabajo constante tiene un final gozoso. "Una de las cosas que les digo a nuestros atletas -escribe Hunter- es que la disciplina requiere dedicación y trabajo duro, pero lo bueno es que *siempre compensa*".[291] Evidentemente, para que las personas que trabajan conmigo puedan gozar de satisfactorios sentimientos consecuentes a su trabajo, el trabajo debe pertenecerles a ellos. No sería válida en el caso de que su posición fuera la de meros asalariados.

Lo anterior quiere decir que mis compañeros laborales más que subalternos deben ser socios. Hace precisamente cien años el Papa León XIII, en su encíclica *Rerum Novarum*, sugirió (hoy podemos decir

---

[291] James Hunter, *La paradoja*, p. 162.

“proféticamente”) que los contratos de trabajo se suavizasen supliéndolos por contratos de sociedad. El trabajador no debería ser un asalariado por contrato, sino un socio. La propuesta se hizo sobre todo pensando en el trabajador. Los empresarios fuimos ciegos al no percatarnos de que esta sugerencia sería potenciadora de la eficacia en la organización, porque el unir esfuerzos, el empujar en el mismo sentido, esto es, el trabajar en colaboración y armonía resulta, respecto de la eficacia, superior a la competencia que se genera en un contrato tensamente negociado.[292]

Aunque la *Rerum Novarum* se refiera a los frutos económicos del trabajo, que deben repartirse en régimen de sociedad, más que retribuirse con mero régimen de salario, en modo alguno se opone a lo que a nosotros, aún, nos parece principal. Los trabajadores no sólo deben ser partícipes de los resultados económicos conseguidos, sino del gozo interior que surge en el logro de cada meta ardua, cuando tal meta sea propiamente suya y no de alguien ajeno para el que trabajamos.

Poco importa -diríamos paradójicamente que importa mucho- que el gozo de que hablamos no pueda medirse ni repartirse alicuotamente como los frutos económicos. Según lo dice duramente Charles Handy: “para muchos, lo que no llega a contarse no cuenta. El dinero se cuenta fácilmente. En consecuencia, con demasiada rapidez *el dinero se convierte en la medida de todas las cosas*”,[293] lo que Handy califica con razón de necedad. El gozo interno por el logro de un objetivo, no puede compararse con el saldo de ninguna cuenta corriente.

——— o ———

Todo lo anterior se refiere a la desigual importancia que tienen en el fenómeno del liderazgo los sentimientos y los comportamientos.

---

[292] Carlos Llano, *Dilemas éticos...*, p. 219
[293] Charles Handy, *La edad de la paradoja.*

Pero eso no debería hacernos pensar que, como los sentimientos no pueden ser refrenados por la voluntad, habrán de dejarse al desgaire. Porque "si bien no pueden ser impedidos por la voluntad misma... se puede impedir su expansión en la conducta".[294] Además, esta represión de la conducta "no es necesariamente, como piensan no pocos psicólogos contemporáneos, perjudicial para el individuo. Y no lo es, porque no sólo se reprime la conducta sentimental (gracias a la voluntad), sino que, gracias a la inteligencia, el hombre se convence a sí mismo por qué esa conducta sentimental debe ser reprimida",[295] si fuera el caso.

Independientemente de todo lo aquí afirmado, existe otra equivocación u omisión antropológica contemporánea que conviene señalar: los sentimientos y los comportamientos no tienen una frontera tenue y débil que pudiera fácilmente traspasarse. *Los sentimientos se transforman espontáneamente en comportamientos sólo en las personas anormales.* Entre las personas anormales debemos contar, por paradoja, a los muchos que no han sido caracterológicamente educados, ni siquiera en su grado más ínfimo.

El sentimiento no se transmuta, sin más, en comportamiento. Al menos el sentimiento humano. Habrá en el hombre sentimientos anormales -anormales por ser sólo animales- irreprimibles. Pero su comportamiento no les resulta entonces insoportable. El sentimiento, así como no puede ser meramente reprimido por la voluntad, necesita en cambio de algún modo ser asimilado por ella para convertirse en comportamiento.

La descripción del complejo fenómeno acerca de los nexos entre los afectos y los comportamientos no puede simplificarse mediante el reducido dúo *sentimiento-comportamiento.* La voluntad tiene precisamente una intervención modernamente desatendida: por virtud de la voluntad los *sentimientos son consentidos.*

---

[294] Carlos Llano, *Falacias y ámbitos...*, p. 262.
[295] Carlos Llano, *Falacias y ámbitos...*, p. 262.

Para sentir no se requiere la voluntad. Se requieren sólo los sentimientos. *Pero la acción propiamente humana comienza con el consentimiento del sentimiento.* Al sentimiento, generalmente impulsivo o espontáneo, puede añadirse la aquiescencia de la voluntad en relación con él. Ello se ha expresado desde antiguo con el verbo compuesto con-sentir. Esto es, querer *con* la voluntad el sentimiento antes meramente sentido, que se hace así *con-sentimiento.*

Antropológicamente ha tenido ancestral importancia la distinción entre el sentir y el consentir. La confusión entre el sentimiento y el consentimiento llega a adquirir consecuencias no sólo morales (el sentimiento carece de moralidad, al ser una actividad del hombre pero no humana, en tanto que el consentimiento resulta moralmente bueno o malo si el sentimiento que se consiente va a favor o en contra de la naturaleza propia del hombre que siente): el sentimiento no es entonces sólo una actividad del hombre sino propiamente humana, porque se ha ejercido en él la voluntad (con la inteligencia que es su necesaria base previa).

De modo general puede decirse que el sentimiento no se convierte en comportamiento a menos que tenga lugar el consentimiento. Pero ya el consentimiento mismo, a fuer de voluntario, es una suerte de comportamiento incipiente. Quien consiente el sentimiento de antipatía ante otro, termina comportándose ante él como un individuo al que le tiene antipatía. Lo mismo ocurre, y aún más, con la simpatía, lo cual puede dar lugar a preferencias disfuncionales en el ejercicio del líder.

La serie sentimiento-consentimiento-comportamiento (de la que todo líder debe ser consciente), adquiere una mayor complejidad cuando introducimos en ella el *resentimiento*, es decir, el sentimiento revocado, revivido, despertado, en caso de que el tiempo u otras circunstancias lo hubieran adormecido.

El resentimiento suele darse en relación con los sentimientos disfuncionales. De nadie puede decirse que tiene resentimiento en relación con su madre cuando evoca el sentimiento filial que le tuvo. Se da con los sentimientos disfuncionales y junto con los sentimientos estrechamente vinculados a personas identificadas. De nadie puede decirse que está resentido contra la lluvia; lo estará, en todo caso, con el amigo que se negó a prestarle el paraguas o a llevarlo en su automóvil.

No nos extrañará que el *resentimiento*, como sentimiento disfuncional hacia una persona, no sólo consentido sino resentido, es uno de los defectos que el líder debe erradicar de cuajo so pena de perder el liderazgo. Pues el resentimiento es mutuo, y crecientemente mutuo; el resentimiento es contagioso y profundamente contagioso.

15 Necesidades y deseos

En contigüidad con los sentimientos, consentimientos, resentimientos y comportamientos se halla la consideración de otros dos fenómenos que atañen al hombre y que constituyen factores importantes para analizar las entrañas del líder y del liderazgo: los fenómenos de la necesidad y del deseo que el hombre tiene.

Para Stephen Covey una de las reservas o recursos con que cuenta el líder es la comprensión de la otra persona; diríamos que es la clave de los demás recursos. Sin ella, no sabremos si nuestra relación con los demás constituye una *aportación* positiva. "Lo que para algunos dar un paseo, tomar un helado, trabajar juntos pudiera ser una *aportación* positiva para otros sería quizá una *sustracción*".[296] Que una acción nuestra respecto de otro sea una aportación o una sustracción, tiene que ver, para Covey, con los intereses y necesidades de la persona de la que se trate. Lo cual es una verdad digna de tenerse en cuenta. No obstante, hemos de advertir que *los intereses y los deseos no son siempre coincidentes*.

Hay intereses que podrían calificarse de *interpretativos* o *interpelativos*. Sólo explicándole a alguien la importancia que tiene

---

[296] Stephen Covey. *Los siete hábitos...*, p. 215 La traducción castellana que manejamos habla de *depósito* o *retiro* como si la persona con la que me relaciono tuviera conmigo una cuenta bancaria. Nosotros hemos preferido utilizar los términos, menos monetarios, de *aportación* o *sustracción*.

para su persona o para su oficio el conocimiento de determinada rama cultural o científica, podemos quizá suscitar en él el *interés* por ese conocimiento. Pero, antes de nuestra explicación, el interlocutor podría no sentir ningún *deseo* respecto de tales conocimientos. Cabría en nosotros sospechar en él un *interés interpelativo*, tal como se conocía filosóficamente desde antiguo: podemos suponer que interpelando a aquella persona suscitaríamos en ella un interés subyacente respecto de alguna realidad que le falta; sin conciencia aún de ese interés. Todavía el interés no se ha convertido en deseo, hasta que lo interpelamos sobre él.

Pero el interés interpelativo puede entenderse también en sentido contrario. Hay individuos que tienen indudables, y aún fogosos, deseos respecto de realidades sobre los que, interpelándoles objetivamente, no deberían tener ningún deseo, y menos aún suscitarlo. Habremos de interpelar al sujeto acerca de su tuberculosis para que se percate de que sus deseos de fumar carecen de *interés* alguno: es más, debería desinteresarse respecto de ellos.

Más fácil que la diferenciación entre intereses y deseos –y más importante- es la que el líder debe practicar entre *deseos* y *necesidades.* No hacerlo da lugar equívocamente a dos diversos conductores de hombres –supuestamente ambos líderes- de muy diversa catadura.

Hace años[297] a la hora de definir el concepto de *servicio* como finalidad de cualquier empresa, nos vimos precisados a distinguir entre necesidades y demandas para saber si estamos sirviendo a nuestros clientes. *No es servicio satisfacer demandas no necesarias*, aunque nuestros clientes lo consideren como tal.

Vemos ahora con satisfacción que esta misma diversidad le es útil a James C. Hunter[298] para configurar el contenido de servicio no ya a los clientes, sino a las personas que trabajan con nosotros, lo

---

[297] Carlos Llano, *Dilemas éticos...*,p. 239.
[298] James Hunter, *La paradoja*, p. 69.

cual resulta aún más indicado. Mientras esta distinción no se practique, no nos quedará claro qué significado real tiene el término de servidor, sea como calificativo, sea como sustantivo. Esta distinción es para Hunter a tal grado básica, que le es útil para distinguir entre servidor y esclavo: "los esclavos hacen lo que los otros quieren; los servidores hacen lo que los otros necesitan".[299]

No siempre lo que alguien quiere es lo que necesita. Incluso habría de decirse que en largas épocas históricas y en grandes ámbitos sociales las personas, generalmente, desean no ya lo que no necesitan, sino lo que les perjudica. ¿Puede llamarse servidor a quien satisface los deseos cuya satisfacción le es a alguien perjudicial, quien satisface los deseos de fumar en un tuberculoso?

Se dan así, como dijimos, dos tipos de líder, de los cuales sólo uno merecería esa denominación: los jefes que satisfacen los deseos de las personas a su cargo, y los jefes que satisfacen las necesidades. Como las necesidades y los deseos no son coincidentes en muchas ocasiones, hay personas que pretenden ejercer la función de liderazgo, y realmente no lo hacen.

Dice Hunter, con razón, que el esclavo hace lo que el amo quiere, no lo que el esclavo necesita. Pero hay otra manera de entender la esclavitud que Hunter no aborda, y necesitamos hacerlo nosotros, en entero complemento de lo que él mismo acaba de asentar. En efecto, no sólo el jefe *esclaviza* al subordinado al incitarle para que satisfaga lo que el propio subordinado desea o quiere (no lo que necesita).

El jefe puede esclavizar al subordinado (o al cliente) por un procedimiento inverso: suscitar en el súbdito o consumidor deseos no necesarios para poder después satisfacerlos y, así hacer más fuerte y perentoria la subordinación.

No se nos escapa que una buena parte de los sistemas publicitarios que siguen rigurosamente ese *modelo* no solo suscitan deseos no

---

[299] James Hunter, *La paradoja*, p. 69.

necesarios, sino deseos sobre supuestos bienes y servicios que son perjudiciales a aquellos a los que satisfacen. Este sería también un *modelo* análogo de líder. Nos atreveríamos incluso a afirmar que muchos de nuestros sistemas de motivación en las organizaciones mercantiles o políticas se encuentran nefastamente inspiradas en él.

Hunter se plantea la cuestión que ahora es imperiosamente requerida: "¿Cómo podemos distinguir claramente entre necesidades y deseos?"[300] La contestación no le resulta fácil, porque no lo es. A veces tememos que resbale por el costero de las estadísticas: "Hay ciertas necesidades, como la de ser tratado con respeto, que son universales".[301] Esta afirmación es, sin más, verdadera. No obstante, debe aquilatarse con cautela si la universalidad de la que se habla es cultural o natural. Vale decir, si las necesidades que se nos presentan como universales tienen su origen en *una cultura* tal vez variable con el tiempo, y quizá también perjudicial. En este momento, por ejemplo, no hay nadie que sea capaz de responder una pregunta que muchos tenemos imperiosamente planteada: si el uso universal de la televisión (universal debido a que es usada por *todas las personas* que cuentan con energía eléctrica, y en una buena parte universal también porque la usan *todo el tiempo*) es beneficioso o perjudicial para nuestras generaciones jóvenes. Quizá no podemos responder que es *totalmente perjudicial*, pero sí que es, al menos, estadísticamente, *totalmente necesaria*, como antes preguntamos si era totalmente universal.

Cierto es que Hunter no se plantea el problema de la universalidad de las necesidades *per culturam* o *per naturam,* y quizá para sus propósitos pragmáticos (aunque profundos) no sea ello del todo requerido. A nuestro autor le preocupan especialmente las *necesidades psicológicas,*[302] las cuales tienen sin duda una penetrante inci-

---

[300] James Hunter. *La paradoja*, p. 70.
[301] James Hunter, *La paradoja*, p. 70.
[302] James Hunter, *La paradoja*, p. 71.

dencia en el fenómeno del líder, que es su objeto de estudio. A nosotros, sin embargo, nos preocupan mucho más, por ejemplo, las *necesidades éticas* -sin que por ello supongamos que nuestro pensamiento sea mejor que el de Hunter-. Para la distinción de lo que son propiamente necesidades psicológicas y lo que son propiamente las necesidades éticas, habremos de servirnos de la diferencia entre lo cultural y natural. Lo que sí sabemos con certeza es que ambos conjuntos de necesidades (éticas y psicológicas) no son en modo alguno coincidentes. La necesidad psicológica de reconocimiento social carece de espesor ético; mientras que la necesidad ética de ayudar al prójimo no tiene siempre -o incluso podríamos decir casi nunca- un impulso psicológico proporcional.

A nuestro autor le preocupan, con toda razón, no sólo las necesidades universales (cuáles son aquéllas que corresponden al hombre en cuanto tal y, por esto, a todo hombre, sea de ello consciente o no), sino las necesidades que afectan o mueven a las personas que en concreto se hallan bajo mi cuidado: "¿cuáles son las necesidades que tiene la gente que dirijo?",[303] cuestión no marginable para un líder. Aunque, repetimos, para nosotros tiene mayor peso la pregunta en torno a las necesidades que *deberían tener* las personas a mi cargo.

La cuestión anterior, sea -reconozcámoslo- en el orden psicológico sea en el orden moral, nos conduce, aun sin quererlo, a esta otra, que, si no se resuelve, encubre la que nos acabamos de hacer: ¿cuáles son las necesidades psicológicas que tienen las personas bajo mi mando? -pregunta hecha por Hunter-, y ¿cuáles son las necesidades éticas que deberían tener las personas que están a mi cuidado? -pregunta que nos hemos hecho nosotros-. Esta otra cuestión es formulada por Hunter en el mismo lugar de la siguiente manera: "¿y qué necesidades tengo yo?". Tal asunto debe ser requeridamente despejado por todo líder, por muchos motivos, vinculados junto con el

[303] James Hunter, *La paradoja*, p. 71

que ahora nos ocupa. Un motivo para plantearnos esta cuestión puede ser oculta o abiertamente egocéntrica: he de saber qué necesito para que aquellos que trabajan conmigo me ayuden a remediar mis carencias. Pero también puede tener su causa en otra muy explicable consideración: la proyección de mi persona sobre los demás -de la que tanto hablan hoy los expertos en psicología- podría hacerme creer erróneamente que los demás tienen iguales necesidades que yo mismo, e impulsarme generalmente a remediarlas. Estaría satisfaciendo, como líder, sus presuntas necesidades, creyendo que son las suyas, cuando en realidad lo que hago -desarrollando un egoísmo subrepticio- es cubrir las propias necesidades creyendo que cubro las que afectan a los demás. Pero, finalmente, es bueno saber cuáles son esas necesidades cuya satisfacción requerimos, porque tengo muchos motivos para pensar que los demás seres humanos igual que yo, sienten las mismas necesidades y procuran remediarlas, lo cual haría de mí un líder generoso: más que estar atendiendo a lo que yo necesito, para satisfacerlo, me olvido de mí mismo, para poder remediar las necesidades que sienten los demás.

Hunter, finalmente, apela a las necesidades sustentadas determinadas por Abraham Maslow (alimento, vestido; seguridad y protección; amor e indiferencia; auto-estima; realización personal). Como se sabe, Maslow hace esta descripción de necesidades, basándose en aquellas que el hombre generalmente requiere satisfacer, pero no deduciéndolas del estudio de la naturaleza humana, concepto que, como muchos psicólogos y antropólogos modernos, no tienen en mente, abriendo así la diferencia más grande que puede existir con los psicólogos y antropólogos clásicos, para los que la naturaleza del hombre constituía el punto de inicio y la meta final de todo desarrollo verdadero

No se pierda de vista que nuestro concepto de *servicio* [304] se encuentra definido precisamente por el de necesidad. Ya hemos di-

[304] Cfr. *Supra* I, 11.2.

cho que, en su pleno significado, servir no es meramente responder a los deseos de los otros, sino atender a sus necesidades verdaderas, "*incluso antes de que ellos tomen conciencia de que las tienen*".[305] En estas consideraciones básicas prima el bien del otro por encima de la necesidad misma que yo siento de recibir su gratitud. Aristóteles, en su *Ética* nos dejó ejemplarmente descrito el hecho de aquella mujer que se alegraba intensamente por la mejoría personal y social de su hijo, en medio de la ignorancia de éste, respecto de quién era su madre, la cual se habría sacrificado generosamente para que su hijo pudiera entrar en un camino de progreso, sin tener noticia de aquel acto inicial de entrega por parte de alguien cuya existencia realmente ignoraba, y más aún de su relación filial con ella.

Esta es, por lo demás, lo que Hunter llama "una espléndida definición de liderazgo": "satisfacer las necesidades de los demás antes que las de uno".[306] El líder puede concretarse en una sencilla descripción de tareas que cabe en cinco palabras: *identifica y satisface las necesidades.*[307]

Ello subraya lo que, al hablar del liderazgo, no podemos dejar de mencionar. Implica, en efecto, que tenemos la libertad de elegir; libertad a tal grado libre, valga la redundancia, gracias a la cual podemos llevar a cabo algo que -sin esta consideración- nos resultaría inusitado: la libertad de elegir el bien del otro antes que el propio (con lo que el bien propio quedaría conseguido con una mayor seguridad y por el camino más noble, haciéndonos nobles a nosotros mismos). El concepto de libertad sólo se explica cuando aclaramos los conceptos de necesidad y deseo: por fuertes que sean los deseos en relación conmigo, he de atender las necesidades de los demás, incluso cuando esa atención no es ni siquiera deseada por aquél a quien atiendo. "La capacidad de escoger nuestra respuesta es una de las glorias del ser

[305] James Hunter, *La paradoja*, p. 82.
[306] James Hunter, *La paradoja*, p. 114.
[307] James Hunter, *La paradoja*, p. 91.

humano. Los animales responden de acuerdo con su instinto", nos dice Hunter.[308]

La antropología filosófica clásica da la razón a los pensamientos de Drucker, quien no considera que haya problemas (necesidades) humanas que puedan recibir el mero calificativo monográfico de psicológicas, éticas, económicas... y legales.[309]

En efecto, la crisis del sentido del hombre fomenta la fragmentación del saber antropológico, al perderse el sentido último del ser humano y el carácter global de su vida. Esta pérdida del sentido del hombre es coincidente con el olvido del concepto de naturaleza humana.

En una encuesta realizada con 668 empresarios mexicanos, se les presentaron diez rasgos propios del estilo de mando, para que ellos optaran por los que tuvieran más *importancia* en la *importante* tarea de dirección.[310]

El rasgo de mando más importante resultó ser el interés por el subordinado, con una calificación de 7.9 sobre 10, seguido inmediatamente por la necesidad de la participación en el mando por parte de los propios subordinados (7.8).[311]

Alfonso López Quintás hace residir en buena parte la tarea del manipulador -frente a la del líder- en "procurar de forma solapada que cada persona no se enamore de los valores, en los que puede participar al mismo tiempo con otras personas, sino de su propia figura, y

---

[308] James Hunter, *La paradoja*, p. 151

[309] Peter Drucker, *Dynamic*, Fox, E. M. y Uzwick, 2.F. (eds.), pp. 148-149.

[310] Encuesta hecha en el Instituto Panamericano de Alta Dirección de Empresa (IPADE, México), bajo la dirección del profesor Ernesto Bolio, realizada en colaboración con sus colegas, entre los que me cuento (cfr. Carlos Llano, *Falacias y ámbitos...*, p. 130 y 216). Los rasgos a que nos referimos son: riesgo, delegación, interés por el subordinado, creación, dependencia respecto del supervisor, perspectiva de plazo, mando individual o de grupo, interés por las normas, participativo, uso de la persuasión e interés por el hombre más que por el trabajo.

[311] La encuesta practicada con 332 directores estadounidenses colocaron el interés por el subordinado en tercer lugar, aunque con una calificación superior a la mexicana (8.2), precedida por el riesgo (8.4) y la creación de dependencia del subordinado (8.4).

muera ahogado en las aguas al intentar agarrarla y poseerla como sucede en el *mito de Narciso.* El hombre preocupado sólo de sí mismo se destruye como persona al intentar poseerse, ya que: 1) el afán de *poseer* se opone a la voluntad de *colaborar...*, 2) las formas de encuentro que nos desarrollan como personas exigen nuestra vinculación a realidades distintas de nosotros... Un conjunto de personas encerradas egoístamente en sí mismas... no constituyen una *comunidad* sino una *masa*". Por eso "*el individualismo egoísta deja al hombre desvalido*".[312] La tristeza -se ha dicho- es la escoria del egoísmo.

La diferencia (y el consecuente trato diverso), en la relación con los deseos y las necesidades contiene, como hemos visto, ángulos decisivos para perfilar adecuadamente la polícroma tarea del líder. Esta diversidad no debe verse, sin embargo, con una resonancia meramente doméstica, con validez sólo en el ámbito de las organizaciones y, sobre todo, en los grupos de trabajo que las componen, en donde la acción del líder tiene una vigencia más directa y obvia.

Ya dijimos antes que la distinción entre demanda (o deseo) y necesidad, constituían las categorías conceptuales clave para valorar con precisión si las relaciones de las empresas con su mercado se encuentran enfocadas con acierto: vender un producto o prestar un servicio no deben verse sólo como la satisfacción de una necesidad del cliente o consumidor en turno, sin analizar si los deseos o demandas satisfechas o servidas benefician -en su sentido preciso: *hacer bien*- al presunto cliente, ya que no siempre la satisfacción de un deseo puede llamarse servicio o beneficio, como lo vemos en el caso de proporcionar droga a un hipotético drogadicto.

Es el momento de decir en forma cabal que la frontera entre demanda o deseo, por un lado, y auténtica necesidad por el otro, no puede trazarse con mano firme si se carece de un verdadero concepto del hombre, o, al menos, un concepto del hombre demostrativamente

---

312 Alfonso López Quintás, *La tolerancia y la manipulación*, Rialp, Madrid 2001, p. 120

expresivo de su naturaleza. Sólo conociendo lo que es el hombre y las formas genuinas de llegar a su posible plenitud, podemos calificar si algo es para él necesidad (aunque no la desee) o es deseo (aunque no cubra una prístina necesidad).

Por esta causa la distinción entre necesidades y deseos goza de un radio más amplio, porque le corresponde clasificar todo el campo de la actividad humana: es en el hombre y a la luz del hombre donde necesidad y deseo tienen su lugar natural de estudio y de inteligencia.

En este sentido, Alejandro Llano[313] ha sabido destacar en la tarea misma universitaria (en la que el asunto tiene más valor que en las tareas mercantiles), el peligro que encierra la actividad académica (como lo tiene aún más la económica) de "propugnar un repliegue narcisista sobre la intimidad privada". Los estudiosos parecen trabajar con las cartas guardadas en lugar de ponerlas sobre la mesa para lograr un franco diálogo con sus posibles colegas. Dejarán de ser colegas si se trata de un juego de cartas entre competidores. Pero este peligro de ocultación -como las cartas de juego- en el tejido de la cotidianidad profesional parece tener un remedio peor aún que la enfermedad; "el tributo lamentable a los ídolos del foro público".

El intelectual, así, no trabajaría ciertamente para su ínsita necesidad de saber y para el logro de sus personalísimos descubrimientos, que llama investigación: lo haría para satisfacer lo que las estadísticas humanas le piden. Adquiere popularidad e incluso prestigio por decirle a su auditorio lo que éste espera oír. Teme contravenirlo con la verdad, y prefiere resbalar por el lado de las opiniones generalizadas, sin preocuparse de que sean o no verdaderas. La verdad y la opinión resultan para él lo que antes denominamos necesidad o demanda.

Estos términos, además del alcance organizativo y económico que ya hemos advertido, se ensanchan en un radio enteramente so-

[313] Alejandro Llano, *La universidad ante lo nuevo*, Lección Inaugural del Curso Académico 2002/03, Universidad de Navarra.

ciológico, hasta configurar en su médula a las diversas sociedades, según el énfasis que presten a cada uno de estos conceptos, o, lo que es lo mismo, en el grado en que atrofian a cada uno de ellos. Por eso Alejandro Llano se atreve a decir taxativamente que "*no es lo mismo el bien común que el interés general*". El bien común es un concepto ético: se encuentra constituido por todas aquellas condiciones e instituciones que posibilitan y facilitan el desarrollo del hombre en su propio ser hombre; y aun posibilitan y facilitan el logro, por parte del individuo, de sus legítimos y lícitos fines particulares.

El interés general, en cambio, no es un concepto ético, sino estadístico. Basta con su manifestación pública para que se convierta en interés general, atendible por políticos, pensadores, periodistas y empresarios. Tan es así que se dan hoy, como a todos nos consta, intereses generales muy poco interesantes, o incluso *intereses generales de los que deberíamos desinteresarnos* o darles despreciativamente la espalda.

El bien común posee una dimensión objetiva. Su fuerza social se encuentra en el hecho de que es un *bien* para el hombre, y por eso es *común*. El bien particular es igualmente *bien*; pero, desde el mismo Santo Tomás, en toda concepción sociológica sana, el bien común tiene preferencia sobre el bien particular, siempre que ambos sean del mismo nivel óntico.

El interés general, por el contrario, entraña una dimensión subjetiva: se convierte en interés no *porque sea* interesante de suyo -aunque a veces lo sea- sino *porque interesa*. E interesa, precisamente, por ser general. Sus coordenadas discurren en sentido contrario a los que rigen para el bien común. Este es común por ser bien. Aquél es común por ser general.

Nos interesa de manera especial dejar aclarado, aun incurriendo en repeticiones, que la diferencia entre auténticas necesidades humanas y los deseos profusamente suscitados en el hombre, no puede trazarse más que poseyendo un concepto del ser humano demostrativamente verdadero. La diferencia, pues, entre necesidades y deseos, requiere -como en cierto modo ya hemos dejado ver- una estructura ética de nuestra conducta. Es necesario todo aquello que concurre al crecimiento humano; lo necesario es constitutivamente bueno para el hombre. El deseo, en cambio, puede ser connotado de bueno o de malo según que concurra u obstaculice ese crecimiento. La ética no es otra cosa que el camino que señala el ensanche, desarrollo o auge de las potencialidades propiamente humanas.

Dice con razón Stephen Robbins que "el tema del liderazgo y la ética ha recibido sorprendente poca atención: sólo hasta fecha muy reciente los investigadores han empezado a considerar las implicaciones éticas en el liderazgo"[314] Y añade resueltamente: "*ningún análisis actual sobre el liderazgo está completo si no enfrenta su dimensión ética*".[315]

La ética tiene relación con el liderazgo, y viceversa, en innumerables puntos. Robbins se refiere específicamente a uno de ellos: a la finalidad perseguida por el líder en su menester de mando (es sabido que la ética es particularmente un conjunto de conocimientos sobre las finalidades del hombre); esto es, si *se sirve* de su influencia a fin de aumentar *su poder sobre otros* para el logro de los personales objetivos del propio líder; o lleva a cabo su tarea para *servir a* los demás. El tema ha sido tratado en nuestra presente obra.[316] Pero nosotros queremos señalar algo importante junto a este decisivo dilema ético (poder y servicio; *servirse de* y *servir a*), que ahora estamos abordando. Como ya dijimos, no puede establecerse la diferencia entre *necesidad* y *deseo*

---

[314] El propio Robbins nos proporciona la siguiente bibliografía sobre este preciso tema. R.B. Morgan, "Self- and Co-Worker Perceptions of Ethics and Their Relationship to Leadership and Salary", *Academy of Management Journal*, febrero de 1993, pp. 220-214; J. B. Ciulla, "Leadership Ethics: Mapping the Territory", *Business Ethics Quartely*, enero de 1995, pp. 5-28; E. P. Hollander, "Ethical Challenges in the Leader-Follower Relationship", *Business Ethics Quartely*, enero de 1995, pp. 55-65; J. C. Rost, "Leadership: A Discusión About Ethics", *Business Ethics Quarterly*, enero de 1995, pp. 129-142; y R.N. Kanungo y M. Mendonca, *Ethical Dimensions of Leadership*, Sage Publications Inc., Thousand Oaks, California, 1996.

[315] Stephen Robbins, *Comportamiento organizacional*, p. 384.

[316] Cfr. *Supra* I, 11.2.

sin recurrir a los principios éticos; la ética nos impulsa a la satisfacción de las verdaderas necesidades, mientras que califica de moralmente malo un sistema de liderazgo que busque satisfacer los deseos propios satisfaciendo deseos perjudiciales de los demás. Lo que queremos señalar, en resumen, es esto: la diferencia entre *servirme de*, *servirse de* y *servir a* es enteramente paralela a los conceptos de *necesidad* y *deseo* que hemos abordado en el capítulo anterior.

Otro punto que debe subrayarse al respecto es que el liderazgo tomado como servicio a aquellos con quienes trabajamos (y no como instrumentalización de ellos), se encuentra muy distante del *liderazgo bondadoso*. Es un error confundir la conducta *buena* éticamente con la conducta *bondadosa*. La bondad ética no se mide con los parámetros de *duro* o *blando* (como pudiera hacernos creer la teoría de *x* ó *y* de Douglas McGregor, mal leída); se precisa recordar lo que Pascal dice del buen hombre de gobierno: ha de ser *duro* (en el sentido de ejercer con fuerza su autoridad), pero *justo* (mandar lo que corresponde para el bien de los ciudadanos).

Esto parece tenerlo en cuenta Stephen Robbins[317] cuando nos recuerda, precisamente hablando del servir a los demás, que un líder eficaz como Jack Welch, de General Electric, es considerado al mismo tiempo como uno de los líderes más duros. Por su parte, el éxito de Bill Gates para conducir Microsoft y convertirlo en el más importante negocio mundial del *Software*, ha sido logrado por medio de una tensión de trabajo muy demandante.

Para hacer una síntesis en un asunto tan difícil como necesario, diremos que los conceptos de *servir a*, *servirse de*, *necesidad* y *deseo* se encuentran también relacionados con los de la *motivación extrínseca, intrínseca y trascendente*, que se ha puesto en circulación gracias a los estudios de *management* del nunca bien ponderado Juan Antonio Pérez López.

---

[317] Stephen Robbins, *Comportamiento organizacional*, p. 384.

16 El líder en el grupo de trabajo

Pensamos haber demostrado en *Falacias y ámbitos de la creatividad*,[318] dedicando a ello su último capítulo, que el liderazgo hoy -y tal vez siempre- debe entenderse no en términos de persona individual, sino en el contexto de un grupo de trabajo.

Con ello queremos decir sumariamente: el fenómeno social del liderazgo no se debe entender en términos de *influencia* sino de *interfluencia*. También sumariamente añadimos: líder es el que logra desencadenar en un grupo de trabajo la positiva interfluencia entre sus factores para que todos lleguen a la meta propuesta (propuesta igualmente por interfluencia).

Esta manera de ver el liderazgo resulta decisiva para entender el *leitmotiv* del presente estudio y convencerse con claridad de lo que nosotros proponemos en contra de la corriente, porque muchos, como ya hemos dicho, o no ven nexo alguno entre el ser humilde y el ser líder, o ven en la humildad un obstáculo para el liderazgo. Ya hemos observado[319] que la preponderancia del líder no sólo debe amainarse atendiendo a la persona que ostenta esta tarea, sino a la institución social misma del liderazgo. Si éste se entiende como el abanderado que arrastra a los demás con su capacidad de ser seguido, tal concepto -usual, tradicional y hasta cierto punto verdadero- se reduce cuando consideramos que lo importante en cualquier trabajo es el equipo, grupo, comunidad o conjunto de hombres que lo lleva a cabo. Es verdad que la eficacia del grupo depende de la influencia del jefe: pero esto se encuentra ya hasta la saciedad repetido. Lo que ha de enfatizarse hoy no es tanto la figura del *director del grupo* sino la del *grupo dirigido*.

Por esta causa, la pregunta decisiva para el trabajo en equipo -y para la recta intelección del líder- es la formulada por Shein: "¿Cuánto

---

[318] Carlos Llano, *Falacias y ámbitos...*, Cap. *La sinergia del trabajo en equipo.*
[319] Cfr. *Supra* I, 9.

debo *compartir* mi jefatura con aquellos de los que soy jefe?", es decir, toda la teoría de la organización ha luchado para responder con precisión la pregunta sobre el grado en que el director debe compartir el poder o la autoridad con sus subordinados en la toma de decisiones y en la ejecución de ellas.[320]

En efecto, quien consideramos como el más notable sociólogo de la empresa, tiene sobradas razones para centrar en esta pregunta el meollo de todos los problemas de un liderazgo bien entendido. Esto nos lleva a destacar en el trabajo organizativo la cuestión, también central, de la participación de los componentes del grupo en el liderazgo, más que la figura individual del líder.

Stephen Robbins, de la San Diego State University nos habla de la transición que se ha dado en el concepto de liderazgo, al considerarse como un liderazgo de equipo, en sentido conjunto, como si se tratase de una sola pieza cuyas partes no son separables, calificándolo como un liderazgo diferente al usual.[321]

Lo importante es el modo de organización de las instituciones que sirve de cauce a la iniciativa y al sentido de responsabilidad de sus miembros. Este sistema se puede llamar *liderazgo* más apropiadamente que el que se atribuye como cualidad de una persona. El liderazgo, como dice Leonardo Polo, no es el líder, sino el sistema de organización con que todos los miembros de la organización actúan mejor que en cualquier otra.

La visión romántica según la cual la creatividad consiste en el brote de chispazos geniales, puntiformes, espontáneos, ha mostrado hace tiempo su insuficiencia. El individualismo exagerado como motor de la eficacia de la empresa ha pasado a ser un fantasma, si es que alguna vez fue real: se ha convertido en una manifestación neurótica del poder. Porque un poder que pretende acrecentarse progresiva-

[320] Edgar Shein, *Organizational Psychology*, Prentice Hall, 1980, p. 132
[321] S. Robbins, *Comportamiento organizacional*, p. 368.

mente a sí mismo se hace monstruoso, ya que el destino natural del poder es llegar a ser participado cada vez por más personas.

Así las cosas, el trabajo en equipo es hoy una condición imprescindible para que la empresa logre sacar adelante las responsabilidades de cumplir su misión decidida. Si hubo un tiempo en el que los "capitanes de empresa" podían arrastrar a toda una organización, hoy día lo que encontramos detrás de cualquier compañía seria y responsable es un equipo bien cohesionado, del que se ha logrado eliminar el excesivo personalismo de sus miembros y en el que se valora sobre todo el trabajo callado y eficaz.

16.1 Participación del y en el equipo

Para llegar a este liderazgo en equipo, que nosotros consideramos *en sentido conjunto* (pues no hay liderazgo sin verdadero equipo), se requiere *sacrificar* (término que nos encontraremos frecuentemente al tratar este asunto) el estilo dominante del liderazgo autoritario (que Goleman llama el estilo del *timonel*[322] y Hunter liderazgo de estilo *piramidal*, muy emparentado con lo que hemos denominado antes como organizaciones con hipertrofia del rango y organizaciones de forma vertical.[323]

Si en una corporación que esté a la altura de nuestro tiempo ya no hay una diferencia clara entre decisión y ejecución, es precisamente porque ya no existen tareas rutinarias que tengan que ser realizadas por personas (las tareas rutinarias las hacen las máquinas: como venimos enseñando desde hace años, todos en la empresa deciden a su nivel).

Lo que acabamos de afirmar llega al punto que los modelos de liderazgo pasan en cierto modo a convertirse en modelos *de la parti-*

[322] Daniel Goleman, Richard Boyatzis, Annie McKee, *El líder resonante crea más*, Plaza y Janés, Barcelona, 2002, p. 133.
[323] Cfr. *Supra* I, 11.1.

cipación del líder.[324] Nosotros estaríamos tentados a decir más bien *grados de humildad del líder*, si no fuera porque aquí interviene no sólo la humildad del líder sino también la capacidad de los subordinados. Estos modelos de participación del líder podrían resumirse así:

Autocrático I: Usted mismo soluciona el problema o toma una decisión valiéndose de los hechos que tiene a la mano.

Autocrático II: Usted obtiene la información necesaria de sus subornados y a partir de ella decide la solución del problema.

Consultivo 1. Comparte en forma individual el problema con los subordinados relevantes, y obteniendo sus ideas y sugerencias: pero la decisión final es suya solamente.

Consultivo 2. Comparte el problema con los subordinados como un grupo, obteniendo colectivamente sus ideas y sugerencias, después toma usted la decisión, que podría o no reflejar la influencia de los subordinados.

Grupal. Comparte el problema con los subordinados como grupo. La meta es ayudarlos a coincidir en una decisión. Sus ideas como líder no tienen un peso mayor que las de los demás.[325]

En estos diversos grados de participación, como fácilmente se ve, el peso del jefe va disminuyendo a medida que aumenta el del grupo como tal. Ello tiene indudablemente estrecho nexo con la humil-

---

[324] V. H. Uzoom y P. W. Yetton, *Leadership and Decision-Making*, University Pittsburgh Press, 1973.

[325] Stephen P. Robbins, *Comportamiento Organizacional...*, p. 363

dad del líder y, como ya se dijo, con la capacidad de los componentes del grupo. Esta es la visión generalizada de la participación. Nos permitimos aventurar que, *caeteris paribus*, la capacidad del grupo aumenta proporcionalmente con la humildad del jefe.

Esto pide, de nuevo, una cierta violencia del líder sobre sí mismo:[326] en efecto, el liderazgo, como todos los gobiernos, con mayúsculas o minúsculas, suponen, al decir de Rafael Termes, *una tentación* de por sí intervencionista. Por el paralelismo que parece darse entre la mayor o menor participación de los subordinados en las resoluciones del grupo (decisivas y ejecutoras) y el grado de humildad del líder, conviene detenernos en sus diversos escalones, los cuales han sido delimitados por primera vez, según creemos, por R. Tannenbaum, de la siguiente manera:

Estilos de dirección de Tannenbaum

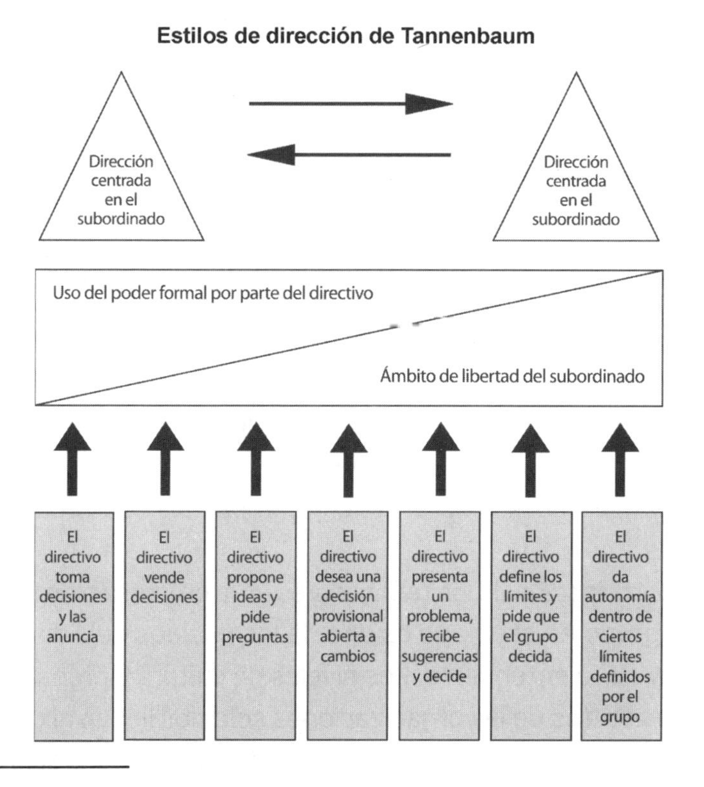

[326] Cfr. *Supra* I, 11.2.

La verticalidad y horizontalidad del plano inclinado depende -repetimos- de los deseos o necesidades de autoridad o poder del líder, y de la capacidad mayor o menor de los integrantes del grupo. Pero puede asegurarse que ambos aspectos de la menor o mayor participación, y el menor o mayor poder se influyen mutuamente. Siempre quedará en nosotros la duda, de raigambre aristotélica, acerca de la prioridad del huevo o la gallina.

Tanto Robbins como Tannenbaum se refieren limitativamente a la participación del líder y de su grupo en la toma de decisiones. Nosotros pensamos que la participación no debe limitarse a la parte de la organización -por demás importante- en la que se toman las decisiones. El estilo participativo jefe-subordinados ha de mantenerse igualmente, o incluso progresivamente, en la dinámica de la ejecución de las decisiones tomadas, en donde la participación adquiere muchas veces el imprescindible carácter de coordinación. También aquí puede decirse que la participación en la decisión facilita la coordinación en la ejecución; pero, aunque sea menos evidente, no cabe duda de que, de modo inverso, la coordinación en la ejecución facilita la participación en las decisiones subsiguientes.

No por ello el líder desaparece, o resulta menos eficaz. Éste detenta siempre la autoridad, bajo el principio de acción subsidiaria expresado con el aforismo: *tanta libertad como sea posible y tanta autoridad como sea necesaria*. El líder debe al menos lograr que se guarden una serie de reglas de trabajo que habrían de ser *pocas, prácticas, simples y de fácil comprensión*, y que la información sobre ese cumplimiento sea *amplia, veraz y comparable* con informaciones anteriores.

La participación de los trabajadores en la empresa o de los miembros del grupo en el equipo es uno de los núcleos del liderazgo tal como hoy debe entenderse. Los niveles de cultura y preparación en los componentes de las organizaciones sólo nos llevan al convencimiento de que el mando no puede entenderse como una sola acción de arriba para abajo.

No es ésta una idea -como pudiera pensarse- originada entre los académicos. Se trata de una convicción sostenida por directores reales, que cargan con la responsabilidad de la empresa. La participación en esa responsabilidad por parte de quienes la componen produce en los altos directivos -y hay constancia empírica de ello- una suerte de *aligeramiento.* Participar, en efecto, no es sólo participar en el mando -reduciendo la fuerza de la autoridad- sino participar en la carga, reduciéndola.

Uno de los empresarios de mayor peso en nuestro país nos dice que debe pugnarse por desterrar de la empresa lo que se ha llamado la *relación adversaria*: la actitud de presión y de defensa continua entre quienes mandan y quienes deben obedecer.

Hay que insistir -dice- en la posibilidad de conciliar los intereses económicos de la empresa con las exigencias de justicia de los que en ella trabajan.

El verdadero sentido de la participación se encuentra cuando el personal de todos los niveles *se involucra en las finalidades de la empresa* como si fueran los propios partícipes en el proyecto, en esa aventura que es la empresa, en la medida que esté a su alcance. *Hay que conseguir que quienes trabajan en la empresa puedan aportarle su imaginación, su iniciativa, su entusiasmo.*[327]

La participación funcional de los trabajadores en la empresa no es un asunto de enredada complicación. La dificultad se encuentra sólo en la personal resistencia que tenemos como jefes a reducir nuestros cotos de poder. Vemos en la concesión de que los demás participen en ese mando que nosotros poseemos, una debilitación de nuestra fuerza como directivos. No nos damos cuenta de que acaece precisamente al revés. *La participación de los demás en el ejercicio del mando potencia insospechadamente nuestra propia autoridad.* La cesión humilde, el apartamiento cauto, la liberación de controles, la acción subsidiaria, dan temple y firmeza a la jefatura.

---

[327] Lorenzo Servitje, *El lado humano de la empresa*, Expo Management, México, 4-VI-2003.

Según Servitje, para que los componentes de una organización puedan tomar decisiones sin necesidad de recurrir a su jefe se necesitan sólo tres pasos:

- El primero es la capacitación.
- El segundo, la comunicación.
- El tercero, la consulta.
- Para terminar formalmente en la decisión.[328]

La participación produce un fenómeno que va más allá del acierto en las decisiones, para revertirse en un inconmensurable beneficio humano. Quienes tienen la posibilidad, mayor o menor, de decidir sobre la empresa se encuentran empujados inconscientemente primero, y después con confianza plena, a identificarse con la empresa. El propio Lorenzo Servitje nos relata el suceso recogido por Lawrence Miller en su libro *Un nuevo espíritu empresario*: los trabajadores de Preston Trucking habían realizado un trabajo verdaderamente sobrehumano a favor de la empresa, y algún escéptico les preguntó por qué habían hecho todo eso por la empresa. Un endurecido trabajador, combatiente de tradicionales luchas sindicales, le contestó: "escuche: no trabajamos para Preston Trucking; nosotros somos Preston Trucking".

Para Daniel Goleman la participación en la definición de objetivos debería, a su vez, tomar en cuenta algunos elementos indispensables:

- Los objetivos no deberían centrarse tanto en las debilidades como en las fortalezas.

- Los objetivos deben ser intrínsecos, es decir, propios de la persona, y no impuestos desde el exterior.

---

[328] Lorenzo Servitje, "El lado humano..."

- Los planes deben ser lo suficientemente flexibles como para que las personas dispongan de varias alternativas. En este sentido, la investigación ha evidenciado que un solo método de *planificación*, impuesto por la organización, es inadecuado.

- Los planes deben ser viables y estar graduados y bien equilibrados.

Pero lo importante en este sentido es que para Goleman la participación no debe reducirse a la decisión de lo que ha de hacerse, esto es, al *comportamiento* que se ha de seguir. El rasgo distintivo de un buen liderazgo es el logro de que los integrantes del equipo *compartan abiertamente sus propias emociones.*[329]

En efecto, aunque, en el ámbito del liderazgo, debamos dar relevancia a los comportamientos más que a los sentimientos,[330] ello en modo alguno implica que los sentimientos deban quedar relegados. La participación conlleva el que tome parte cada persona toda entera. No debería convertirse en un descarnado y frío intercambio de probabilidades de acción.

Esto posee especial significado cuando tienen lugar los estilos de liderazgo que Goleman considera más contribuyentes de modo positivo al logro de una de las resonancias del clima emocional.[331] Los otros dos estilos de mando que considera (timonel y autoritario) pueden en buena parte entenderse como una manera de ejercer la dirección en la que las emociones quedan soterradas. La metáfora del timonel se encuentra certeramente elegida. Los remeros trabajan a espaldas de la meta: trabajan en equipo (no hay un trabajo en sincronización semejante al de la tripulación de remos, pero han de tener una fe ciega en el timonel, en cuyas manos está la dirección del impulso, mientras en los remeros se encuentra el impulso del mismo).

---

[329] Daniel Goleman, *et al.*, *El líder resonante...*, p. 186.
[330] Cfr. *Supra* I, 14.
[331] Daniel Goleman, *et al.*, *El líder resonante...*, p. 104.

La necesidad de que los sentimientos (en Goleman, emociones) se pongan en juego en los procesos participativos de la planeación, fue ya antes técnicamente expuesta por una autoridad indiscutible de la planeación como lo es Russell Ackoff,[332] quien articula de modo magistral lo que él denomina el *plan de lo deseable* con el *plan de lo factible*. Por nuestra parte, en nuestro estudio *La amistad en la empresa* hemos tenido a la vez en cuenta la relación (positiva y negativa) de las acciones de los compañeros de trabajo con los afectos (también positivos y negativos) que pueden surgir entre ellos.[333]

16.2 Relaciones transaccionales y transformadoras

La diversa graduación en las participaciones no sólo es referente a la calidad de las decisiones tomadas o a los resultados que se consigan. Más aún: en estos aspectos, tal graduación establece diversas relaciones entre los miembros. Como el factor nuclear de la persona -la personalidad- se constituye, significa y expresa por el modo de relación (apertura, cercanía e inmediatez) con otras personas,[334] la participación de ellas en el grupo al que laboralmente pertenecen afecta a la persona en sí misma, y no sólo a las decisiones que se tomen o a los resultados que se obtengan.

Por ello resulta pertinente estudiar cuáles son las relaciones que se producen entre el líder y sus subordinados (y viceversa) de acuerdo con aquellos diversos tipos de participación. Se ha hecho ya clásica la división bipartita realizada por Bernard Bass, con quien hemos tenido la gustosa oportunidad de trabajar, entre líderes transaccionales y líderes transformacionales.[335]

---

[332] Russell Ackoff, *Planificación de la empresa del futuro*, Limusa, México, 1990, pp. 131 y ss. Cfr. Carlos Llano, "Función, plan y proyecto", *Tópicos* 10 (1996-1), 25-59.
[333] Carlos Llano, *La amistad...*, p. 137.
[334] Cfr. Carlos Llano, *La amistad en la empresa*, p. 88.
[335] Bernard M. Bass. "From Transaccional to Transformational Leadership: Learning to Share the Vision", *Organizational Dynamics*, Winter 1990, p. 22.

Las características que perfilan el diseño de un *líder transaccional* serían: *Recompensa contingente*, es decir, intercambio.[336] *Gerencia por excepción activa*: se observan las desviaciones a las reglas fijadas y se aplican las necesarias correcciones. *Gerencia por excepción pasiva*: se interviene sólo si no se logran las metas; se renuncia a las responsabilidades; se evita tomar decisiones.

Por su parte, los principales trazos de un bosquejo de líder *transformacional* podrían ser:

Carisma: presenta la visión y el sentido de la misión, involucra el orgullo (se supone que un orgullo *sano*), obtiene respeto y confianza.[337]

Inspiración: comunica expectativas altas,[338] expresa propósitos importantes de manera sencilla y clara.

Estimación intelectual: Promueve la inteligencia, la racionalidad y la cuidadosa solución a los problemas. (Dentro de la estructura de nuestro presente estudio, si el *carisma* y la inspiración podrían guardar un vínculo mayor con el aspecto emocional de los instintos, aquí la mayor vinculación se tiene con los aspectos racionales del trabajo).

Consideración individualizada: Proporciona una atención personal (de la persona del líder a la persona del componente individual del equipo); instruye y aconseja individualmente a los integrantes de su grupo.[339]

——— o ———

Estas relaciones han sido profundizadas y enriquecidas por Pablo Cardona, haciéndonos ver de manera más diáfana cómo el liderazgo y el equipo se constituyen en una sola realidad, dentro de la que los

---

[336] Intercambio entre esfuerzos y logros por recompensas y remuneración.
[337] Bernard M. Bass. "From Transaccional to Transformational Leadership..., p. 22.
[338] Bernard M. Bass. "From Transaccional to Transformational Leadership..., p. 22.
[339] Stephen R. Robbins, *Comportamiento organizacional*, p. 378.

nexos personales revisten una señalada importancia para ambos aspectos de la realidad que mencionamos, denominándola, precisamente, *liderazgo relacional.*[340]

El punto de partida de Cardona es una certera definición de liderazgo, la cual, valiéndose de Rost, supera las que hasta ahora hemos recogido en el presente estudio: "Liderazgo es una *relación de influencia entre* líderes y colaboradores, los cuales intentan cambios reales que reflejan intereses mutuos".[341]

El punto clave de la definición es el concepto de *relación de influencia mutua.* Cardona concibe el liderazgo como una relación interinfluyente. Se trata, precisamos, de una relación personal. Estas relaciones son de tres tipos, dos de los cuales ya son conocidos por nosotros, pero incluso las relaciones *transaccional* y *transformadora* son vistas aquí desde una óptica diversa.

1. *El liderazgo transaccional* es el definido por una relación de *influencia económica.* La interacción se hace sólo por un motivo extrínseco.

2. *El liderazgo transformador* es el liderazgo definido por una relación de *influencia profesional.* La interacción se lleva a cabo por motivos extrínsecos e intrínsecos.

3. *El liderazgo trascendente* es definido por una relación de *influencia personal,* en la que la interacción se lleva a cabo por motivos extrínsecos, intrínsecos y trascendentes.[342]

La división de las relaciones entre el líder y sus colaboradores se ve enriquecida aquí no por la mera descripción de las mismas, sino

---

[340] Pablo Cardona, "Liderazgo relacional" (cap. 9), en Juan Antonio Pérez López *et al.*: *Paradigmas del liderazgo,* McGraw-Hill, Madrid, 2001, p. 131 y ss.

[341] Rost. J. C. *Leadership for the Twenty-First Century,* Praeger, New York, 1991, p. 2.

[342] Conceptos que explicaremos a continuación.

especialmente por el motivo en virtud del cual éstas se llevan a cabo. Se nos advierte que si bien “lo que define el liderazgo relacional... es el tipo de motivación del colaborador, el comportamiento del líder sigue siendo un elemento crítico, pues afecta de manera importante las motivaciones del colaborador mismo.”[343]

16.3 Trabajo en equipo y motivación

Como se ha visto, en el eje de este tipo de liderazgo (es decir, interinfluencia) se encuentra el tipo de motivación que se desarrolla dentro del equipo: motivación externa (preferentemente económica), intrínseca (preferentemente profesional) y trascendente (preferentemente personal). Estos tres géneros de modos de actuación fueron originalmente concebidos por Juan Antonio Pérez López, como una primera aproximación al tratamiento de motivaciones de acción de un nivel más profundo.

Según lo resume Nuria Chinchilla[344] el hombre puede estar animado por tres tipos de motivación, que tienen caracteres muy diversos:

- La motivación extrínseca, que se refiere a lo que el trabajador puede obtener de los demás con su trabajo.
- La motivación intrínseca, que se refiere a lo que el trabajador puede obtener en sí del trabajo mismo.
- La motivación trascendente (que nosotros denominamos transitiva) que se refiere a lo que el trabajador puede aportar a los demás con su trabajo.

El orden en que se han colocado estos tres tipos de motivaciones expresa, al parecer, su orden de relevancia antropológica de menor a mayor.

---

343 Pablo Cardona, “Liderazgo relacional”, p. 136.
344 Nuria Chinchilla, “¿Empresa o negocio?” *Instituto de Estudios Superiores de la Empresa* (IESE), Barcelona, 1990.

Vemos fácilmente que el nervio ético o axiológico de esta teoría es muy distinto del de Maslow. En éste, las motivaciones superiores e inferiores (fundamentales, básicas) se jerarquizan por la calidad antropológica de los bienes a conseguir o de las necesidades a satisfacer.[345] En el caso de Juan Antonio Pérez López, la altura moral de la motivación tiene otra medida: esto es, no la de los bienes sino la de las personas a las que los bienes se destinan: si soy yo o los demás quienes se benefician con mi trabajo.

En otro lugar[346] nos hemos ocupado de esta importante triple dimensión apuntada por Pérez López, complementándola con el concepto ético del bien de que se trate en cada una de ellas. El hombre, en primera instancia, busca con su trabajo bienes extrínsecos a éste, pero ese motor motivacional es muy corto y da muy poco de sí, ya que el eje de la motivación se coloca fuera del trabajo. Se procurará trabajar lo menos posible para obtener el máximo de lo que me interesa, que es ajeno al trabajo mismo.

El siguiente paso del razonamiento diría que, aunque los bienes intrínsecos al trabajo mismo son efectivamente motivadores en la propia dinámica laboral, tienen el límite del propio individuo y necesitarían ampliarse trascendiendo o traspasando su valor a otras personas, con lo que saldríamos del ámbito de las motivaciones intrínsecas para entrar en el de las motivaciones transitivas.

Las motivaciones transitivas, por su parte, me mueven a trabajar en beneficio de los otros, de manera que el interés de mi trabajo sale fuera de mí para verterse en los demás, y aquí es donde se encuentra la clave de la circulación de las motivaciones. Porque los demás, de acuerdo con su motivación primera y de corto alcance, lo que buscan son bienes extrínsecos, que se ven satisfechos justo gracias a mi trabajo, que es movido por una motivación transitiva: yo soy el que, transitivamente, les proporciono los bienes extrínsecos que ellos buscan o necesitan.

---

[345] Abraham Maslow, *Motivation and Personality*, Harper and Row, 1954.
[346] Carlos Llano, *Dilemas* éticos..., p. 200

En conclusión, al proceder éticamente, impulsado por motivaciones transitivas que procuran el beneficio a los demás, satisfago las necesidades extrínsecas de éstos, mediante un intercambio con el producto del trabajo de ellos –es decir, su dinero–, que llega así a mi poder: la ética sería un buen negocio.

La quiebra del razonamiento que surge en nosotros al contacto con la teoría de esta triple dimensión de las motivaciones (extrínseca, intrínseca y transitiva), *reside precisamente en la calificación moral del bien que proporciono a los demás cuando trabajo con motivación transitiva.* Porque si los bienes o servicios que les proporciono no responden a una necesidad o conveniencia de su naturaleza humana,[347] entonces mis motivaciones serán transitivas pero no trascendentes; serán a lo sumo intrascendentes, si no es que perjudiciales para aquellos a quienes se transmiten los frutos de mi trabajo. No sólo lo que mueve a los demás como motivación extrínseca debe moverme a mí como motivación transitiva: hay bienes que se demandan pero son perjudiciales, y atender a su satisfacción recibe la calificación ética de inmoral, aunque sea perentoriamente reclamada por el otro como motivación extrínseca y proporcionada por mí como motivación transitiva.

Además de esta triple dimensión direccional de los *bienes* que son objeto de la motivación (si los recibo de fuera, si me los proporciono a mí mismo, si los aporto a los demás), para clarificar las relaciones entre los miembros del grupo –su líder incluido– ha de atenderse además a la finalidad subjetiva de los individuos que trabajan en grupo.

La antropología clásica distinguía en el trabajo humano dos clases diversas de finalidades, manifestando su posible antagonismo. Distinguía entre el fin que tiene de suyo *institucionalmente* la tarea que se ejerce –que esa antropología denominaba *finis operis*, el fin

[347] Cfr. *Supra* I, 15.

objetivo de la labor, con independencia del que la ejerce-, y el fin personal del que ejerce esa tarea, que recibía la denominación de *finis operantis*, el fin del que trabaja.

Es necesario atender a la calidad del bien que se opera y a las personas a las que se beneficia. Esta viene dada, en gran modo por lo que hemos llamado relación direccional de la motivación (extrínseca, intrínseca y transitiva: la recibo, me la doy a mí mismo y la aporto). En efecto, como acciones abstractamente consideradas, el recibir de otro es de rango inferior que el obtenerlo de mí mismo; y el obtener algo de mí mismo para mí mismo, es a su vez inferior a aportarlo a otro. Pero también es preciso atender a la finalidad específica de quien hace el trabajo. El fin institucional de la tarea y el fin personal del que la lleva a cabo pueden cruzarse con el valor de las acciones extrínsecas, intrínsecas y transitivas, cambiando su color moral.

Así, el que se mueve por una motivación *laboral* extrínseca (trabajo para obtener de la organización o del cliente una recompensa monetaria) puede obrar, al propio tiempo, por una motivación *personal* pero trascendente: deseo obtener una remuneración material extrínseca para proporcionar educación a mis hijos. De manera análoga, puedo buscar en el trabajo un desarrollo personal con el *finis operantis* de prevalecer sobre los demás, o incluso suscitarles envidia, o con el fin de la ejemplaridad que podría proporcionar a mis colegas y subordinados, de manera que la motivación en el primer caso se convertirá en inferior y extrínseca, mientras que en el segundo, sería marcadamente trascendente.

Poniéndonos en una situación extrema, podría tener un motivo institucional transitivo, y aun trascendente, respondiendo a un *finis operantis* subjetivo de quien recibe de mí el bien con un objeto perverso: recibo la generosa limosna del otro con el objeto de comprar droga.

Cuando se cruzan el *finis operis* y el *finis operantis* y se atiende a la calidad antropológica del bien que se maneja, podemos acertar ejerciendo acciones verdaderamente trascendentes. De lo contrario, las presuntas motivaciones trascendentes pueden resultar perniciosas. Como la del que se desprende "generosamente" de un cigarro para calmar las apetencias de un tuberculoso. Lo que hemos dicho arriba sobre necesidades y deseos debe tenerse en cuenta a la hora de poner un calificativo a la calidad ética de nuestras motivaciones. Nos parece que Nuria Chinchilla ha completado posteriormente con acierto el calificativo de trascendencia de las motivaciones para que no se reduzca a su mera transitividad.

Pues, si bien los motivos extrínsecos siguen siendo aquellos que provienen "de una persona distinta a aquella que realiza la acción",[348] y los motivos se describen como "el resultado... de la acción para la persona que la realiza, y que depende tan sólo del hecho de realizarla";[349] en cambio las motivaciones trascendentes mantienen aún la transitividad de la acción, es decir, como aquello que se transmite a otro: "aquellos resultados que la acción provoca en otras personas distintas de quien ejecuta la acción".[350] Pero las motivaciones trascendentes vienen también definidas de una manera más consonante con la ética clásica: "la acción de una persona tiene otro tipo de consecuencias que no quedan incluidas en ninguna de esas categorías y que, sin embargo, constituyen una poderosa fuente de motivación. Es esa fuerza que nos mueve a actuar por las consecuencias que nuestra acción tendría para satisfacer las necesidades de otra persona. A este tercer tipo de motivaciones se le viene llamando motivación *trascendente*".[351] Esto queda reforzado por Chinchilla al subrayar que lo importante es "satisfacer las *necesidades reales*".[352] Ello repercute, para lo que nos atiene, en una consecuencia importante: el líder busca, preferentemente, "que las personas desarrollen todo su potencial y que interioricen la misión de la organiza-

[348] Nuria Chinchilla, "Distintos enfoques para la dirección de fenómenos en la organización", en Juan Antonio Pérez López *et. al.*: McGraw-Hill, Madrid, 2002, p. 7.
[349] Nuria Chinchilla, "Distintos enfoques...", p. 7.
[350] Nuria Chinchilla, "Distintos enfoques...", p. 8.
[351] Nuria Chinchilla, "Distintos enfoques...", p. 9.
[352] Nuria Chinchilla, "Distintos enfoques...", p. 10.

ción".[353] Y una condición imprescindible: adquirir "esa difícil capacidad de moverse por los demás trascendiendo su propio egoísmo".[354]

Subrayamos, aun a riesgo de reiterar, que aquí el trascender adquiere, digámoslo así, un sentido nuevo: no es ya el *trascender* que implica la acción que repercute en otro, sino el *trascender*, pasar por encima de la propia persona, lo cual se vincula, y, aún, se identifica, con la humildad de quien se trasciende de esa manera: el pasar por encima de mí mismo tiene como finalidad el beneficiar a otro; o -dicho de una manera más aguda- solo tendría sentido la trascendencia de mí mismo si con ella logro el bien para el otro y no (o no sólo) el bien para mí mismo.

Este sentido de trascendencia es asumido también por Pablo Cardona.[355] El líder trascendente es aquél que tiene como propósito la mejora de aquellos a quienes dirige, y nos hace ver que éste es el líder en sentido clásico, al menos en el contexto de Agustín de Hipona. Tal sentido de líder es para nosotros ciertamente clásico, no anacrónico. Al menos lo conserva aún Greenleaf en 1970: el líder "empieza con el sentimiento natural del querer servir, servir primero. Sólo entonces aparece la decisión de aspirar a ser líder. La diferencia se manifiesta en el cuidado que tiene el servidor: primero ha de asegurarse de que las necesidades primitivas de las otras personas están siendo servidas".[356]

Por su parte, Cardona nos ofrece una valiosa fórmula para sintetizar los motivos intrínsecos y los trascendentes, diciéndonos que el líder ha de compartir el éxito con los demás.[357]

El liderazgo como servicio lo lleva Greenleaf a sus ultimas consecuencias, porque la necesidad prioritaria de los seres humanos es

---

[353] Nuria Chinchilla, "Distintos enfoques...",, p. 13.
[354] Nuria Chinchilla, "Distintos enfoques...", p. 14.
[355] Pablo Cardona, "Liderazgo relacional" , p. 131 y ss.
[356] R. K. Greenleaf, *The servant as a leader. The Greenleaf center, Indianapolis*, 1970. Cfr. *Supra* I, 11.2.
[357] Pablo Cardona, "Liderazgo relacional" , p. 158.

su desarrollo personal. La pregunta, por lo tanto, de todo verdadero líder, entendido al modo de Agustín de Hipona y al modo de Greenleaf sería: "¿están creciendo como personas aquellos a quienes sirvo?" Y, para ser consecuentes, esta pregunta debería traducirse por otra más completa: "mientras les sirvo, ¿esas personas son... más capaces de llegar a ser servidores de otros?".[358]

Me parece lícito afirmar, respecto del trabajo del líder y la motivación, que, en último término, *trascender es servir a otro.* Con ello, se ve que la teoría de la motivación de Juan Antonio Pérez López es paralela a la teoría clásica de las relaciones humanas, con lo cual se reafirma en su valor. Y reafirma su valor también la invitación que constituye el *leitmotiv* del presente libro: la conexión entre liderazgo y humildad.

16.4 Deseo, intercambio y dádiva

No cabe duda de que los conceptos de relaciones transaccionales y transformadoras, y de motivaciones extrínsecas, intrínsecas y transitivas, revisten importancia para entender bien los vínculos que se establecen -y que deben establecerse- entre las personas componentes de un grupo de trabajo, y la audacia a su vez del líder de fomentar o menguar, según el caso, las relaciones y motivaciones susodichas.

Por ello precisamente se señala como una lástima que las relaciones humanas en las organizaciones se hayan elaborado e implantado de espaldas a los conocimientos antropológicos tradicionales, reconocidamente profundos y con una validez que ahora debe considerarse ya como universal tanto geográfica como temporalmente.

Nuestro regreso a uno de los conceptos antropológicos clásicos, como es el de la humildad, nos insta al desarrollo de otros con-

---

[358] R. K. Greenleaf, *The servant as a leader.*

ceptos que, a nuestro juicio, nos ofrecen mejores ventajas, por su más prolongado y sereno estudio, que algunas de las teorías modernas sobre el trabajo en equipo, las relaciones industriales, el liderazgo, etc., las cuales resultan a la postre poco consistentes si se desvinculan de esos conceptos tradicionales en lugar de cimentarse en ellos. Pensar que lo tradicional no es aplicable a las situaciones contemporáneas de las empresas constituye una clara ignorancia histórica que el *manager* debe remediar.

Las relaciones entre los hombres se clasifican, desde hace varios cientos de años, en tres grandes especies, que constituyen el título del presente epígrafe: *deseo, intercambio y dádiva*, que guardan, como dijimos, un claro paralelismo con las relaciones y motivaciones, objeto de los epígrafes precedentes.[359]

Las relaciones *desiderativas* se refieren a la tendencia de conseguir de alguien algo que él puede darme, o yo puedo lograr de él.[360] Se ve que este tipo de relación se corresponde en muchos aspectos con lo que Juan Antonio Pérez López denomina *motivaciones extrínsecas*. No obstante, para él lo definitorio de la motivación extrínseca es, precisamente, el obtener algo *de otro*. La otredad en la satisfacción de mis necesidades no es, sin embargo, lo que resulta esencial. Pues la relación de deseo respecto de otro es *la satisfacción de mi necesidad*. Su implicación se encuentra centrada en el yo, lo cual hace que el deseo se transforme con facilidad en *deseo egoísta*. Las acciones principales que desencadena la relación humana del *deseo* son las siguientes: *dominar, poseer, gozar, ganar* y *superar a alguien*.

La relación desiderativa entraña el peligro de *cosificar* a la persona de la que obtenemos algo, cuando la consideramos principalmente como medio de satisfacción de nuestros deseos, cuando no atendemos en primer término a las personas que necesitamos sino a

---

[359] Cfr. *Supra* I, 16.2 y 16.3.

[360] Hemos desarrollado estos conceptos en C. Llano, *La amistad en la empresa*, Fondo de Cultura Económica, México, 2000, p. 88 y ss.

la necesidad que tenemos de ellas: en lugar de *ser* persona se convierte en *enser* nuestro. *Dominar, poseer, gozar, ganar y superar a alguien*, pueden llegar a constituir una compleja composición de egoísmos que ni siquiera el líder más hábil será capaz de armonizar. Lo que ha de hacerse es conseguir que estas relaciones se cambien del nivel puramente desiderativo en el que se encuentran: dominar a otros para que sean eficaces, gozar con los demás, superar a otros a fin de emularlos, etc.

Además de las relaciones de deseo o de satisfacción extrínseca de las necesidades, se da *la relación humana de reciprocidad*. Las acciones principales que constituyen esa relación humana que antiguamente se llamó *mutua reciprocidad* son las que siguen: *intercambiar, acompañar, dialogar, compartir y convivir*. Incluso las formas más nobles de amistad pueden quedar entintadas por una suerte de reciprocidad oculta. Y ello, no sólo en el mundo de los negocios, en el que parecería su campo de desarrollo natural. Según José Antonio Marina, en su *Laberinto sentimental*, querer a alguien no consiste de manera neta y simple en querer al otro, sino especialmente en querer que el otro me quiera; pero si el querer del otro es a su vez un verdadero querer, el querer a otro significaría *querer que el otro quiera que yo lo quiera*. La reciprocidad puede entrar en una espiral indefinida. No casualmente en latín el sustantivo *amor* se traduce verbalmente de un modo pasivo: soy amado.

También es claro que la relación de reciprocidad resulta limítrofe con lo que antes llamamos *liderazgo transaccional*. La relación recíproca mutua puede fácilmente mercantilizarse, materializando lo que se da y lo que se pide. Como la materia no puede dividirse sin que se pierda, un grupo -con el líder incluido- en donde prevalece la relación de reciprocidad, entra fácilmente en el juego del ganar-perder: procuraré dar lo menos posible para obtener lo más que se pueda.

El líder que lo es en un grupo en el que la relación más fuerte es la de la reciprocidad, buscará la *aequalitas* en esa *reciprocidad*: el equilibrio, la equivalencia, lo cual no siempre es posible. Más aún:

aunque ella se consiguiera, será difícil que los involucrados piensen haber entrado en una relación de equilibrio, sino que considerarán ante el líder que *siempre se podría haber conseguido algo más para mí.* El problema de la reciprocidad no es ya que ésta se mercantilice, sino que se vuelva egoísta.

Por esto el líder procurará elevar el equipo a una relación de calidad superior: *las relaciones de dádiva.* Los actos propios de la relación de dádiva son los siguientes: *corresponder, agradecer, dar, darse* (*don de sí*), *sacrificarse, enseñar, corregir, perdonar, comprender a alguien, acoger* (pero tradicionalmente la dádiva es el don de sí, que es la única manera de sustantivar el *darse*: en tal caso la *entrega* podría ser un don sin intercambio).

Se ven aquí cuatro aspectos que han de señalarse:

a) Que las relaciones de dádiva son las que encuentran en un mayor grado de cualidad humana, por encima de las relaciones de deseo y de reciprocidad.

b) Que la relación de dádiva se identifica con lo que más modernamente se denomina motivación trascendente: la *motivación trascendente* consiste, justo, en corresponder, agradecer, dar, darse (don de sí), sacrificarse, enseñar, corregir, perdonar, comprender a alguien, acoger.

c) Que todos los actos que constituyen las relaciones de dádiva (comprender, agradecer, dar, darse (don de sí), sacrificarse, enseñar, corregir, perdonar, comprender a alguien, acoger), resultan imposibles sin un coeficiente, siquiera mínimo, de humildad.

d) Que la ausencia de los actos componentes del amor de dádiva hace brotar, de modo automático, el egoísmo.

Para tener una idea global -aunque no completa- de las motivaciones y de su moralidad, que tantas relaciones guardan con el liderazgo (alguien dijo que dirigir es motivar), deben considerarse diversos parámetros, los cuales resumen lo que acabamos de expresar páginas arriba:

Origen y destinatario de los bienes objetos de la motivación.

- De los demás para mí: motivación extrínseca.
- De mí para mí mismo: motivación intrínseca.
- De mí para los demás: motivación transitiva.

Calificación del bien objeto de la motivación.

- Bienes que satisfacen deseos (a veces no necesarios).
- Bienes que satisfacen necesidades (a veces no deseadas).

Finalidad subjetiva del que ejerce la motivación.

- Finalidad natural de la obra que se hace (*finis operis*).
- Finalidad personal de quien la hace *(finis operantis*).

Naturaleza del bien objeto de la motivación.

- Bien deleitable.
- Bien útil.
- Bien por sí mismo.

Naturaleza de la relación motivante.

- Deseo.
- Intercambio.
- Dádiva.

16.5 Trabajo en equipo y desarrollo

Dijo Fritz Schumacher en *Good Work* que el trabajo en equipo es la mejor terapia para el egoísmo. El egoísmo es un obstáculo mayúsculo para el desarrollo. La persona sola no se desarrolla, por altas que sean las metas que consiga (y no serán muy altas si las consigue solo).

Diríamos, incluso, que el trabajo en equipo no es tanto necesario para alcanzar metas valiosas, sino para lograr la más valiosa de todas: que las personas *den de sí* lo más que puedan. No es un juego de palabras la casual coincidencia entre el *don de sí* por parte de los seres humanos, y el que éstos *den de sí* (en el sentido coloquial de la expresión: algo que no encoge, sino que da de sí). El hombre no se expande más que donándose a sí mismo a los demás.

Lo anterior no es válido exclusivamente para el jefe (debe darse a los demás), sino para el equipo del que es líder: lograr que los demás se den entre sí.

Para ello es requerida la ayuda del líder. Diríamos incluso que es su único requerimiento. Ello, porque –como acertadamente lo puntualiza José María Rodríguez Porras-[361] *la colaboración no es un proceso natural; la resolución de conflictos tampoco.* No quiere decir que la colaboración sea antinatural y natural el conflicto. La colaboración entre las personas –el medio prototípico de su desarrollo- debe ser objeto de decisión por parte de los colaboradores. La decisión ha de ser suscitada, al menos con una chispa, por la presencia del líder. De no ser así, el líder sale sobrando, porque deja de serlo. Esto sería verdad en el caso de admitir la definición de liderazgo que S. C. Rost nos proporciona, refiriéndose precisamente al liderazgo del presente siglo: "liderazgo es una relación de influencia entre líderes y colaboradores, que intentan cambios reales que reflejan intereses mutuos".[362]

Nótese que Rost sabiamente no distingue los líderes y colaboradores. En un verdadero equipo de trabajo no hay una diferenciación neta, una línea geométrica que separa de los colaboradores a los líderes. *Es este uno de los principios en que se basa el hecho de que el trabajo en grupo es el ámbito más propicio para el desarrollo del hombre.* El líder ha de refrenar la fuerza de su influencia, para dar

[361] Cfr. José María Rodríguez Porras, "Comunicación interpersonal y la empresa", en Juan Antonio Pérez López *et. al.*: McGraw-Hill, Madrid, 2001, p. 59 y ss.
[362] J. C. Rost, *Leadership for the Twenty-First Century*, p. 102.

espacio al trabajo *espontáneo* de los colaboradores. Y éstos han de crecerse en sí mismos porque su colaboración consistirá muchas veces, frecuentemente, en ejercer su influencia sobre los demás. Como lo dijo Greenleaf, sólo cuando surge el deseo de servir al trabajo de los demás, es cuando aparece la aspiración a ser líder.

De ahí el requerimiento, por parte del líder, de no destacarse sobre los otros,[363] de ser uno más. Ser uno más en el sentido más práctico y callejero, como se vio que lo ejercía Eisenhower, al practicar lo que llamaba *management by wandering around*, que podría traducirse como *dirigir deambulando* en medio de sus tropas, como manera de ponerse en contacto con las inquietudes de su gente, desarrollar su confianza, abrir la puerta a la comunicación ascendente, expresar el interés por los subordinados...

Este modo de proceder no es único. Rodríguez Porras nos dice que muchos hombres de negocios tienen este hábito.[364] El mérito de los fundadores de Hewlett-Packard, Bill Hewlett y David Packard, reside en haber institucionalizado esta práctica y en haber conseguido que se difundiese en toda la organización.[365]

No le pregunté a Carlos González Nova si había leído *The HP Way*. En una ocasión tuve necesidad de acudir a una de las muchas decenas de sus tiendas *Mega*, de las que es Presidente. Me sorprendió verlo en una de ellas, tanto al menos como él verme a mí. Con sus propias palabras, me dijo que dedicaba una parte de su tiempo a *estar en el piso*. Estar en el piso era, al parecer, su modo de expresar lo que llamamos antes *dirigir deambulando*, que es el modo o *camino de dirección* de Hewlett Packard. Considero que esta manera de hacer surge del sentido común del Presidente de *Mega*, y de una personalidad contraria a la de un comportamiento antípoda, caracterizado por encerrarse en la torre de marfil.

——— o ———

[363] Cfr. *Supra* I, 10.
[364] José Ma. Rodríguez Porras, "Comunicación interpersonal...", p. 72
[365] Packard David. *The HP Way. How Bill Hewlett and I Built Our Company*. Harper Bussines, New York, 1995, p. 155.

Tal vez la *dirección por competencias* (capacidades, habilidades, destrezas), que implica el desarrollo de los integrantes de la organización, *nota nueva* del liderazgo de hoy. Nos dice Pfeffer que la capacidad de implantación de un buena estrategia depende en gran medida de las capacidades, competencias y esfuerzos de contribución a la empresa.[366]

Pablo Cardona asegura que "la dirección por competencias consiste en *dirigir desarrollando* [que no se opone al *dirigir deambulando* de Rodríguez Porras]; es decir, en conseguir los *qués* sin descuidar los *cómos*. Para ello, resulta imprescindible cambiar la mentalidad de jefe de los superiores jerárquicos por la eventualidad de entrenador (*o coach*)".[367]

En años pasados, la organización ofrecía a sus componentes leales y eficaces la seguridad en su puesto de trabajo. Hoy, aun queriendo, no puede ofrecer esa seguridad. La vida de las empresas es más corta que la de los individuos que en ellos trabajan.[368] Dice Cardona que actualmente cada vez más el empleado busca en la empresa un desarrollo profesional que le asegure su empleabilidad futura, mientras que "la empresa busca potenciar al máximo las competencias de su gente para asegurarse unos resultados futuros inciertos".[369]

Estas sabias intuiciones deben complementarse con el hecho de que la capacidad a desarrollar de los individuos no es aquella que posibilite sólo su *empleabilidad,* sino también y sobre todo, su *empresarialidad*: que sean aptos para emprender su propio trabajo. Ello, tanto en un real trabajo de emprendedor, como el que tiene que llevar a cabo dentro de la empresa en que ya se encuentra. También en ella, como en la del empresario individual, su trabajo ahora corre en buena parte *por su propia cuenta y riesgo.*[370]

---

[366] J. Pfeffer, J. *The human equation,* Harvard Business School Press, Boston, 1998.
[367] Pablo Cardona, "Liderazgo relacional", p. 79.
[368] Cfr. Carlos Llano, *La creación del empleo,* Panorama, México, 1995. p. 58.
[369] Pablo Cardona, "Liderazgo relacional", ... p. 80.
[370] Cfr. Carlos Llano, *La creación del empleo,* Panorama México, 1995.

No pocos interlocutores, al oír las observaciones que acabamos de expresar, nos hacen ver el peligro de desarrollar emprendedores que, *una vez desarrollados, se vayan.* Este riesgo existe, especialmente si, junto con el desarrollo, no cuidamos lo que Pérez López denominó *atractividad,*[371] lo que la propia Nuria Chinchilla llama *vínculo de pertenencia* o *identificación o lealtad,*[372] y nosotros, con Edgar Shein, *sentido de inclusión.* O si desarrollamos al mismo tiempo la competitividad (del competidor, no del competente) más que la colaboración.

Debemos admitir, pues, el riesgo de que los desarrollemos y se vayan; pero peor es el de que no los desarrollemos y se queden. Por esto, el desarrollo de las personas en la organización no sólo pide fortalecer ese vínculo de pertenencia, sino también un equilibrado factor de autodirección, imprescindible para dirigir a otras personas.[373]

Según Peter Drucker, la primera de las tres lecciones más importantes que las escuelas de negocios deben enseñar es que los alumnos aprendan a *responsabilizarse de sí mismos.*[374] Esta auto-responsabilidad se ha de expandir a todos los miembros del grupo, y precisamente a partir de la auto-responsabilidad del jefe.[375] Ello implica sin embargo que el jefe sepa *echarse la culpa*, acto de humildad que ejercerá cuando sea necesario y real.

De manera que debe lograrse una síntesis entre la coordinación en el trabajo y la propia y plena responsabilidad: es ésta la competencia principal a ser desarrollada en un grupo. Para eso –sigue diciendo Drucker- hay que conformar grupos pequeños, por lo menos al princi-

---

[371] Cfr. Nuria Chinchilla, "Persona y organización" (Cap. 1), p. 12 y "Cómo retener el talento directivo: compromiso *vs* rotación" (Cap. 7), p. 111, en Juan Antonio Pérez López *et. al: Paradigmas del liderazgo.*

[372] Nuria Chinchilla, "Cómo retener el talento directivo: compromiso *vs* rotación", p. 97.

[373] Pablo Cardona, "Liderazgo relacional", p. 83.

[374] Christy Chapman, "Un balance de la enseñanza de la dirección de empresas", BizEd, Nov-Dic. 2001, pp. 14.

[375] Cfr. *Supra* 11.2.

pio, sin que ello impida ver a la organización como un todo, consecuencia de haber logrado esa síntesis a la que nos referimos en el párrafo anterior.

El líder actual –tal vez no tanto el de décadas pasadas- *no es un supervisor de especialistas*, sino un motivador de las personas a su cargo para aprovechar la posibilidad que les da la empresa de *promover sus propios proyectos*, no los de la empresa, sino los de sus componentes individualmente tomados. De lo contrario, parecería que el desarrollo sería la mera subida de los escaños en los niveles de *status*. De ahí nuestra insistencia en que no sólo debe alcanzarse en los subordinados una *empleabilidad* permanente sino, al menos con el mismo rango de importancia, una permanente *empresarialidad*.

Siguiendo aquí el mismo pensamiento de Drucker y en directa relación con el desarrollo el equipo: "hoy día se hace mucho énfasis en el liderazgo. Yo estoy completamente a favor. De hecho, impartí lo que a mi parecer fue el primer curso sobre liderazgo en una universidad estadounidense allá por 1952... Pero *¿qué hay del compañerismo?*".[376] Aunque Drucker no lo diga de esta manera, aquí nosotros aventuramos la idea de que el liderazgo y el compañerismo no se oponen, porque el liderazgo consiste precisamente en la génesis del compañerismo.

Para ello, no se requiere que el líder sea un *super hombre*. Drucker nos ejemplifica esta afirmación señalando personas como Jack Welch, de General Electric, Andy Grove, de Intel, Stanford Weill de City Group, subrayando sus rasgos de naturalidad e inclusión más que sus notas de genialidad. El concepto de que se requiere un genio para la alta dirección, está en crisis; de manera que también está en crisis el deseo de *puestos inejecutables*. En nuestros cursos del IPADE decimos que la verdadera institucionalización de una compañía consiste en que, para el caso de la búsqueda de un director, *todos los*

---

[376] Christy Chapman, "Un balance de la enseñanza...," p. 16.

puestos directivos puedan anunciarse en el periódico. No se trata de diseñar un *puesto raro* en el que encajen apenas uno o dos eventuales candidatos en el mercado de trabajo, sino *puestos ordinarios y normales*, a los que puedan aspirar cientos de individuos, entre los cuales pueda escogerse al más apto.

El desarrollo del compañerismo no se logra eligiendo individuos de excepción, sino personas que entre sí no tengan motivos para ser integralmente competidores -aunque puedan serlo en algún aspecto de su actividad-, ya que "la persona es sustantivamente relacional y, por cuanto lo es, lo nativo suyo es el vínculo y no la disgregación".[377]

Pero ahora señalamos que cuando los presuntos competidores se encuentran en un mismo nivel de conocimiento respecto del *management*, entonces la colaboración y el entendimiento surgen de modo prácticamente instantáneo, en el seno mismo de la dialéctica competitiva; no tiene ésta por qué disminuir "pero se hace más racional e inteligente y menos visceral y emotiva".[378]

Pero, además, puede afirmarse, sin temor a la duda, que el conocimiento es una comunicación conjunta porque *se afirma y asegura al comunicarse.*[379] El conocimiento, como ya lo observaron los griegos, es esencialmente dialógico: la tarea de nuestro pensamiento se hace siempre en diálogo con otro, aunque no sea más que un interlocutor *virtual.* El líder tiene la facilidad de transformar el interlocutor *virtual* (que estrictamente sería él mismo) en interlocutor *real*: subordinados que no sepan sólo escuchar sino responder.

Esto nos pone en contacto con otro aspecto importante en el desarrollo que se puede obtener gracias al trabajo en equipo. No ya la multidisciplinariedad, sino la estrecha *interdisciplinariedad* se busca y se adquiere por imperioso requerimiento del propio trabajo en

---

[377] Carlos Llano, *Dilemas éticos...*, p. 204 (Cf. *Supra* I, 12.1).
[378] Carlos Llano, *Dilemas éticos...*, p. 204 (Cf. *Supra* I, 3).
[379] Cf. *Supra* I, 11.1

grupo. La *interdisciplinariedad* ha de equipararse en el nivel del conocimiento al poliglotismo en el plano del lenguaje.

El conocimiento interdisciplinario, con todo, vale muy poco sin el compañerismo, sin la intención expresa de la colaboración, chispa que el líder a toda costa impedirá que se apague. No se crea, sin embargo, que el conocimiento interdisciplinario se encuentra en el nivel intelectual en tanto que el compañerismo en el emotivo. Ambos aspectos del trabajo en grupo –la interdisciplinariedad y el compañerismo- se mueven fundamentalmente en el nivel intelectual: la diferencia se da porque la interdisciplinariedad se refiere a nuestros conocimientos o saberes, mientras que el compañerismo hace referencia a la persona toda entera (con sus emociones incluso, claro está).

El trabajo en equipo, con sus necesarios vínculos respecto de los conocimientos interdisciplinarios, las motivaciones conjuntas y asociativas y el compañerismo, se relaciona también con varias características existenciales, que se han hecho populares gracias a Víctor Frankl.[380]

Aunque Víctor Frankl, a su vez, no maneja nuestras categorías de disyunción y conjunción, nosotros podemos establecer un nexo claro del éxito y la plenitud con estas dos categorías de motivos. Todos los parámetros de éxito son individuales: soy yo el que se debe significar como exitoso; puedo alcanzar el éxito aunque los demás, próximos a mí, no lo alcancen; más aún, la estructura del éxito pide a veces, como condición para que se dé, el que sean precisamente los más próximos los que no sean exitosos... Al mismo tiempo, todos los parámetros de éxito deben ser públicos: obtener el éxito clandestinamente es un despropósito que contradice a la noción misma de éxito que estamos manejando.

Por el contrario, todos los parámetros que configuran la plenitud (una vida completa y lograda) son *sociales*: para alcanzar la plenitud

---

[380] Carlos Llano, *Dilemas éticos...*, p. 209.

vital debo lograr la plenificación de quienes viven conmigo, pues en ello mismo consiste mi plenitud: en la plenitud que he ayudado a proporcionar a los demás. Paralelamente, todos los parámetros de la plenitud son, por paradoja, *íntimos*: las personas de vida lograda no salen en el periódico, es más, ellos mismos no son conscientes de su propia plenitud. Si estuvieran atentos a alcanzar una plenitud supuesta, no la alcanzarían jamás.

El carácter solitario del éxito, así como el social de la plenitud, no son sutilezas de la psicología, sino espontáneas intuiciones del sentido común y de la experiencia. Charles Handy nos dice ingenuamente: "Me parece que mis amigos me gustan más cuando no tienen éxito, y lo mismo les sucede a ellos conmigo, porque entonces hay más espacio y tiempo para la diversión. Para decirlo sin ambages, ellos y yo somos menos aburridos cuando tenemos menos éxito".

Stephen Robbins[381] enfoca el desarrollo de los grupos en una línea original: *de los conceptos a las habilidades*. Cada uno de los requerimientos para lograr el desarrollo en esa línea exige -y por ello a nosotros nos interesa de modo especial- un paso en el desarrollo de la humildad del líder.

1) El jefe busca la oportunidad de que el subordinado expanda sus capacidades y mejore su desempeño.

2) Tiene la capacidad de crear un clima de apoyo reduciendo las barreras que por muchos motivos pudieran presentarse.

3) La influencia se ejerce sobre sus subalternos buscando su cambio de comportamiento, confirmando si ese cambio mejora o no su desempeño.

4) No considera que hay límites insuperables para el buen desempeño del trabajo.

[381] Stephen P. Robbins, *Comportamiento organizacional.*

5) Suscita la participación de los integrantes del grupo para identificar las ideas de un mejoramiento del trabajo.

6) Cambio de las tareas difíciles en tareas más simples.

7) Una vez logrado el éxito en las tareas simples, impulsa a los componentes del grupo para asumir tareas más difíciles.

8) Lleva así a cabo la *facultación* del trabajador: *ponerlo a cargo de lo que hace.*

Estos 8 pasos en la línea del desarrollo del grupo implican un doble filo. Por un lado, expresamente, desarrollan en efecto el trabajo del grupo; pero además, por otro, implícitamente, desarrollan la humildad del líder.

16.6 Trabajo de grupo con especialistas

El trabajo en equipo adquiere en la actualidad modalidades inéditas que exigen también del jefe del grupo actuaciones en parte distintas a las que le estuvimos requiriendo en decenas pasadas. El hecho de que nos encontremos, dentro del mundo de la empresa, en la era del conocimiento no debe considerarse como un tópico de la historia: incluye grandes consecuencias prácticas.

Una de ellas es la diversa vinculación que guardan con la empresa quienes se relacionan con ella no tanto por causa de habilidades o competencias genéricas, sino precisamente por los conocimientos específicos que poseen; se ven a sí mismos -dice Drucker- más como profesionales que contratan sus servicios a la empresa, que como empleados;[382] o, dicho de otro modo, se sienten más en comunidad con quienes comparten sus mismos conocimientos específicos que con la organización a la que aportan esos conocimientos para un

[382] Peter Drucker, "The next society".

producto final, con el que no se identifican del todo, porque es el resultado de una conjunción de conocimientos especialistas disímbolos. Integrar dentro del grupo a este género de personas no es una tarea imposible, ni aún difícil; simplemente es diversa de aquella que tenía que ejercer el *manager* respecto de personas que estaban conjuntadas ya previamente para un resultado final.

Tener esto en cuenta hace que el líder acentúe la importancia de la *inclusión*,[383] ya que el apetito de *rango* de niveles más altos dentro de la organización no resulta particularmente alentador a sus colaboradores. Prefieren la *inclusión* en el grupo de especialistas al que pertenecen que la *preponderancia* en la empresa en la que trabajan.

Esto puede significar, como lo conjetura Drucker, que, respecto a quienes podrían llamarse *trabajadores del conocimiento*, la organización necesita de ellos más que ellos de la organización,[384] lo que -si fuera verdad- exigiría por parte del jefe un verdadero respeto a las decisiones de la específica área de saber de que se trate y, partiendo de tal respeto, una habilidad peculiar para entenderse con ellos y para que ellos se entiendan con quienes *hablan un diverso lenguaje científico*, a fin de no convertir el grupo en una torre de Babel. Los especialistas *deben entenderse aunque en algunas cosas no estén de acuerdo*, lo cual no siempre es posible. De ahí que el liderazgo no se constituya también como el trabajo de un especialista (especialista, justamente, en dirigir organizaciones), sino de un *generalista*, que sepa *entender a los otros* y establecer entre ellos vínculos de coordinación. También en el caso de los especialistas, como personas que son, aparecen fuertes puntos comunes con las otras personas, aunque pertenezcan a una especialidad diversa.

Y esto debe tenerse particularmente en cuenta porque los conocimientos son portátiles.[385] Incluso los que tienen en la organización

[383] Cfr. *Supra* I, 11.1 y 16.3.
[384] Peter Drucker, "The next society".
[385] Peter Drucker, "The next society".

un empleo a tiempo completo, pueden estar integrados más con la academia, colegio, asociación o incluso *club* que reúne a los colegas de la misma especialidad, aunque de distinta empresa.

A pesar de esto, las personas tienen entre sí más puntos de comunicación que de disidencia. Por ello el líder, hoy más que nunca, no debe fomentar la fragmentación del saber, perdiendo el sentido último del ser humano y el carácter global de su vida. Volvemos nuevamente a la necesidad del *interés por el hombre* (no ya por los conocimientos del hombre, sino por el hombre mismo). Como ya dijimos arriba en una encuesta recientemente realizada con 668 empresarios mexicanos, el rasgo propio del mando más importante para ellos fue el del *interés por el subordinado*, seguido inmediatamente por la *necesidad de la participación en el mando* por parte de los propios subordinados.[386]

En la escuela de negocios en donde trabajo (Instituto Panamericano de Alta Dirección de Empresa, IPADE, México), discutimos un caso -la Cía. Bradock-,[387] en cual se observa vívidamente la vinculación entre los científicos nucleares y los encargados de redactar compren-siblemente sus estudios sobre la generación del calor. La discusión de este caso pone en evidencia que lo importante para unir a estos dos grupos de personas -científicos y literatos- no se resuelve por medio de sistemas de organización, sino apelando a la persona.

Estas consideraciones sobre la actual relevancia de los especialistas no quedan paliadas por el hecho de que tales personas pertenecen -como muchas veces sucede- a otra empresa, aunque trabajen en mi organización. Tampoco en ese caso el jefe del grupo debe claudicar de su responsabilidad en el desarrollo del personal a su cargo.[388] Lo que puede tener importancia desde el punto de mira de las relaciones industriales, desde el punto de vista de la legislación

---

[386] Cfr. Carlos Llano, *Falacias y ámbitos...*, p. 216.
[387] La Cía. Bradock, *apud* IPADE, FH 127.
[388] Cfr. *Supra* I, 16.5.

laboral, o de las leyes mercantiles, puede carecer de ella -y a nuestro juicio carece de hecho- desde la perspectiva de las personas como tales. Éstas deben desarrollarse en su trabajo conmigo, sean cuales fueren las estipulaciones contractuales. Si se deja a un lado el hecho de que quienes establecen el contrato son, ante todo, personas, el contrato sería radicalmente inválido.

También Drucker nos hace ver que tanto el trabajo de personal temporal como la organización de empleados profesionales (OEP) están creciendo con rapidez. Ante ello procede preguntarse cómo puede funcionar un jefe cuando las personas que trabajan con él no son en realidad sus empleados.[389] Cuando el *outsourcing*, la contratación y vinculación con los trabajadores es una tendencia internacional[390] esta cuestión no sólo es procedente sino impostergable.

Peter Drucker no tiene dudas al decirnos que cuando nos servimos de personal temporal en lugar de trabajadores tradicionales, el líder no puede ponerse a un lado olvidando que "*su tarea más importante consiste en formar individuos de talento, lo que es condición 'sine qua non' de la competencia en la economía del conocimiento*".[391] Si al transferir a otros las relaciones con los empleados, las corporaciones pierden también la capacidad para desarrollar personal, *ciertamente habrán empeñado su alma al diablo.*[392] Porque, de cualquier manera, el rendimiento de las personas depende no sólo de cómo y dónde son colocados sino también de quién los dirige.[393]

16.7 Los grupos emergentes

En los grupos de trabajo tiene más valor aquello que *emerge* del mismo grupo como tal, que aquello que se encuentra formalizado en él.

---

[389] Peter Drucker, "Son personas", *Expansión*, México, Mayo 2002, p. 152.
[390] Peter Drucker, "Son personas", p. 154
[391] Peter Drucker, "Son personas", p. 152
[392] Peter Drucker, "Son personas", p. 152
[393] Peter Drucker, "Son personas", p. 156.

Cuando, según acabamos de ver, la formalización de los grupos y de los jefes de grupo, se hace más difícil, por su pertenencia a otras instancias también en cierto modo formalizadas, los rasgos emergentes del grupo han de merecer para nosotros una mayor atención. Sin eliminar al grupo formal y al líder formal, consideremos que los grupos emergentes, con sus líderes también emergentes, tienen una fuerza particular. El grupo y el jefe establecidos desde fuera, nunca pueden ser más propios que aquellos que brotan de manera natural -y a veces inconsciente- en el seno mismo del grupo.

En esta diversidad de géneros encuentra John Kottler[394] una posible diferencia entre líder y gerente. La mayoría de las organizaciones tienen un liderazgo pobre y una excesiva gerencia. Las circunstancias en que nos hemos detenido sugieren para nosotros que tal vez la situación vista por Kottler deba sufrir una transformación.

Independientemente de las necesidades requeridas al trabajo de un grupo, e independientemente de lo dispuesto de modo reglamentario por la organización, e incluso con independencia del *background* que cada uno de los integrantes del grupo aporte a él de manera individual, resulta inevitable que de la interacción laboral nazcan como de un venero subterráneo elementos y factores que ni la organización ni los propios individuos hubieran previsto.

Lo primero que emerge -cuando así ocurre- es el grupo mismo, con normas espontáneas inconscientemente auto impuestas, con sentimientos comunes -positivos o negativos- respecto de la labor encomendada. Pero, sobre todo, al brotar el grupo emerge también el jefe. Este puede coincidir o no con el jefe formal, dependiendo de sus características en relación con el grupo mismo, las reglas emergentes establecidas y los sentimientos surgidos.[395]

---

[394] J. P. Kottler, "What Leaders Really Do", *Harvard Business Review*, Mayo-Junio 1990, pp. 103-111. *A Force for Change; How Leadership Differs from Management*, New York, Free Press, 1990.

[395] Cfr. Esquema conceptual para describir el comportamiento del grupo de trabajo, FHN-21, Instituto de Estudios Superiores de la Empresa (IESE), Barcelona.

Estos elementos emergentes son de alguna manera la *dimensión emocional del grupo*, y su intelección como tal debe tenerse en cuenta.[396] No sólo tenerse en cuenta, sino fomentarla o animarla en sentido positivo: lo emergente sólo se puede suscitar indirectamente a través de lo requerido, dispuesto y reglamentado, pero no directamente imponerse. Este es el caso evidente de los sentimientos, cuya existencia no se puede ordenar por la cabeza del grupo, ni siquiera por la cabeza del individuo que quisiera poseer los tales sentimientos.

El caso del jefe es menos evidente que el caso de los sentimientos. La organización debe detectar quién es el jefe emergente, no ya para formalizarlo, ni para anularlo, sino para contar con su existencia como quien cuenta con un factor decisivo para la funcionalidad del grupo.

Hemos dicho multiplicadamente en nuestras lecciones que, por lo general, no emerge como jefe aquél que quisiera serlo: la emergencia no depende de la voluntad de los unos ni de los otros. En cambio, *el verdadero líder emergente ignora que lo es.* Puedo decir anecdóticamente que un grupo escolar mantenido durante diez años (de los siete a los diecisiete años), al celebrar el quincuagésimo aniversario del término del bachillerato, descubrió quién era verdaderamente el líder del grupo con absoluta extrañeza del interesado, que contaba ya, como los demás compañeros, con cerca de setenta años de edad.

Si bien el verdadero líder emergente ignora serlo, el líder formal debe saber quién es, como dato importante para ejercer -¡y mantener!- su liderazgo. Nos parece que precisamente en torno a los factores emergentes del equipo de trabajo -y el equipo de trabajo mismo incluido-, adquieren más valor las observaciones de Guido Stein, cuando nos dice que en la empresa hay que "hacer las cosas contando con que pueden ir de otra manera".[397] La paradoja de ia estrategia es que

[396] Cfr. *Supra* I, 14: *Sentimiento y comportamiento.*
[397] Guido Stein, "Inversión en Tecnología", en *La Gaceta de los negocios, Opinión*, Madrid, 23-I-2002, p. 8.

define el rumbo a seguir de manera firme, pero también flexiblemente, adaptándose a los cambios... a los cambios que afectan al sector en el que compite".[398] A ello añadimos nosotros que ha de adaptarse también al cambio de las imprevisibles emergencias no ya del entorno sino de la misma organización. Respecto de lo emergente al menos parece verdad que "el hombre es la insuficiencia viviente, el hombre necesita saber, percibir desesperadamente que ignora".[399]

A los elementos emergentes de un grupo (el grupo mismo, su jefe, sus normas no escritas de comportamiento, sus sentimientos) les ocurre, como a la confianza (prototipo de características emergentes), el ser insusceptible de reclamarse o exigirse: es algo que se otorga, del mismo modo que la autoridad se inspira y no se impone (lo cual en cambio ocurre, según ya dijimos, con el poder).[400] Es verdad que Harry Truman afirmó con conocimiento de causa que el sillón contribuye a hacer al Presidente, pero también es verdad que las circunstancias informales y emergentes lo pueden hacer caer de él.

17 Saber escuchar

Nunca se subrayará bastante la importancia de la comunicación en las organizaciones. Ello, sin incurrir en la supuesta falacia socrática según la cual *bastaría saber para comportarse rectamente*.

Tenemos sobrados motivos para considerar que no es tal, al menos rigurosamente tomado, el parecer de Sócrates, aunque no sea ésta nuestra cuestión. Más motivos tenemos para estar seguros de que al hombre no le basta saber cómo comportarse para comportarse como debe. El ser humano no sólo es inteligencia: no es un intelectualista a ultranza. Tiene, además, sentimientos y emociones;[401]

---

[398] Guido Stein, "Inversión en Tecnología".
[399] Guido Stein, "Inversión en Tecnología".
[400] Guido Stein, "Cuando falta la confianza", en *La Gaceta de los negocios, Opinión*, Madrid, 2+2002, p. 6.
[401] Cfr. Supra I, 14.

pero, sobre todo, tiene una voluntad débil; una flaqueza en su personalidad, que resulta muy difícil de superar.

Pero esto, lejos de alejarnos de la comunicación que ha de darse en las relaciones de la sociedad, nos incita más a ella. Al hombre, en efecto, *no le basta que le digan las cosas: pero es necesario que se las digan.* No puede dejarse la superación humana al desgaire del autoaprendizaje. Como ya hemos advertido, la comunicación no debe confundirse con la dirección[402]; pero no puede haber acción directiva si no se da una verdadera comunicación, y una comunicación verdadera, entre jefes, colegas y subordinados.

Parecería que, el abordar el tema del liderazgo, lo más importante residiría en la comunicación del líder con aquellos a los que ha de mover a la acción. Esto es de algún modo verdad, tanto en la conversación en corto, como ahora se dice, con los individuos aisladamente considerados, como para el liderazgo global o aún multitudinario. Los ejemplos de dos contemporáneos antagónicos, Hitler y Churchill, nos liberan de muchas elucubraciones. En ambos, tendríamos que hablar de oratoria más que de comunicación, pero ha de demostrarse la oratoria, como ya hizo ver Aristóteles en su *Retórica*, especialmente cuando se trata de comunicaciones masivas. En el caso de Hitler se trataba de una comunicación desde arriba, para generar entusiasmo; en el de Churchill, una oratoria de acercamiento o proximidad, buscando la consonancia intelectiva y la vinculación. Churchill se dio cuenta muy pronto de la relación entre el lenguaje y el liderazgo. Su *The Seaffolding of Rethoric* (*El andamiaje de la retórica*), publicado después de su muerte, afirma que "de todos los talentos concedidos al hombre ninguno es más preciado que el don de la oratoria...", con lo que estaríamos de acuerdo diciendo que el talento de la oratoria es una conjunción sintética de muchos otros talentos humanos. No se

[402] Carlos Llano, *Análisis de la acción directiva*, Cap. 14. La teoría, el diálogo y la dirección, p. 130.

trata de una brillantez superficial y pasajera: han de darse argumentos, ritmo, metáforas, analogías, empatías sentimentales... Ese talento oratorio de Churchill es el resultado de cinco instrumentos que amplifican su capacidad retórica:

Preparación: Un discurso de cuarenta minutos podría demandarle entre seis y ocho horas de preparación y ensayo. *Tema único*: cada discurso se enfocaba a un solo tema y terminaba con un llamado a la acción. *Manejo del tiempo*: sus discursos tenían, con frecuencia, anotaciones al margen indicativas de actitudes escénicas (por ejemplo, "pausa"). *Refuerzos visuales*: en su caso era un puro y la señal de la victoria con dos dedos. *Humor*: Dice Herbert que el ingenio de Churchill, su manera de reírse y de guardar momentáneos silencios, lo convertían en una figura más graciosa que el mejor humorista inglés de la época.

No obstante, si al abordar el tema del liderazgo resulta importante el modo como el líder se comunica con los suyos, al hablar de *la humildad en el liderazgo*, la importancia recae *no en el hablar sino en el escuchar*, siendo el escuchar, de suyo y por sí, el acto prototípico de la comunicación. A tal grado consideramos esta importancia, que no dudamos en advertir que el *acto de escuchar y la disposición de ser humilde se identifican.*

Sólo la persona humilde sabe escuchar. Es decir, aquella que piensa que los demás tienen algo que decirle y que él no sabe. Y, complementariamente, sólo escucha aquél que guarda ante los demás una actitud humilde. Quien considera que lo básico en el diálogo es lo que tiene él que decir, se encuentra sin ninguna duda afectado por la preponderancia y la soberbia.

Téngase en cuenta que la palabra tanto escrita como oral tiene siempre una doble dimensión, según lo ha manifestado José Gaos.[403]

---

[403] Cfr. José Gaos, *Del hombre*, Universidad Nacional Autónoma de México, México, 1992, p. 225.

Estamos inclinados a atender los conceptos que *denotan* las palabras, con marginación de los sentimientos, afectos, tendencias emocionales y voliciones que esas palabras significan. Esto fue afirmado por el filosofo transterrado en México, mucho antes que Goleman escribiera *La inteligencia emocional.* A veces resultan más importantes los conceptos denotados, mientras que otras veces adquieren mayor relevancia los sentimientos significados. Gaos, de manera más comprensible, hace un análisis filosófico de lo intelectual y lo emocional, mientras que Goleman lo hace neurológico.

El hecho de que en nuestro lenguaje prevalezca lo intelectual denotado sobre lo sentimental significado no nos autoriza a atender más a lo primero que a lo segundo. En efecto, nuestro lenguaje, verbal o escrito, es mucho más expreso en denotación de conceptos que en *significación* de sentimientos: estos cuentan apenas, para su significación, de poquísimos signos: de interrogación para caso de duda o extrañeza, de admiración para expresar este sentimiento, o carencia de signos para dar a entender una ecuanimidad, que si quisiera aquirir la total ausencia de sentimientos sería una comunicación errónea o incluso falsa.

Por ello, José María Rodríguez Porras[404] nos advierte que hemos de atender no sólo al lenguaje verbal o escrito, sino al lenguaje de los gestos, que resultan a veces complementariamente distantes y significativos. Señala en primer lugar la mirada, que puede adaptar una amplia gama de sentimientos: fugaces y sostenidos, y abiertos; cálidos y fríos; luminosos e inexpresivos; tristes y alegres, serenos e inquietos; sanos y patológicos. "Hay indicación de que la mirada es, en cierto modo, una expresión de nuestra personalidad: las personas francas miran directamente a los ojos; las desconfiadas evitan el contacto visual.[405] Por nuestra parte, podemos asegurar

---

[404] José María Rodríguez Porras, "Comunicación interpersonal y en la empresa", pp. 59 y ss. en Juan Antonio Pérez López *et. al: Paradigmas del liderazgo.*
[405] José María Rodríguez Porras, "Comunicación interpersonal....", pp. 59 y ss.

que las significaciones de la mirada resultan disímiles que las de las palabras orales o escritas. Es fácil engañar con la palabra; y difícil con la mirada. Por ello hay personas que necesitan lentes obscuros, porque piensan que de esta manera guardan mejor la intimidad. Pensamiento erróneo porque con ello manifiestan uno de los sentimientos más íntimos y que menos alguien quisiera revelar: la desconfianza.

Escuchar no es sólo, pues, tarea del oído, sino sobre todo de la vista. No se trata simplemente de ver al otro, ni aún de verlo a los ojos; el acto de escuchar exige ver cómo me mira el otro. Para decirlo con Antonio Machado "en la cosa nunca vista de tus ojos me he mirado: en el ver como me miras".

Junto con la vista, Rodríguez Ramos menciona también, como forma no verbal del lenguaje, los *gestos faciales*. El gesto facial predominante es la sonrisa, y todos sabemos reconocer la sonrisa franca y espontánea de la mecánica y estudiada. Goleman dijo con razón que la *sonrisa es la distancia* más corta entre dos personas.

Igualmente, debe atenderse a los brazos y las manos. El brazo dirigido a un interlocutor y el dedo que le apunta expresan una exigencia; si los brazos están abiertos significan acogida; si cruzados, actitud especulativa; cruzados en la nuca, desapego.

Finalmente, la postura corporal: erguida, expresa seguridad; el cuerpo echado hacia atrás, altivez; encorvado, fatiga o inseguridad. Aunque todo lo anterior dependa de las circunstancias y de la cultura, hemos de hacer caso a Rodríguez Pons en el sentido de que el lenguaje de los gestos dice tanto o más que las palabras. Cuando ambos no coinciden, es posible que el receptor capte la incongruencia y se pregunte por la sinceridad del emisor.

Ya se ve que escuchar es un arte difícil. Pero un arte que no depende, en sustancia, de la aplicación de determinadas técnicas, aunque puedan ser propiciatorias de escuchar bien. Lo importante e insustituible en el acto de escuchar es el *interés por la persona del interlocutor:* por ello nos interesa lo que dice, o el modo de mirar, o los gestos y posturas consectarios. Incluso la persona toda entera. Por esto, al escuchar se atiende a la persona entera.

Sin embargo, por importantes que sean los sentimientos (pasiones, mociones, emociones, afectos), *significados* en el lenguaje verbal o no; por importante que sea conocer los *sentimientos* de nuestros interlocutores, no podemos equivocarnos de bando. Más importante es conocer sus *pensamientos*. Como el líder no es omnisciente, le interesa saber lo que piensan sus colegas sobre un determinado asunto. Ello, porque sabe que su propio pensamiento es limitado y la conjunción de distintas ópticas o perspectivas le puede proporcionar una visión más completa que suya. Es aquí donde se localiza la identificación entre el ser humilde y el saber escuchar.

Hay otro motivo por el que debe reiterarse la necesidad de que el que escucha se encuentre especialmente atento a los aspectos emotivos de la comunicación. Rodrigo Porras subraya la importancia de distinguir al menos dos dimensiones de la relación en la comunicación: la dimensión racional y la dimensión emocional.[406] La dimensión racional suele ser *explícita*, y se caracteriza por el acuerdo o desacuerdo en un *tema*. La dimensión emocional suele ser *implícita*, y se caracteriza por el acuerdo o desacuerdo en una *actitud*. La dimensión emocional no suele mostrarse abiertamente, porque es más bien un sentimiento que una opinión, y ello exige que le demos importancia, tanto para mantener la unión como para disolver el desacuerdo.

De ahí el acento que Daniel Goleman pone en la *transparencia*, que define como *la expresión sincera de los propios sentimientos*.[407]

——— o ———

No obstante, debemos salir al paso de una confusión prolífica en nuestra cultura y en nuestro medio geográfico: *pensar erróneamente que escuchar significa hacer caso*. Se supone que el que escucha debe

---

[406] José María Rodríguez Porras, *El factor humano en la empresa: apuntes*, Ediciones Universidad de Navarra, Pamplona, 1995.
[407] Daniel Goleman, *et al.*, *El líder resonante...*, p. 310.

hacer caso, esto es, *aceptar* lo que se le dice. Si no acepta -se supone- es que no ha escuchado bien. Esto es radicalmente falso. Escuchar significa *hacer caso*, sí, de la persona que habla; *estar predispuesto* en principio a que resultará interesante, provechoso y verdadero lo que diga; que lo que se diga se apoyaría en razones y modos válidos, pero no aceptar por ello todo lo que se diga. *Escuchar y aceptar* son dos acciones diferentes, que no deben confundirse. Bastaría recordar que no se puede aceptar lo que dice cada uno, cuando es opuesto a lo que dicen los demás. Habría de intentarse un acuerdo pero ello no es siempre posible. Hay veces que lo que se escucha no resulta aceptable precisamente porque se ha escuchado bien.

Ha dicho Schutz que "los problemas de comunicación no derivan de que comuniquemos mal [o que escuchemos mal, añadiríamos nosotros], sino de que comunicamos demasiado bien".[408] Esta indebida aproximación entre escuchar y aceptar puede partir de un prejuicio social acerca de la convivencia democrática. Se confunde igualmente entre democracia y acuerdo: el ideal de la democracia sería la concordancia de los ciudadanos, de manera que cada uno se sintiera identificado con todos. En sentido contrario, habremos de reconocer con Daniel Innerarity que "la revitalización de la democracia hay que esperarla más de la discrepancia razonable que del fervor del consenso".[409]

Pareja a esta confusión entre el escuchar y el aceptar, se da otra igualmente prolífica en la cultura actual: *el supuesto de que el diálogo es omnipotente*. Tanto Gadamer como Habermas, a su modo, defienden que un diálogo exento de *presiones*, y de *pasiones* -añadiríamos nosotros- desembocaría necesariamente en el consenso. Algo de razón tiene tal supuesto, dado que la persona humana es, antes que todo racional e inteligente, y la *inteligencia*

---

[408] Schutz: "The interpersonal under world", *Harvard Businness Review*, Julio-Agosto, 1958.
[409] Daniel Innerarity, *La transformación de la política*, Península-Ayuntamiento de Bilbao, Barcelona, 2002.

comunica, concuerda, produce sintonía. Esto es sin duda verdadero. Pero también es verdad que la inteligencia del hombre es limitada, mientras que las realidades con las que tiene que habérselas son complejas.

La absoluta buena voluntad de los dialogantes no basta para el acuerdo unánime entre ellos. Especialmente en los asuntos prácticos, en donde se manejan situaciones complicadas por concretas, el desacuerdo puede ser frecuente. No se habla entonces de resoluciones científicas, sino de dictámenes prudenciales, en donde los resultados de los pensamientos y de los diálogos que los acompañan no son siempre coincidentes.

Escuchar al interlocutor sirve, sin duda, para conocer las razones y los motivos por los que sostiene una opinión diversa de la nuestra, y ello facilita el cambio del propio parecer (pero no obliga), cuando nos percatamos de no haber tenido nosotros en cuenta esa razón y motivo que ahora conocemos. Pero los motivos y razones, en muchísimos asuntos prácticos, son fundamentos insuficientes, y pueden por ello ser considerados como no aceptables.

Por otra parte, escuchar al otro implica conocerlo mejor, y la sincronización personal facilita el acuerdo, ya que no es sólo la inteligencia la que piensa, sino *el hombre mediante su inteligencia*, y la coordinación existencial personalizada propicia el cambio para la coordinación intelectual.

De cualquier manera, la actitud de los que se escuchan mutuamente produce el paradójico fenómeno de *entenderse aunque no estén de acuerdo*, y el de la concordia existencial en medio de la intelectual divergencia; el poder trabajar conjuntamente, aunque existan entre ellos hondas diversidades. Porque escuchar, finalmente, hace posible el acuerdo rotativo, el compromiso o pacto para actuar al unísono, aunque diverjamos en muchos aspectos de esa actuación. *Compromiso* no significa aquí simplemente cesión de parte, o pacto mediador, sino acuerdo de voluntades, aunque haya un desacuerdo parcial de pensamientos.

Rodríguez Porras asevera con razón que "todo contacto humano despierta algún tipo de sentimiento. Cuanto más estrecho es el contacto humano, más profundo es el sentimiento generado".[410] Esto es, añadimos nosotros, tanto para bien como para mal. *La actitud de escuchar no solo facilita la comprensión racional de los interlocutores sino también la comprensión sentimental.* Esto resulta relevante si tenemos en cuenta que "querámoslo o no, los sentimientos están permanentemente presentes en las relaciones entre las personas".[411] José Gaos nos advirtió, según ya se dijo, que nuestras palabras parecen *denotar* sólo *conceptos* y objetos, pero al mismo tiempo (aunque el que habla como el que escucha no se percaten de ello), significan sentimientos y emociones, pasiones o afectos.

Escuchar, en el sentido integral del término, consiste en abrir los dos oídos del alma tanto a lo uno como a lo otro; tanto a los conceptos designados como a los sentimientos significados. Debemos reconocer que los hombres de acción suelen escuchar sólo con el oído que les comunica lo racional (lo aparentemente sólo racional) de los individuos.

Cardona establece un paralelismo entre lo racional y lo emocional, por un lado, y lo explícito e implícito por el otro. Subraya la explicitud de lo racional y la implicitud de lo emocional. Y añade que en cuanto tiene lugar el acuerdo emocional importa menos la racional discrepancia.[412]

No obstante, hemos de cuidarnos de no trasponer la sutil raya que se da entre conceptos y afectos. Por no tenerla presente se dan no pocos supuestos líderes que son más bien consejeros sentimentales. Acabamos de decir que la actitud de escuchar no sólo facilita la comprensión racional de los interlocutores, sino también la comprensión

[410] José Ma. Rodríguez Porras, "Comunicación interpersonal...", p. 69.
[411] José Ma. Rodríguez Ramos "Comunicación interpersonal...", p. 69.
[412] Pau Cardona y Paddy Miller, "El liderazgo en equipos", p. 159-160, en Juan Antonio Pérez López *et. al: Paradigmas del liderazgo.*

sentimental. Sin embargo, dadas las eclosiones emocionales que brotan por doquier, como si los sentimientos acabaran de descubrirse en un desértico campo de racionalidad matemática y contable, hemos de decir también que la *actitud de escuchar no sólo facilita la comprensión sentimental de los interlocutores, sino también la comprensión racional.*

Con Janne Haaiared Matlary debemos tener en cuenta que "no basta la motivación de los sentimientos, debe sostenerse un discurso en el que se usen justificaciones racionales".[413] A esta dificultad se añade otra más reduplicada. Tenemos propensión a comunicar los *sentimientos sentimentalmente*, mediante el lenguaje indirecto de los gestos, expresiones de la faz, posturas del cuerpo. Lo hacemos voluntaria e involuntariamente. "Cuando quiero llorar no lloro, y a veces lloro sin querer", dice el poeta pensando en su juventud.

El líder, por medio de la enseñanza y del ejemplo, ha de crear en torno a sí el clima preciso para que entre nosotros *podamos comunicar los sentimientos racionalmente*. Lo que sentimos puede expresarse con conceptos racionales y palabras comunes, sin necesidad de apelar al psiquiatra; basta con que apelemos a nuestra hombría de bien, convencidos de que nuestros sucesos interiores, aún íntimos, resultan vulgares y corrientes por muy personificadamente que los encaremos. No implica ello poner nuestras intimidades en la palma de la mano; pero sí implica hablar de nuestros sentimientos personales cuando es conveniente hacerlo, en lugar de encerrarnos herméticamente como un molusco, o manifestarlos de manera críptica y complicada de modo que los demás hayan de adivinarlos entre la selva del resto de nuestro lenguaje.

Cuando nos esforzamos por hablar de nuestros sentimientos racional y estructuradamente, nuestros sentimientos suelen impregnarse de esa misma razón con que se expresan, dado el íntimo nexo entre la palabra, el concepto y el sentimiento.

---

[413] Janne Haalared Matlary, *El amor escondido*, Aceprensa, Dic. 2002.

Es obvio que a este esfuerzo para exponer lo que usualmente queda oculto deba responderse con una mayor atención y comprensión: hay que saber hablar de lo que sentimos, y debemos saber escuchar lo que sienten los demás.

En el estudio del liderazgo adquiere mucho relieve lo que se denomina *comunicación descendente.* Esto es, resulta importante que el jefe sepa transmitir con claridad lo que espera de sus subordinados, y las razones de esas expectativas. La comunicación descendente requiere ser no sólo una mera información de lo que debe conseguirse, sino también la motivación para que los subordinados quieran conseguir aquello que el jefe les presenta como meta.

Sin embargo, un concepto de líder bien entendido no puede girar en torno a la sola comunicación descendente. En todo grupo en el que tiene lugar la dinámica partícipe entre jefes y subordinados,[414] hay una continua alternancia de la comunicación descendente y ascendente. A medida en que dentro de la escala de Tannenbaum se va reduciendo el espacio del poder del jefe y ensanchando el de la libertad de los subordinados, la comunicación ascendente (de éstos respecto del jefe), va adquiriendo un vigor cada vez más fuerte. La comunicación ascendente y descendente se alternan entre sí como las preguntas y las respuestas. No es, por tanto, ni ascendente ni descendente, sino dialógica. Nunca se enfatiza bastante la necesidad de que el líder sepa *comunicar*; pero es más necesario insistir, repetimos, en que sepa *escuchar.*

Parece paradójica, pero no lo es, que la mejor manera de comunicar es callarse. San Josemaría Escrivá nos dice que callándonos logramos más eficacia en nuestros trabajos ("-¡a cuántos se les va la <<fuerza>> por la boca"!). Pero a la razón de eficacia añade otra más profunda, que tiene directa relación con nuestro estudio: "si callas (...) te librarás muchos peligros de vanagloria".[415]

---

[414] Cfr. *Supra* 16.1.

[415] Cfr. San Josemaría Escrivá, *Camino*, n. 648.

Así como la participación de los integrantes del grupo en la configuración de los objetivos a lograr, y en los procesos pertinentes para lograrlos, requieren un mayor grado de humildad del líder, así también -y por lo mismo- la humildad se requiere para saber escuchar. Debido a la no superada definición aristotélica del hombre como *animal racional y social*, la más elemental postura ante el hombre como hombre es el de escucharlo. Peregrino sería que en la naturaleza humana fuera -como lo es- característico el pensar y el expresar lo pensado, si no hubiera nadie que lo escuchara. Por tal virtud, el escuchar lo que el otro me dice es el primerísimo y básico reconocimiento de la dignidad que el hombre debe salvaguardar con todo congénere suyo.

No se trata, por supuesto, de escuchar a los hombres colectivamente tomados, en virtud de su naturaleza racional y expresiva, sino también a los hombres asumidos individualmente. Debo escuchar a este hombre no ya por ser hombre, sino por ser *este*; vale decir, por ser una persona singular que tiene sin duda algo que decirme, no por lícita necesidad suya de expresarse, sino por práctica necesidad mía de saber más de lo que sé. Es imposible que en un grupo de trabajo no exista alguien cuyo pensamiento, en una determinada oportunidad, posea la pieza que falte en el *rompecabezas* del plan que estamos diseñando o en la cadena compleja de su realización. Si, por un imposible, no se dieran tales hombres en el grupo en donde laboro, tendría que procurar liberarme de ellos por la vía de capacitación o por la vía del despido, dándoles de baja para que los demás y yo no nos veamos abrumados por un peso muerto.

La disposición de escuchar, que hemos identificado arriba con la humildad del jefe, se estructura mediante una serie de actos, cada uno de los cuales exige de mí la ratificación o reiteración de esa actitud humilde. Como ocurre con los eslabones de una cadena, cada uno de ellos requiere de los que le proceden para que la comunicación no se rompa, y requiere él mismo no romperse si deseamos que la cadena de comunicación continúe permanentemente hasta su último destino.

Sirve aquí considerar sabidas ideas elementales. Rodríguez Porras[416] ha acertado a poner al día estas presuntas ideas elementales de la comunicación, convirtiéndolas en *ideas fundamentales*, precisamente cuando crece como esponja la comunicación electrónica y virtual, a tal grado que la cantidad de información que se recibe nos impide literalmente el escucharla.

Escuchar es:

- Callarse.
- Mirar a los ojos.
- Estar atento a lo que se dice y lo que se siente.
- Dar tiempo y ser paciente.
- Repetir lo que el otro dice, para estar seguro de haber comprendido.

Escuchar no es:

- Emitir juicios, ni discutir.
- Interferir o completar frases.
- Asumir que sé lo que el otro me va a decir... y adelantarme a decirlo.
- Distraerse, haciendo otras cosas al mismo tiempo.
- Dar soluciones, en vez de suponer que el otro es capaz de descubrirlas por cuenta suya.

A fin de que estos actos estén presentes o ausentes, según el caso, debemos estar precavidos ante las naturales posturas de *defensividad* y *argumentabilidad*. No siempre la comunicación con subordinados y con jefes es agradable. A veces es necesario y con-

[416] José María Rodríguez Porras, "Comunicación interpersonal...", p. 67.

veniente encararse con situaciones y temas agrios para unos y para otros, y convenientes para ambos. En tales casos la actitud de escuchar se opone a la de *estar a la defensa*. Escuchar implica abatir de antemano las barreras de la *defensividad*: procurar que aquello me resulte lo menos desaprobable posible, que es el primer grado de actitud defensiva; o, en otro orden, en lugar de comprender hasta el fondo lo que se está diciendo, buscar una excusa personal si aquello que se dice va en contra mía. No es necesario que la excusa se transmita al exterior. A veces tiene la mera y superficial misión de tranquilizarme a mí mismo.

Pero a la *actitud defensiva* puede añadirse la *actitud argumentativa*. Escuchar al otro de modo y manera que pueda encontrar en sus palabras datos que me sirvan para invalidarlas. Por eso la importancia de incluir redundancias en la conversación; repetir con calma lo que el otro me ha dicho con doble fin: que el otro sepa que -por desagradable que resulte- yo soy capaz de decirlo por mí mismo; y que yo mismo me asegure ante el otro de que le he entendido bien.

La argumentación y la defensa no pertenecen al acto de escuchar, y, por tanto, recomendamos que sean actos temporalmente separados. No debo defenderme ni argumentar cuando estoy escuchando. Cuando estoy escuchando, escucho (es decir, estoy callado, miro a los ojos, pongo la doble atención a conceptos y sentimientos, soy paciente, asumo lo que el otro me dice, repitiéndolo, si es preciso, con mis propias palabras...)

Quienes se han preocupado por la perfección del arte de escuchar recomiendan, generalmente, que nuestras conversaciones se refieran más a *hechos* -que implican descripciones- que a *valores* -que implican juicios-. Es más fácil, al parecer, entenderse en el ámbito de los hechos que en el terreno de las valoraciones. No obstante, no debemos resolver los problemas por el lado de quienes piensan que es posible mantenerse en el campo de los puros y descarnados hechos, exentos absolutamente de toda valoración personal.

Recordemos que José Gaos nos advierte, con sobrada razón, que detrás de cada concepto denotado, se encuentra algún sentimiento significado. Baste tener en cuenta que quien selecciona los hechos y los describe no es la sola inteligencia, sino el hombre inteligente; y el hombre no puede mantenerse desencarnado de sus valores. Estas transparencias afloran, de manera más o menos advertida, en la selección y descripción de los hechos, sobre todo en la selección. Cada suceso está compuesto por infinitos hechos: repetirlos y enumerarlos todos sería tanto como repetir el suceso mismo, con la consecuente imposibilidad de hacerlo. El abogado se referirá a ellos de acuerdo con una óptica determinada, en tanto que el ingeniero seleccionará los que concuerdan con su perspectiva profesional específica...

Para percatarnos cómo es imposible hacer una descripción de los hechos sin seleccionarlos conforme a nuestro juicio de valor, bastaría preguntarnos: ¿cuántos hechos hay en esta habitación? Jamás podríamos terminar la cuenta.

Esta necesidad de *saber escuchar* para ejercer adecuadamente el liderazgo no es algo que hayamos subrayado aquí sólo para hacer ver la importancia de la humildad. Una investigación hecha a 620 directores de empresa mexicanos trataba de averiguar la cualidad directiva que, en relación con las demás personas, el director necesitaba incrementar en mayor medida. Para sorpresa nuestra resultó a la cabeza, con importante diferencia sobre las otras cualidades, la de *saber escuchar*. Pero la sorpresa fue aún mayor cuando los empresarios encuestados consideraron, a la par, que era la cualidad en la que más podrían mejorar con sus propias fuerzas.[417]

[417] Cfr. detalles sobre esta encuesta en Carlos Llano, *Falacias y ámbitos...*, p. 130.

Parte II

La humildad en las funciones directivas

1. Introducción

Hemos analizado hasta ahora en qué grado la humildad de la persona afecta benéficamente el ejercicio del liderazgo. Aunque, según hemos dicho, el liderazgo y la dirección en cierto modo se identifican dentro del gobierno de una organización, sin embargo, pueden también verse desde perspectivas distintas. El liderazgo considera al gobierno nuclearmente como dirección de hombres. La dirección toma al gobierno desde un punto de vista más general, teniendo en cuenta todos los actos que anteceden, acompañan y siguen en concreto al liderazgo. En esta segunda parte de nuestro trabajo atenderemos al modo como el ser humilde del hombre incide y potencia todas las funciones que le corresponden al director.

La dirección, vista desde la mayoría de sus diversas ópticas posibles, incluye tres funciones, al menos, que corresponden a los tres objetos hacia los que polarmente se orienta: la *situación*, la *meta* y los *hombres* para alcanzarla, objetos a los que corresponden sus acciones esenciales: el *diagnóstico*, la *decisión* y el *mando*.

El punto de partida de la acción directiva es el *diagnóstico de la situación* en la que la organización se encuentra *hic et nunc.*

La acción directiva debe asumir, en segundo lugar, *la decisión de la meta*, objetivos o finalidades, a los que, definida la situación en el diagnóstico, podría aspirar.

En tercer lugar, la acción directiva debe llevar a cabo el *mando de los hombres* para que se ejecute lo que debe hacerse (sea por mí mismo o mediante los demás), a fin de lograr lo que hemos decidido conseguir.[1]

Diagnóstico, decisión y mando son las tres funciones insustituibles que corresponden a toda acción directiva para que pueda recibir este nombre: determinar en dónde estamos, definir los objetivos, y mandar a los hombres -y a mí mismo- para lograrlos.

Hemos de tener en cuenta que la función directiva no queda monopolizada en o por las personas de los directores, sino que el trabajo, incluso el más operativo (aquél cuyas reglas están integralmente fijadas y sus resultados son científicamente predecibles), incorpora dentro de sí la dimensión directora de su trabajo.

Ello quiere decir que toda persona de la organización se ve precisada, en alguna medida, a diagnosticar, decidir y mandar. No siempre todos deben hacer el diagnóstico, tomar la decisión y mandar la orden. Diríamos que casi nunca ocurre que todos los componentes de la organización concurren participativa o simultáneamente en un acto común directivo determinado, ejerciendo estas tres funciones.

Pero esto no impide que siempre, en cada trabajo individual, la persona deba diagnosticar la situación en que se encuentra su trabajo, definir los objetivos y metas del mismo -sea concretando, sea superando, sea rebajando las metas señaladas por los directivos-, y mandar la ejecución correspondiente -sea a sus subordinados, si los

---

[1] Este tema de las funciones directivas ha sido abordado por nosotros ampliamente en dos ocasiones: en el prólogo de la undécima edición de *Análisis de la acción directiva* y en el capítulo II de la tercera edición de *Dilemas éticos de la empresa contemporánea*. En el primer caso las funciones de la dirección fueron analizadas buscando cuál es el carácter del director más apropiado para ejercerlas; en el segundo, analizamos los principales aspectos éticos de esas funciones. En la presente obra las estudiamos para evidenciar el relevante papel que la humildad tiene en ellas. Como se ve, las tres versiones de este estudio se complementan mutuamente. Sin embargo, puede decirse que la comprensión de su lectura es enteramente posible cuando se hace con autonomía en cada una de las obras mencionadas y en la presente.

tiene, sea a su propia persona, si carece de subordinados o necesita operar conjuntamente con ellos-.

De lo anterior extraemos una conclusión importante para el presente estudio: si la humildad inhiere primitivamente en cada una de las funciones directivas, como se verá, y si éstas se hallan diseminadas a lo largo de toda la organización, a lo largo de toda ella debe diseminarse también el comportamiento humilde. Nada constituye un obstáculo más grande para una institución como el orgullo. O, dicho positivamente, nada es tan *productivo* como la presencia de la humildad en todos los niveles y ramos de la organización.

Llegamos así por otro camino a la misma conclusión de las humanidades clásicas, especialmente a partir del cristianismo, en el sentido de que, faltando la actitud humilde, falta la condición de posibilidad para toda virtud, pues se encuentra en la base de cada una de ellas.

2. Diagnóstico

Hemos definido el diagnóstico como el primer paso de toda acción directiva. Para *dirigirnos* hacia donde debemos o queremos ir, es inexcusable saber en dónde estamos. Este *saber* principalmente recibe por nosotros el nombre de diagnóstico. *Diagnóstico* etimológicamente es un término que significa *ver claro* o *conocer a través de*, y se encuentra también en su etimología emparentado con introducción. El diagnóstico sería, pues, un saber introductorio, que vendría a referirse a conocer la situación de la que debemos partir: ¿en qué situación nos encontramos? Esta es la cuestión que trata de resolver el diagnóstico.

Nuestro punto de partida tiene dos importantes dimensiones: *el conocimiento sobre cómo son las circunstancias exteriores en que me encuentro, y el conocimiento de cómo me encuentro yo en esas circunstancias.* Aquí lo importante es el "*y*" que relaciona y distingue al mismo tiempo al yo de las circunstancias *y* a las circunstancias del yo.

Esta manera de enfocar el diagnóstico resulta deudora de la visión vitalista del sujeto presentada por José Ortega y Gasset con su célebre: *Yo soy yo y mis circunstancias.* Todo diagnóstico bien hecho, pues, debe incluir dos campos del conocimiento claramente distintos y, a la vez, extremadamente vinculados: (1) Las circunstancias del yo y (2) El yo de las circunstancias.

El primer campo de ese saber que denominamos *diagnóstico* son precisamente las circunstancias externas que nos rodean. El segundo es el conocimiento del propio yo dentro de esas circunstancias. Como se trata de un conocimiento, su característica esencial es la de la objetividad: ver las circunstancias y el yo en la situación real en que se encuentran, sin deformarse por otros factores ajenos al puro conocimiento. La ausencia de objetividad es el error. Pero, además, por tratarse de un conocimiento en orden a la acción, que tiene aquí su punto de arranque, y de un conocimiento al orden del propio yo que debe actuar, la objetividad resulta más frágil. En todo aquello que nos concierne, porque nos afecta y porque afecta a nuestras acciones, existe el peligro de la subjetividad, esto es, del error.

Resulta evidente que en el diagnóstico del punto de partida, un error en la situación de arranque, tendría consecuencias a veces irremediables en la decisión de las acciones que habrán de partir tomando como punto de inicio una realidad equivocada.

Si la objetividad respecto de las circunstancias exteriores que me afectan es difícil de lograr, pues debo verlas como en realidad son y no en su peculiar o subjetiva relación conmigo, la objetividad respecto de mi propio yo encuentra dificultades aún mayores, hasta presentársenos como algo irrealizable: parece imposible que el yo mismo objetive lo que es definitivamente subjetivo, vale decir, *el mismo yo.*

Este diverso grado de dificultad nos obliga a abordar el alcance o logro de la objetividad, considerando por separado uno de los campos o dominios del diagnóstico (las circunstancias del yo) y posteriormente el otro (el yo de las circunstancias).

2.1 Las circunstancias del yo

Ya hemos dejado entrever que en la acción directiva puede infiltrarse un falso primer paso de subjetividad: no observamos las cosas con *desprendimiento del yo*, esto es, con objetividad, sino que las vemos de algún modo ya transfiguradas por la también previa intención de mis finalidades o metas. Paradójicamente, le damos más importancia real a los objetivos que deseamos o a los intereses que nos incitan, que a la realidad misma: vale decir, que al verdadero ser o estar de las cosas.

Esta infiltración indebida consiste, pues, en definir la meta antes de analizar la situación. Dicho de manera clara y fuerte: *anteponer el yo a la realidad*. Expresado de otro modo, lo que hacemos es subjetivizar el diagnóstico viendo las circunstancias no como son en sí, sino como yo querría que fueran para que una supuesta meta por mí prefijada fuera posible. Ello es falsear la objetividad del diagnóstico a fin de que éste resulte subyacentemente favorable para la definitiva determinación de la meta que de modo anticipado deseo.

No cabe duda de que en la dirección hay siempre una bipolaridad objetivo-subjetiva; pero se trata de dos momentos de la acción que no deben en modo alguno confundirse o traslaparse. Su plexo o articulación requiere un discernimiento cuidadoso: he de ser objetivo al hacer el diagnóstico de la situación, pero he de incidir con mi subjetividad en la determinación de la meta a la que aspiro. Las cosas están como están (no como *yo quiero* que estén); en cambio las metas serán las que yo quiero alcanzar: ante ellas, a fuer de inexistentes o de aún no alcanzadas, no puede darse la objetividad sino que dependen en todo de lo que –a la vista objetiva de la situación– yo *subjetivamente* decida.

No debe invertirse, por tanto, el orden correcto de pensamiento y querencia o volición. Este orden nos exige analizar fríamente la situación y después decidir lo que queremos hacer a partir de ella. De ahí que la elaboración del diagnóstico depende de la *abstención de las apetencias del yo,* para que el diagnóstico de la situación se vea dominado por las cosas mismas como presupuestos de la decisión. Esta abstención del yo para que domine la realidad es lo que llamamos objetividad. La objetividad se distorsiona cuando el yo interviene con su voluntad y empuja al entendimiento hacia un juicio que no tiene total apoyo en la realidad de las cosas.

No se trata de que el individuo que elabora el diagnóstico carezca de metas: el hombre, en cuanto tal, no puede vivir sin finalidades. Lo que se le pide es que tales metas no queden determinadas sino hasta que el diagnóstico de la situación nos haga ver claramente -con objetividad- en qué grado son posibles o en qué grado deben ser modificadas o canceladas. Los vehementes deseos del logro de una meta no han de desdibujar la frialdad del diagnóstico. Por eso Jaime Balmes pedía, al hombre de acciones apasionadas y fuertes, cabeza de hielo. Al referirnos al diagnóstico hemos señalado como campo o dominio de conocimiento a las circunstancias, empleando intencionalmente este término. Debemos observar con cuidado lo que nos rodea, esto es, la situación en la que nos encontramos.

La filosofía clásica pedía, para el acierto de las decisiones, esto es, para la prudencia, una acción rnuy necesaria: la *circunspección,* el mirar alrededor, esto es, aquello que tiene por objeto nuestras *circunstancias.*[2] Esta circunspección, para valorar realidades de importancia, ha adaptado recientemente la forma técnica de *valoración de 360 grados,*[3] que Pablo Cardona nos recomienda -con sus salvedades- para la evaluación de las competencias del personal con que contamos: apreciaremos con objetividad esa evaluación si tenemos en cuenta no sólo el juicio del jefe, sino todos los puntos de vista de las personas que

---

[2] Carlos Llano, *La enseñanza de la dirección y el método del caso,* IPADE, México 1996.
[3] Walter W. Tornow y Manuel London: *Maximizing the value of 360 degree feedback: A process for successful individual and organizational development,* Jossey-Bass Inc., San Francisco, 1998.

tienen relación laboral con el sujeto a evaluar: compañeros de trabajo, colaboradores y subordinados.[4] No podemos dejar de decir aquí, entre líneas, que Pablo Cardona pone como condición para que esta evaluación en redondo resulte posible, el que en la organización exista un clima de *confianza*, asunto decisivo que abordaremos más adelante.[5]

El peligro de subjetivismo que hemos subrayado como inminente contra la objetividad del diagnóstico (mis circunstancias y yo), no debe hacernos caer en una postura escéptica. La conclusión de que no podemos llegar a conocer la realidad tal cual es, constituye una *falsa y grave actitud humilde*. Diríamos que las cosas están al revés. El escéptico, en el convencimiento falso de su incapacidad para llegar a las cosas reales, otorga una exagerada inflación al yo. En efecto, como lo dice uno de los personajes de James Hunter, "no vemos el mundo tal y como es, vemos el mundo tal y como somos",[6] implicando con ello que nuestra manera de ver el mundo -que es un asunto personalísimo- resulta prevalente sobre el mundo mismo.

Aún sin caer en una postura universalmente escéptica, sigue teniendo fuerza el peligro de empañar la objetividad con nuestro subjetivismo. Las experiencias pasadas influyen en nuestra manera de ver lo presente, lo cual es sin duda benéfico, pero implica también un lado negativo: el gato que se ha sentado sobre una estufa encendida -decía Mark Twain- no volverá a sentarse nunca sobre una estufa encendida, pero tampoco volverá a sentarse sobre una estufa apagada.

Hunter, al analizar aquella afirmación según la cual no vemos el mundo como es sino como somos, reconoce el poder de lo que domina *percepción selectiva*: "vemos y encontramos aquello que andamos buscando".[7] También Covey nos pone con razón ante el hecho de

---

[4] Pablo Cardona, "Dirección por competencias: evaluación y *coaching*", en Juan Antonio Pérez López *et. al.*: *Paradigmas del liderazgo*, McGraw-Hill, Madrid, 2001, p. 85 y ss.
[5] Cfr. *Infra* II, 4.1.
[6] James Hunter, *La paradoja*, p. 58.
[7] James Hunter, *La paradoja*, p. 161.

que cuando una persona con aspiraciones busca su propia gloria y está profundamente preocupada por sus propios planes, llega a considerar a su cónyuge y a sus hijos como posesiones [nótese: como posesiones que me pertenecen, no como circunstancias que me rodean], y trata de arrancar de ellas el tipo de comportamiento que le dará más popularidad y consideración por parte de los demás.[8]

Ya hemos tenido la oportunidad de escribir en otra ocasión: "*sabemos que si nuestros pensamientos cristalizan regularmente* en estado de opinión, evadiéndonos de la certeza, ello no suele ser fruto de la humildad (falsa humildad a veces) de quien no se considera apto para llegar a verdades ciertas; suele darse, en cambio, como alarde que subraya mi opinión personal, intercambiándola con la verdad objetiva, por objetiva (y por tanto no ya mía sino de todos)".[9]

A estas alturas, hemos comprendido ya que la objetividad no es una actividad solamente intelectual. Aunque radique en la inteligencia, no depende sólo de ella. La objetividad se distorsiona cuando el yo interviene con su voluntad y empuja al entendimiento hacia un juicio que no tiene total apoyo en la realidad de las cosas. *El conocimiento objetivo depende más de la humildad del sujeto que del conocimiento mismo*. Antes dijimos que el conocer la realidad como es depende de la *abstención de las apetencias del yo*. Hay aquí encerrado un nivel aún más profundo de humildad: no sólo *abstenerse* de las inclinaciones del yo sino también *someterse* a la fuerza del objeto. Este sometimiento es un acto -tal vez el supremo- constituyente de la humildad.

La falta de objetividad es el triste resultado de una incidencia volitiva disfuncional sobre el entendimiento. Hay causas éticas que nos dan a entender que el error, la falta de objetividad, no es siempre inconsciente (aunque a veces lo sea) sino que, de modo directo o

---

[8] Cfr. Stephen R. Covey, *El liderazgo...*, p. 60.
[9] Carlos Llano, *Formación de la inteligencia...*, p. 51.

indirecto, intervienen factores de naturaleza sin duda moral, si bien no podemos desgajarlos de ciertas causas psicológicas -sin calificativo ético- que los acompañan.

La primera causa de orden ético que principalmente origina los errores de la inteligencia, nos interesa de manera especial en el ámbito de nuestro estudio. Se trata no ya sólo de una ausencia de humildad; nos referimos a su rasgo opuesto: el *egoísmo*. La verdad indica, según hemos dicho, una actitud humana integral que se vuelca sobre el objeto (aquí las circunstancias del entorno), poniendo entre paréntesis, o incluso marginando y desechando, al sujeto; ¡y hay muchos que no están dispuestos a deponer el propio yo! No podemos despreciar el valor que el yo intelectual indudablemente tiene; pero el valor del yo cognoscente deriva justo de su capacidad para captar el objeto real. El egoísmo supone, en cambio, un privilegio del yo sobre esa realidad que ha de conocer y querer. Persigue que el propio yo sea quien la conozca a su modo, en vez de supeditarse al modo de la realidad misma, en la que encuentra su supremacía, al constituirse es un *animal de realidades*, empleando la expresión de Zubiri -realidades que aprehende tal como son de suyo, independientes del sujeto- en lugar de degradarse a la inferior condición de animal de estímulos, que capta de lo real sólo aquello que subjetivamente se relaciona con él. El "me conviene que la realidad sea así"; el "yo he pensado siempre que así es la realidad"; el "considero una lástima que la realidad se presente de este modo", son expresiones que el hombre egoísta piensa sin pronunciarlas.

Emparentado con el egoísmo, y como modalidades específicas suyas, hemos de señalar la *vanidad* y el *orgullo*. Se trata de manifiestas expresiones del egoísmo que es tan polivalente y escurridizo como el mismo ser humano. La vanidad y el orgullo son instancias egoístas que nos inclinan no ya al error sino a la mentira. Al menos, a esa mentira que reside en *engañarnos a nosotros mismos*.

El hombre orgulloso o vanidoso se coloca en situación tal que difícilmente puede existir, sobre cualquier realidad en cuestión, un juicio con ese mínimo de objetividad que necesita para recibir el calificativo de verdadero. Y esto -como veremos- tanto por parte de más como de menos: minimiza y oculta las consecuencias negativas de nuestros actos, y maximiza y publica las positivas.

En otro lugar hemos definido la vanidad como afán de logro a plazo cero. El objetivo se cumple y logra en el momento mismo de ejecutarse la acción. Ya vemos que la vanidad no es un patrimonio monopólicamente femenino. Esta vanidad, o deseo del logro del objetivo en el decurso mismo de la acción, resulta obviamente engañosa. No concede ni siquiera un minuto de perspectiva, imprescindible para apreciar cualquier resultado.

La vanidad se mueve entre dos polos -ambos extremamente subjetivos-: el deseo de quedar bien a plazo inmediato, o el deseo de -también a plazo inmediato- no quedar mal. Tan vanidoso es el uno como el otro. Hay personas en la organización que *no saben quedar mal*, cuando la experiencia nos dice que en muchos sucesos hemos de tomar decisiones con resultados negativos a corto plazo, para obtener beneficios a largo; y viceversa: tomamos decisiones atendiendo a los beneficios instantáneos, que comprometen la vida de la organización en el futuro.

La vanidad violenta el discernimiento de nuestro diagnóstico, también en ambos sentidos: o porque no vemos las circunstancias como son, sino como desearíamos que fueran para presentarnos ante los demás con buen parecer; o porque las vemos como querríamos que fuesen para no quedar mal ante los demás.

——— o ———

Esta engañosa dilucidación de las circunstancias tiene igualmente lugar en esa otra forma de egoísmo que hemos llamado *orgullo*. El orgullo no busca sólo, como la vanidad, una buena apariencia social sino una apariencia mejor valorada que la de los demás. Por ello el orgullo añade a la vanidad el acento de la competencia. Nos parece que fue C. S. Lewis quien primeramente avisó en el mundo competitivo contemporáneo (tiempo de una superlativa exaltación de la competencia), que la soberbia u orgullo implican competencia (no dijo –es de notarse– que la competencia implica orgullo). Si lo anterior es verdadero, como nosotros lo pensamos, fácil es entender que el orgullo desfigura las realidades que nos conciernen y las que conciernen a los demás, según que se refieran a mí o a los otros. Un aspecto de ese engaño se manifiesta en que el orgullo acostumbra buscar aquellos precisos parámetros de comparación que puedan beneficiar al interesado ventajosamente; y no suele aceptar medidas neutralmente establecidas por los demás, si no le benefician. El diagnóstico de las circunstancias se ve así afectado de muy mala manera por lo que hemos llamado *percepción selectiva*: desecha ciertos aspectos de una situación dada, muy importante para configurarla, pero que no nos conviene considerar porque tales aspectos establecerían un término de comparación en el que nosotros no tenemos un papel sobresaliente.

Relata Antonio Machado, con simplicidad todavía casi infantil, el paseo con su abuela, la cual le había comprado un caramelo sostenido por un palo de cuya punta parecía brotar una bola azucarada y colorida de contextura semejante a la de un *algodón*. Se cruzaron con otro muchacho que paladeaba también su propio algodón: "-¿Verdad, abuela, que mi algodón es mucho más grande?". –Estás equivocado: tu algodón es mucho más pequeño. Nos dice el poeta andaluz que esta taxativa opinión de su abuela le pesó a lo largo de su vida. Siempre veía que el *algodón* –o lo que sea– de los demás era mucho más grande que el suyo, aunque en realidad no lo fuera.

Esto acontece con frecuencia en nuestra relación con los demás, por motivo del orgullo. No consideramos a la realidad que nos circunda tal como ésta es de por sí (precisamente sin su relación con nosotros, en lo que justo consiste la verdad), sino cómo es la relación de ella con los demás. El nexo entre el entendimiento y el objeto, que debiera captarse objetivamente, se ve múltiplemente subjetivizado por las poliformes relaciones conmigo y con los otros.

Como sabemos, la filosofía es la disciplina humana que pretende llegar al *ser en cuanto ser*. Tal pretensión no es en modo alguno ajena a nuestro asunto. Conocer el *ser en cuanto ser* es conocerlo tal como es de suyo en sí, sin su relación conmigo. La filosofía consiste, precisamente, en la tendencia de llegar a saber cómo son las cosas sin relacionarlas conmigo, antes incluso de mi conocimiento de ellas. Pretensión de alguna manera imposible, ya que no puedo conocer la realidad sin relacionarme con ella, y tal relación haría imposible el conocerla tal como es antes de la relación misma. Pretensión imposible que debemos intentar una y otra vez sin cansancio.

El hecho de que la gestión de los negocios haya resbalado por la vertiente de la técnica -lo que era, por otra parte, inevitable- ha tenido como consecuencia algo que sí podría haberse evitado y se puede aún reparar: la dirección de las organizaciones no debe darle la espalda al saber filosófico; y precisamente al menos en la perspectiva que ahora estamos tratando: la etapa primera de la labor gerencial (diagnosticar la situación en que me hallo) debe tender, igual que el conocimiento filosófico, a la objetividad real en el más alto grado posible. La filosofía no es, como pudiera creerse, una visión meliflua de la realidad: como quintaesencia del humanismo, es, al contrario, la visión objetiva y rigurosa que debe incorporarse en los procedimientos técnicos manejados en las organizaciones. El empresario debe acostumbrarse a ver las situaciones circundantes con *objetividad*, conociendo las cosas como son. La filosofía ofrece al director las guías básicas para ese conocimiento objetivo -objetivo hasta donde se pueda- teniendo en cuenta, por delante, que la objetividad del conocimiento no es posible sin deponer el egoísmo, o, diciéndolo en forma positiva, sin adquirir humildad. La filosofía gnoseológica no puede deslindarse de la filosofía ética.

Sintiéndolo mucho, es inevitable adentrarnos en algunos conocimientos filosóficos. El conocimiento filosófico es la cúspide de la elucubración intelectual. Como todas las cumbres, se caracteriza por su frialdad. Ya advertimos el requerimiento de Balmes para el hombre de acción: *cabeza de hielo.*

Esta postura parece oponerse a lo que actualmente se entiende como inteligencia emocional (es decir, no plenamente racionalista, no plenamente fría, sino penetrada por el dardo emotivo del que ningún hombre es capaz de escabullirse). Hemos de volver de nuevo, y lo hacemos sin reticencia, a las consideraciones de Goleman, ya abordadas antes por nosotros.[10]

Pues bien: es curioso observar que el propio Goleman admite necesitar el control de los sentimientos para *conectarse con los demás.*[11] No tiene en cuenta -ni tenía por qué tenerlo, pues el recurso a la filosofía es asunto nuestro, no de él-, que la realidad como tal es el único punto conectivo válido y permanente entre las personas.[12] El autodominio, pues, se precisa para que los propios sentimientos o emociones no perturben el entendimiento con el interlocutor. Y estas consideraciones son especialmente válidas cuando entre las circunstancias a tener en cuenta en el diagnóstico se encuentran -como casi siempre- otros seres humanos, cuyas emociones y sentimientos han de ser para nosotros tan objetivos como cualquier otra realidad.

Se requiere silenciar nuestras emociones y tendencias espontáneas para acceder a las de aquella persona que deseamos escuchar. Este *método* -así lo denomina Goleman- tiene paralelismo con los consejos que antes nos diera José María Rodríguez Porras.[13]

1) Dé un paso atrás y escuche sin implicarse en lo que oiga.

2) Deje hablar a la otra persona.

---

[10] Cfr. *Supra* I, 14, *Sentimiento y comportamiento.*
[11] Cfr. Daniel Goleman, *et. al.*, *El líder resonante...*, p. 197 y ss.
[12] Carlos Llano, *Las formas actuales de la libertad*, Trillas, México, 2ª. ed., México, 1985, p. 78 ss, en donde se muestra que la comunicación entre las personas es imposible si no tienen la posibilidad de acceder a una realidad única y absoluta para ellas.
[13] Cfr. *Supra* I, 17: *Saber escuchar.*

3) Contemple *objetivamente* la cosas: pregúntese si existe alguna razón que justifique su reacción, o si simplemente está (usted) precipitándose una vez más en sacar conclusiones apresuradas.

4) No critique, ni haga afirmaciones hostiles. Concentre toda su atención, por el contrario, en formular preguntas que puedan resultar clarificadoras.[14]

Esta serenidad de las emociones no es fácilmente adquirible. De no ejercitarse en tal forma de actuar (fundamentalmente centrada en escuchar y en hacer preguntas clarificadoras), todos los músculos del cuerpo -y del alma, añadimos nosotros- se aprestan a dar la respuesta mecánica más frecuente (lo que Goleman llama *asumir personalmente la situación*),[15] en lugar de atender a ella objetivamente, con los oídos atentos. Nos recuerda que Loehr y Schwartz han señalado que los grandes atletas pasan mucho más tiempo practicando y muy poco en competencias; pero, en el caso de los ejecutivos, esta frecuencia penosamente se invierte.[16]

De ahí la necesidad del *auto-control*. Los líderes que poseen la capacidad de autocontrol saben encauzar adecuadamente sus emociones e impulsos perturbadores. Uno de los rasgos distintivos de esta competencia (o habilidad) es que proporciona al líder la serenidad y lucidez necesaria para permanecer imperturbable ante situaciones realmente críticas.[17]

En este punto debemos adelantarnos en algunas observaciones que no sólo tienen en cuenta al diagnóstico, sino a la relación de éste

---

[14] Daniel Goleman, *et al., El líder resonante...*, p. 197.
[15] Daniel Goleman, *et al., El líder resonante...*, p. 201.
[16] Loehr y Schwartz, "The Making of the Corporate Athlete", *Harvard Business Review*, 17-IX-2000.
[17] Daniel Goleman, *et al., El líder resonante...*, p. 310. Ya hemos observado que nuestro acuerdo sustancial con Goleman en este punto no impide que consideremos que el autocontrol o encauzamiento de las emociones es menos una tarea del entendimiento y más de la voluntad.

con otra función directiva que por razones metodológicas deberemos abordar después. En varias ocasiones nos hemos referido a la relación que la voluntad y el entendimiento guardan entre sí mediante una reflexión mutua.[18] Pero hemos de aludir ahora no ya a la mutua circularidad entre el entendimiento y la voluntad, sino también a la presencia de los sentimientos, afectos, pasiones y emociones, que tienen un importante papel en esas influencias mutuas o circulares.[19]

Por ello nos vemos precisados a hacer un resumen de la reflexión circular que acaece entre todas las actividades que se dan en el ser humano. Ello, con la finalidad de descubrir algunos aspectos imprescindibles en el estudio de la relación entre las personas que llevan a cabo un trabajo laboral conjunto, y, en especial, del director de aquellos con quienes lleva a cabo una tarea común. Este trabajo en equipo se ha de dar en todas las funciones directivas, comenzando por el diagnóstico.

Daniel Goleman, en su citada obra: *El líder resonante crea más*, considera que el líder, visto como jefe de un grupo de trabajo, tiene por principal misión la dirección y coordinación de las emociones de los integrantes del grupo. No dudamos que esto sin duda le corresponde a todo líder o jefe, pero pensamos que ello es la descripción de una parte de su menester; una parte, por importante que sea. El estudio de las demás actividades que brotan del alma humana, nos servirá para ubicar la coordinación de las emociones dentro del panorama general de las actividades del hombre.

Consideramos que en el ser humano se da una serie encadenada de actividades, las cuales se siguen unas de otras, y tienen la propensión a revertirse, llevándose a cabo de nuevo, de una manera más profunda que la primera. Estas operaciones *de ida y de regreso*

---

[18] Cfr. Carlos Llano, *Análisis filosófico del acto de la decisión,* Universidad Panamericana, Publicaciones Cruz O. S.A. México, 1998, p. 76-82; Carlos Llano, *Formación de la inteligencia, la voluntad y el carácter,* p. 107-112.
[19] Cfr. Carlos Llano, *Falacias y ámbitos de la creatividad,* p. 217 y ss., y p. 258.

constituyen una dinámica que debe ser estudiada, si queremos no sólo conseguir la coordinación de las tareas de varios que trabajan conjuntamente, sino la del propio hombre en cuanto ser individual, que desarrolla en su vida interior una compleja y rica conjunción de acciones que se revierten o *reflejan* sobre sí mismas y sobre las demás, de manera sumamente ilustrativa para entender la actividad del hombre.

En esta serie de actividades se da una alternancia de los dos géneros de acciones en que todo el quehacer del hombre en cuanto tal se divide: actividades primeramente cognoscitivas o *aprehensivas* y secundariamente *orécticas* o *impulsivas.* Ambos tipos de actividades se dan alternamente, influyendo unas sobre otras. En la descripción esquemática que haremos de su desarrollo, aquellas actividades numeradas con cifra impar corresponden a las acciones *aprehensivas,* en tanto que aquéllas a la que les corresponden una cifra par se refieren a las actividades tendenciales, *orécticas* o *impulsivas,* como seguidamente se verá.

1. Sensaciones. La primera etapa de la vida consciente del hombre empieza por la actividad de los cinco sentidos externos, que corresponden a las cualidades sensibles que nuestra naturaleza puede captar. Es posible que la realidad cuente con otras muchas cualidades equiparables a estas sensibles nuestras, pero no pueden recibir ese calificativo, no tanto por causa de ellas mismas, sino por causa nuestra, ya que somos nosotros los que carecemos de sentidos que puedan aprehender esas virtuales cualidades, en caso de existir. Así como hay sonidos que no son sensibles para nosotros, pero sí para un perro, podrían darse otras actividades de las realidades materiales con las que nuestra naturaleza no se encuentra sintonizada, por carecer del sentido correspondiente a ellas, como carece de la sensibilidad de la que están dotados, por ejemplo, los murciélagos para captar las ondas resonantes que ellos mismos emiten, a fin de orientarse entre los muros que los rodean en la obscuridad, allí donde nosotros tropezaríamos irremediablemente. Por las sensaciones captamos, pues, algunas de las cualidades sensibles de las que está dotada nuestra realidad material.

2. ***Sentimientos***. A partir de las cualidades sentidas, surge en nosotros una tendencia, de placer o disgusto, de atracción o repugnancia, que denominamos sentimiento. Así como la sensación es aprehensiva, el sentimiento es tendencial u *oréctico*. No meramente conocemos la cosa sentida, sino que tendemos hacia ella, o de ella nos retraemos.

3. ***Imágenes***. En el orden aprehensivo, la reunión de varios sensibles referidos a un mismo objeto, o a varios objetos en un determinado contexto, da lugar a que percibamos objetos unitarios de los que elaboramos imágenes. La percepción de objetos se diferencia de la sensación de cualidades sensibles, en que éstas resultan en cierto modo átomas, disgregadas de las cualidades captadas por otros sentidos. El color blanco de la pared, captado por la vista, no se refiere, en la mera operación aprehensiva o captación de los sentidos, a la dureza de la misma pared captada por el tacto. Esta *referencia* la hace propiamente la percepción en la elaboración de una *imagen* del objeto en cuestión. La percepción podría definirse, por tanto, como la asociación de sensaciones e imágenes referidas a un mismo objeto que es el fundamento de tal asociación. No pocos psicólogos dudan con fundamento de que el hombre sea capaz de captar sensibles aislados, o, más precisamente, de tener sensaciones disociadas de cualquier percepción, o, aun dicho de otra manera, sensaciones que se encuentren aisladas de toda imagen. En este sentido, pensamos que Cornelio Fabro, en su *Percepción y Pensamiento*, supone un avance importante en el conocimiento sensible. Resalta, en efecto, el importante papel que guarda, en la sensibilidad humana, el llamado por Aristóteles *koiné aistheté o sentido común*, que es capaz no ya de sentir las cualidades sensibles captadas por los sentidos, sino de sentir

las *sensaciones* de éstos, haciendo posible de esta manera la elaboración de imágenes, compuestas orgánicamente por varias sensaciones de los sentidos externos. Así como la vista no puede captar la dureza, ni el tacto el color, el sentido común puede captar el color y la dureza de la pared, posibilitando la elaboración de la imagen de la pared como objeto completo.

4. ***Afectos.*** De la operación aprehensiva de las sensaciones brota, como dijimos, la tendencia impulsiva del sentimiento. De la operación que elabora imágenes de objetos, surge, de modo naturalmente encadenado, otra operación tendencial que denominamos afecto, aunque no pocos pensadores la llamarían de modo diferente. Entendamos ahora, pues, sin discusiones terminológicas que a nada nos conducirían, que los afectos son las tendencias de atracción o repulsa surgidas en nosotros no ya a partir de la sensación de determinadas y átomas cualidades sensibles, sino partiendo de los objetos sentidos, de los cuales hemos elaborado una imagen conjunta a ellos referida. La vista puede agradarse con el color brillante de la luna, pero no siente *afecto* hacia ella. El afecto hacia la luna lo sentimos por la luna misma, uniendo en ella su brillo y su imagen circular; afecto, o desafecto, cuando en una noche de cansancio nos impide dormir. El afecto puede tenerse sobre todo a las personas, por sus configuraciones sensibles, pero también a las cosas, aunque no pocas veces debido a la relación que hacemos de éstas con aquéllas. El afecto, por ejemplo, de las personas a ciertos animales, parece que lleva a cabo la extraordinaria acción de *humanizarlos* si no es que, por desgracia, es el sujeto el que se *animaliza.*

5. ***Cogitaciones.*** Mientras la imaginación, auxiliada por el sentido común, es capaz de elaborar imágenes de objetos, haciendo que sea posible tener afectos por ellos, hay otra facultad del hombre que la filosofía clásica ha denominado *cogitativa,* la cual considera las realidades sensibles, sentidas, percibidas o imaginadas, en las que se

subraya otro rasgo de la realidad. No ya si me gusta o me suscita afecto, sino la relación real efectiva o causante que tiene para mí como sujeto que la siente (utilidad o perjuicio, peligro o protección, etc.) La cogitativa representa el grado más alto del conocimiento sensible humano, al punto de que se anticipa de alguna manera al propio conocimiento intelectual, precediéndolo estrechamente. Es el conocimiento sensible que es capaz de aprehender las cosas como sujetos de acciones que se refieren o pueden referirse a mí de múltiples maneras. Con este tipo de conocimiento surge en el hombre otra clase de acción tendencial u oréctica que denominamos *emoción*.

6. ***Emociones***. Como ya hemos dicho, las emociones son los impulsos que arrancan en la parte tendencial del hombre hacia o en contra del objeto aprehendido por la cogitativa. Se distinguen de los simples afectos por la condición de una mayor totalidad. En efecto, el objeto que suscita la emoción es captado por la cogitativa en sus múltiples diversidades (la diversidad multiforme de la realidad). Ello explica que el hombre pueda darse cuenta de que hay algo que le resulta inconveniente, aunque le guste o le atraiga. Si sólo se basase en el precario conocimiento que le proporcionan los sentidos y la imaginación, se dejaría llevar sólo por lo placentero o lo que despierta en él atracciones afectivas. A esta totalidad del conocimiento del objeto (totalidad al menos en relación con los sentidos y la imaginación), se añade otra totalidad, pero esta vez no referente al objeto conocido sino al sujeto que conoce y que, así conocido mediante la cogitativa, puede emocionarse. La emoción –casi moción– penetra en el centro de la sensibilidad humana, y lo cimbra por completo. Si no intervienen ahí la inteligencia y la voluntad –como pronto veremos–, las emociones de acercamiento o de huida resultarían indefectibles. Las emociones, emparentadas con el instinto, que también surge de la cogitativa, son igualmente vecinas a las pasiones, las cuales no pocas veces, como nos lo hace ver la literatura clásica, resultan arrebatadoras.

7. ***Ideas y juicios.*** En este momento interviene la inteligencia. Se trata de la operación aprehensiva culminar de la naturaleza humana. Queremos decir con ello que en las ideas y juicios el hombre logra captar a la realidad con la máxima objetividad que le es posible. En las demás acciones cognoscitivas el hombre termina considerando las cosas como estímulos de sus *sentimientos*, modos o maneras para que las realidades del entorno se le conviertan en objetos de sus afectos, o, finalmente, de su *utilidad o provecho*. Aquí, mediante las operaciones de su inteligencia (cuyo origen etimológico se remonta al *leer dentro -intus legere-*), el hombre se introduce en el interior de lo que son las realidades del entorno, hasta llegar a entenderlas con objetividad, en lo que ellas son de suyo, y no superficialmente en lo que presentan por su relación conmigo. Gracias a las ideas, el ser humano llega al conocimiento de los distintos respectos reales, *al margen de sí mismo*, en lo que reside la objetividad; y gracias al juicio vincula esos respectos parciales, entre sí y con la realidad de donde fueron obtenidos. Podría pensarse que en virtud de esta objetividad, el hombre se encuentra en condiciones de poder *decidir* lo que *quiere* hacer con ella, llegando de este modo al último estadio de su vida espiritual. Mediante la inteligencia el hombre llega a saber *cómo están las cosas*. Mediante la voluntad, que es la facultad humana que decide, se enfrenta con la realidad *tal como es*, a fin de decidir después lo que hacer con ella para que *sea como quiere* (a veces querrá sólo contemplarla, lo cual sería aristotélicamente el verdadero fin suyo).

8. ***Decisiones.*** Así como la inteligencia conceptualiza y juzga sobre la realidad, la voluntad que es la otra actividad propiamente espiritual del hombre, elabora decisiones, que desencadenarán el resto de las acciones humanas. El hombre decide, sí, sobre lo que va a hacer con las cosas que le rodean, pero a veces decidirá no hacer nada con ellas, lo cual es una verdadera decisión; pero también ha de decidir sobre la realidad más importante, la que más directamente le atañe:

sobre esa realidad que es él mismo. En otro lugar,[20] y en este mismo estudio que ahora realizamos sobre el sentimiento y el comportamiento del líder en la organización, hemos afirmado que este mantener la inteligencia en la comprensión de sí mismo, vale decir, el lograr que el conocimiento sobre nosotros mismos sea objetivo, se denomina *humildad*, y es la *conditio sine qua non* para elaborar un proyecto acertado de la propia vida, en el que se decida no sólo lo que quiero tener y hacer, sino especial y primariamente lo que quiero *ser*.

Resumiendo, las etapas alternantes (aprehensivas y tendenciales o motoras) de la vida consciente del individuo son las que siguen:

1.- Sensaciones (aprehensivas o cognoscitivas).

2.- Sentimientos (tendenciales, motoras u orécticas).

3.- Imágenes (aprehensivas o cognoscitivas).

4.- Afectos (tendenciales, motoras u orécticas).

5.- Cogitaciones (aprehensivas o cognoscitivas).

6.- Emociones o pasiones (tendenciales, motoras u orécticas).

7.- Ideas y juicios (aprehensivas o cognoscitivas).

8.- Decisiones (tendenciales, motoras u orécticas).

Estamos en condiciones de dictaminar que lo errores y desvíos que más frecuentemente se dan en la vida consciente del ser humano derivan de estas dos causas: o bien no se guarda la continuidad seriada de las distintas actividades predichas o bien no se guarda la alternancia.

---

[20] Carlos Llano, *La reflexión*, " Bases noéticas para una metafísica no racionalista". Promanuscrito, *Apud* Universidad Panamericana, México, 2003. La colección completa "Bases noéticas...", contiene, además, los volúmenes: *La abstracción*, *La separación* y *La demostración*.

Ocurre lo primero (no se observa la continuidad), cuando el hombre quiere entender sin sentir o tener afectos sin imágenes. O cuando el hombre quiere decidir basado sólo en los afectos o emociones, y no en las ideas o juicios.

Ocurre lo segundo (no guardar la alternancia aprehensiva-oréctica) cuando permitimos tener sentimientos sin sensaciones, o afectos sin imágenes, o finalmente decisiones sin juicios.

Hemos dicho en la recién citada obra: *La reflexión*, que los errores intelectuales tienen varios remedios. Señalamos uno de ellos en el seguimiento del método adecuado para cada objeto. No puede cartesianamente imponerse un método único para cualquier tipo de objeto, reduciéndolos todos a objetos matemáticos, por ejemplo. En este momento no hablamos de una metodología cognoscitiva o científica. Decimos, de un modo más general, que nuestra vida propiamente humana debe seguir un camino, un método, *seriado y alternante*. Como lo hemos afirmado en otras ocasiones, no se ha de pensar con el corazón ni querer con la cabeza. El hombre es una realidad orgánica unitaria que debe conservar sus leyes dinámicas internas, y la que aquí hemos sucintamente descrito, es una de ellas, y no la menos importante. Para decirlo de una manera analógica, quizá no del todo apropiada, así como hay una secuencia en la vida consciente (aprehensiva y oréctica), la hay también en la dinámica digestiva, que nos recomienda no ingerir sin masticar, o no comer cuando -salva la enfermedad- no se tiene hambre, y no comer únicamente sólidos o únicamente líquidos, sino unos y otros alternadamente. Ocurre sólo que la dinámica humana, referida a lo material, es más comprensible, por más externa, en tanto que la vida del espíritu es menos aceptable por más comprometedora.

Hemos llamado a esta secuencia *reflexión circular* porque, si se observa bien, cada movimiento tendencial viene precedido por una etapa cognoscitiva. La relación entre ambas es una clara reflexión mutua: las sensaciones se reflejan sobre los apetitos sensitivos tendenciales, y éstos atienden o se vierten (reflexionan) no sobre sí mismos -porque en las potencias materiales ello es imposible- sino sobre las actividades sensitivas que les son naturalmente previas. Y lo mismo puede decirse de modo inverso.

Pero este movimiento es circular porque la serie puede -y en ocasiones debe- revertirse siguiendo el camino inverso: las ideas han de regresar a las sensaciones o imágenes de donde fueron obtenidas. Y, sobre todo, las decisiones han de tener presentes -mediante la inteligencia- los afectos o emociones, para no proferirse basándose sólo en ellas, sino especialmente en las ideas y juicios intelectuales, a fuer de su carácter más objetivo, que ya ha sido señalado.

Donde este movimiento circular reflexivo puede atenderse paradigmáticamente es en la relación reflexiva, *circular precisamente*, que tiene lugar entre la inteligencia y la voluntad, que no son potencias materiales asentadas *per se* en un órgano material, y son por ello transparentemente reflexivas: el entendimiento conoce *porque* la voluntad quiere que conozca, y la voluntad quiere *lo que* el entendimiento conoce.

——— o ———

Resta por uitimo advertir, después de lo dicho, que en el diagnóstico la inteligencia debe *someterse* -¡humildemente!- al objeto, y la voluntad tiene la función de desbrozar la límpida relación que el entendimiento debe guardar en el diagnóstico con su objeto (repetimos: el objeto del diagnóstico es la situación real en que me encuentro, las circunstancias del yo), para que la supeditación que la inteligencia ha de guardar con ese objeto no se entorpezca al inhibirse sentimientos, afectos, emociones, pasiones... sin cauce alguno.

De estas posibles inherencias hay dos de las que debemos salvaguardarnos, porque se reiterarán en la segunda fase del diagnostico: no ya el entendimiento de *las circunstancias del yo*, al que hasta ahora nos hemos referido, sino al entendimiento del *yo de las circunstancias*, al que seguidamente nos referiremos (II, 2.2).

Estas dos posibles inherencias en nuestro conocer son caracterológicas: el optimismo y el pesimismo. Debemos salvaguardarnos de ellas de modo particular al hacer el diagnóstico de la situación real de la que han de partir nuestras acciones futuras. Esta situación real, estas circunstancias, nos presentan siempre *oportunidades* para poder fijarnos objetivos deseables, pero también *amenazas* que no sólo atentarán contra esos objetivos sino que pueden hacerlo incluso contra las metas ya logradas, las cuales constituyen, en el diagnóstico, la situación establecida o el punto de arranque de futuras acciones.

Lo importante no es que aparecen en todo diagnóstico oportunidades y amenazas. Unas y otras pueden considerarse, calibrarse y definirse objetivamente, y ambas nos ofrecerán el cuadro o escenario dentro del cual podemos determinar nuestras elecciones de acción. Lo importante es que, independientemente de las condiciones reales y objetivas, los sujetos que hemos de hacer el diagnóstico de la situación, podemos tender caracterológicamente hacia las unas -oportunidades- o hacia las otras -amenazas-. Además, pues, de la realidad ostensiva de las unas y de las otras hemos de considerar nuestro carácter emocional, afectivo o sentimental: somos optimistas o pesimistas, con un optimismo y un pesimismo que condicionan nuestra inteligencia hacia un lado o hacia el otro. Debemos, pues, retraer sumisamente estas tendencias ante la realidad objetiva. De lo contrario no definiremos bien nuestro diagnóstico. Las circunstancias del yo serán vistas no en lo que son de suyo, sino bajo la óptica prevalente del yo de las circunstancias.

Pensamos que estas dos inclinaciones caracterológicas deben ser tema de una reflexión de nuestra parte. Pero no sólo esto. Ellas nos indican que ya en la primeriza definición del diagnóstico se requiere el trabajo en equipo. Sería imprudente dejarnos llevar por nuestro optimismo o nuestro pesimismo caracterológico; para eso contamos con la inteligencia y la voluntad: para encauzar lo que emocional, temperamental o experimentalmente acarreamos en nuestro carácter. Pero en mayor imprudencia incurriríamos si el conjunto de personas que han de diagnosticar la situación en que nos encontramos fueran todas ellas optimistas o todas ellas pesimistas. El trabajo en equipo requiere más versatilidad caracterológica que sensibilidad funcional, técnica o profesional: no todos han de ser ingenieros, no todos caucásicos, no todos abogados... ni todos optimistas o pesimistas.[21]

Nos damos cuenta de que el diagnóstico que perfila la situación presente o punto de partida de nuestros actos, precisamente para ser objetivo, requiere del hombre no sólo el mirar hacia fuera, sino reflexionar hacia adentro, para percatarnos si nuestra inteligencia se deja dominar por las realidades objetivas, o da consciente o inconscientemente lugar a que inhieran en ella aspectos caracterológicos, temperamentales, emocionales, afectivos... que tienen una dimensión claramente egótica.

El hombre de diagnóstico no sólo ha de ingerir la circunstancias externas: ha de roerlas con cuidado, ha de rumiarlas con prudencia. Esto nos incita ya a estudiar la otra dimensión del diagnóstico: no sólo las circunstancias que rodean al yo, sino al yo mismo rodeado por las circunstancias.

2.2 El yo de las circunstancias

Para acertar en la definición de las circunstancias del yo hemos pedido a nuestra inteligencia la rara cualidad de la objetividad. Hemos visto, seguidamente, que la objetividad viene apuntalada y propiciada por la humildad, ya que, para ser realmente objetivos, para que predomine el objeto real, hemos de olvidarnos de nosotros mismos. La humildad aparece, pues, como basamento capilar en la primera de las dimensiones de la primera de las funciones directivas: el diagnóstico de las circunstancias del yo.

---

[21] Cfr. Carlos Llano. *Falacias y ámbitos de la creatividad*, en cuyo capítulo "La sinergia del trabajo en equipo", pp. 315 y ss, se hace un detenido análisis de la versatilidad de los equipos de trabajo atendiendo a la versatilidad de funciones, tareas, regiones, proyectos, profesiones, tendencias laborales, tendencias técnicas, tendencias humanísticas, áreas y caracteres de trabajo.

Pero el diagnóstico encierra dentro de sí otra dimensión, si cabe, más decisiva. Hacia afuera, hemos de ver las oportunidades y las amenazas del entorno. Pero, además, hacia dentro, hemos de calibrar las fuerzas y debilidades del yo a fin de aprovechar aquellas oportunidades o librar aquellos obstáculos.

Es aquí, precisamente, donde la humildad -que estará presente, como veremos y hemos venido viendo, en todas las funciones de la dirección-, encuentra su más apropiado aposento. La humildad, filosóficamente, parece más una cualidad que pertenece a la voluntad que un aspecto de la inteligencia. En efecto, suele definirse como aquella virtud por la que refrenamos nuestras apetencias a tender a aquellas realidades que nos superan.[22] De manera paralela puede definirse como el deseo de evitar las pretensiones exageradas a la propia honra, precisamente porque venera en sí y en los demás un vivo trasunto de Dios. O, más exactamente, es el deseo, que descansa en la profundidad misma del alma, de atenerse al orden jerárquico de los seres por Dios determinado.[23]

Sin embargo, en el conocimiento usual, la humildad se refiere más al conocimiento que al apetito o a la voluntad. En el *Diccionario Académico de la Lengua*, la voz "humildad" se reconoce como una virtud cristiana, lo cual nos remite a lo que con cierta timidez dijimos al respecto en la introducción del presente libro. Tal virtud se refiere al *conocimiento*, pues, "consiste en el conocimiento de nuestra bajeza y miseria, y en obrar conforme a él".

Ambas consideraciones -la filosófica y la del hombre común- nos parecen compatibles. Cuando nos refiramos al acto directivo de la decisión,[24] reaparecerá como un movimiento del alma que coopera

[22] Tomás de Aquino, *Summa Theologiae*, II-II, q. 161, a. 2, c.
[23] Walter Brugger, *Diccionario de filosofía*, Herder, Barcelona, 1958, Honra, p. 245; Cfr. J.B, Schuster, *Ehre und Demut* en "Stimmen der Zeit" 127 (1934), p. 1-6.
[24] Cfr. *Supra* II, 3: *Decisión*.

para que nuestros objetivos (o metas de nuestros deseos) se determinen proporcionalmente a nuestras necesidades.

Ahora, en cambio, supuesto que estamos hablando de ese conocimiento que denominamos diagnóstico, resulta preferible ver a la humildad como algo que pertenece al conocimiento, y *precisamente al conocimiento del yo*: aquí, en el conocimiento del yo, se quintaesencia, condensa y cristaliza cuanto pueda decirse de la humildad, que es sin duda mucho.

No obstante, deseamos señalar, primero, que la humildad es un conocimiento del yo, no un conocimiento de la bajeza del yo, ni un conocimiento que refrena nuestras exageradas pretensiones, sino simplemente un *conocimiento del yo,* con todo lo que el yo objetivamente implique, sea alto o bajo. Queremos decir que la humildad no puede separarse de la verdad. Dicho precisamente, la humildad se define, para nosotros, como *el conocimiento verdadero del yo*.

En esta sencilla propuesta se encierra, sin embargo, un obstáculo intrínseco. Efectivamente, el *conocimiento verdadero* es el conocimiento que se encuentra adecuado o conforme al objeto real conocido. No obstante, en este peculiar conocimiento que es la humildad, el sujeto que conoce se identifica con el objeto a conocer. Si el conocimiento verdadero es *objetivo* aquí la objetividad no es enteramente posible, pues habría de conocerse el objeto como si no fuera el propio sujeto el que se conoce a sí mismo.

Hemos de ser conscientes de que no podemos suprimirnos a nosotros mismos al conocernos a nosotros mismos. No nos podemos convertir absolutamente en objetos de conocimiento, pues para ello deberíamos dejar de ser sujetos, lo cual no sólo no es posible sino que, si lo fuera, dejaría de darse el conocimiento del objeto, pues no hay objeto sin sujeto: no puede darse un objeto de conocimiento sin que se dé al propio tiempo un sujeto que lo conozca.

Lo anterior no es en modo alguno una sutileza gnoseológica propia de la filosofía. Es la razón última -y por tanto filosófica- en virtud de la cual la verdadera humildad, vale decir, el verdadero conocimiento de nosotros mismos (o el conocimiento verdadero de nosotros mismos) constituye un ideal inalcanzable, aunque siempre es posible, de nuestra parte, una mayor aproximación a él. El que no nos podamos conocer a nosotros de un modo total y profundo, no nos excusa, al contrario, de los intentos para llegar a conocernos de un modo menos superficial y menos parcial que ahora.

Esta dificultad de objetivarnos se recrudece, además, por la diametral oposición a la humildad que es nuestro egoísmo. El egoísmo megalómano es el que padece aquel hombre que se piensa el centro del universo, al grado de que las realidades universales adquieren realidad auténtica en el grado, y sólo en el grado, en que hacen referencia a él mismo.

La psicología moderna describe al egoísta como un sujeto que exacerba las relaciones de propia referencia: todo lo que ocurre hace referencia a mí, de alguna manera, al punto que la principal manera de ser de la realidad es su relación de referencia conmigo. Si alguien no me saluda, en lugar de pensar que se encuentra excesivamente preocupado por otro menester que nada tiene que ver conmigo, y sí mucho con él, pienso que ha querido demostrarme que soy para él poco importante... Si el sol se obscurece, pienso como un salvaje primitivo: se encuentra enfadado conmigo y he de presentarle ofrendas para conseguir su beneplácito... Con ello se ve que las relaciones de referencia son, además de versiones egoístas, falta de cultura personal, falta de capacidad de objetivación. Zubiri -ya dijimos- llama al hombre *animal de realidades*, esto es, un ser vivo que capta la realidad como tal, como la realidad es de suyo, antes de cualquier relación conmigo, antes incluso de esa relación conmigo en virtud de conocerla. Y por ello deja de ser mero animal, para ser hombre.

Aparece aquí la otra forma de imposibilidad de una objetivación completa: pues no puedo llegar a conocer las cosas como son antes de conocerlas, lo que sería el genuino conocimiento de las cosas como absolutamente reales, como son en sí y no en su relación conmigo, aunque fuese una mera relación cognoscitiva.

El hombre, como animal de realidades, se opone al animal no humano, para el que las circunstancias del entorno no son realidades que tienen peso y valor de suyo, independiente de su relación con el animal de turno, sino que son *estímulos* para él. Hablamos entonces de un *animal de estímulos*, para el que las circunstancias son sólo incitaciones ante las que debe reaccionar (favorable o desfavorablemente). Si no se le presentaran como estímulos, no serían nada para él: la realidad, en tanto que tal, no existiría por cuanto que *no le importa que exista*.

No obstante, el egoísmo no debe verse sólo como la autoconsideración del sujeto en cuanto centro de referencias. El egoísmo, considerado en su límite, consiste en referir a mí mismo los objetos de conocimiento. Dijimos que la verdad consiste en la adecuación del conocimiento al objeto real. El egoísmo trastoca los términos: es el objeto a conocer el que debe acoplarse a mi conocimiento. Todo conocimiento haría que el objeto sea subjetivado por ese conocimiento, en lugar de que el conocimiento sea objetivado por la realidad.

El egoísmo impide, así, el conocimiento verdadero, haciendo válida la subjetivista expresión de Ramón de Campoamor: "En este mundo traidor, nada es verdad ni es mentira. Todo es según el color del cristal con que se mira", y conformándose con este relativismo, en vez de esforzarse por conocer la realidad sin coloraciones egotistas, sino con una transparencia en la que sea el objeto real, y no yo, el que predomine.

Si el egoísmo, en su versión más extrema, nos impide ver la realidad objetivamente, pues todo se halla referido al yo, la humildad pretende, en sentido contrario, conocer al yo objetivamente. De acuerdo con Martín Heidegger, no podremos llegar a la verdad (de las cosas) más que por medio de la libertad (de mis intereses), esto es, sólo tendré acceso a las realidades que me circundan poniéndome yo entre paréntesis, para no trastocar con mis deseos y afanes la realidad, que habrá de ser intocable.

Esta afirmación se complementa *ante litteram* mediante el apotegma de Teresa de Ávila que es fundamental en gnoseología: *la humildad es la verdad.* Pero la verdad en su ángulo más difícil: la verdad sobre nosotros mismos. Este apotegma definitorio nos indica que el problema de la verdad del conocimiento -y en especial la verdad del conocimiento de nosotros mismos-, no es sólo un asunto que se encuentra en el puro nivel noético, sino que se eleva a un plano diferente.

Sin embargo, esta afirmación de Santa Teresa no ha sido siempre bien entendida, precisamente por una equivocada percepción moral. Quien sostiene que *la humildad es la verdad* lo hace para mostrar que las buenas cualidades que posee, y de las que habla, no implican soberbia (tal sería si no las poseyera), sino objetivo y humilde conocimiento de sí mismo. Pero quienes tienen tal afirmación en su boca de modo frecuente, la omiten justo cuando no están hablando - ni ellos ni sus interlocutores- de sus buenas propiedades, sino de sus deficiencias y desaciertos. Es verdad aquí -y precisamente aquí- que la humildad es la verdad; lo es a tal grado que el hombre verdaderamente humilde no tiene empacho en admitir *de buena gana* -con el deseo de corregirlas- las deficiencias de las que es susceptible, y de las que los demás le avisan.

Como la estrecha y decisiva relación de la humildad y la verdad (Teresa de Ávila), y de la verdad y libertad (Martín Heidegger), resulta cognoscitivamente radical, preferiríamos que en este asunto no quedaran cabos sueltos, de los que nos arrepentiríamos después.

La *humildad es la verdad* es una propuesta que abraza diversas implicaciones, no siempre agradables para aquél que tiene la inclinación a utilizarla. Pues ya se ha dicho que el conocimiento objetivo de sí mismo se encuentra erizado de dificultades precisamente objetivas, y resulta un conocimiento de los más arduos si los hay. La persistencia de los prejuicios y las subjetividades puede superarse no con un mero conocimiento lógico (pues dentro del mismo estarán entrañados los prejuicios que han de superarse), sino *dialógico*, ya que el interlocutor, al no estar afectado por la misma subjetividad –prejuicios- de aquel con el que diálogo, se encuentra en circunstancias de desvelar como prejuicio lo que es considerado por su dialogante como realidad objetiva.

Ello debe advertirse para hacer válida individualmente la susodicha propuesta: la humildad es la verdad. La verdad a la que aquí se refiere el apotegma no es el conocimiento propio de las personales cualidades y defectos sino el conocimiento que un supuesto o real interlocutor puede captar respecto de nosotros. Aceptar entonces la objetividad del otro más que la propia -yo sería siempre, al cabo, juez y parte de lo que conozco sobre mí- es, ciertamente, la verdad.

Lo mismo analógicamente puede decirse de la situación adversa: es humilde el que considera como válidos los defectos descritos por un supuesto o real interlocutor, aunque él piense de manera diversa, precisamente porque sabe que el juez no es buena causa de sí. No quiere ello decir –entiéndase bien- que respecto de nuestra propia persona –nuestras limitaciones y defectos- los demás gozan siempre de una objetividad de la que nosotros siempre carecemos. No siempre, pero muchas veces. De ahí que nuestra tarea, si queremos llevar al ámbito del conocimiento propio el principio de que la humildad es la verdad, hemos de desconfiar de nuestras afirmaciones personales acerca de nuestras cualidades y defectos; y hemos de confiar más en las observaciones de quienes nos conocen y nos estiman, respecto de nuestro perfil psicológico. No se nos escapa en este punto la clara dimensión moral de tales acontecimientos.

Se dirimen aquí la verdad y el error no tanto gracias a los avances de la técnica psicológica, cuanto por la eliminación de un falso y cerril empecinamiento que es -por soberbia- la antípoda de la verdad humilde o de la humildad verdadera.

Nos importa enfatizar más el aspecto moral de estos hechos, antes que su óptica emocional. Estamos concordes con Goleman cuando nos dice que hay en los hombres una sobreestimación de lo que valen,[25] al grado de que puede hablarse de una *tasa de inflación* del yo, la cual se detecta fácilmente al calcular la diferencia existente entre la autoevaluación y la heteroevaluación. Esta tasa de inflación, a la que Goleman llama la enfermedad del CEO (*Chief Executive Officers*), es más grande cuanto más alto se encuentra el nivel del interesado en la organización, fenómeno paralelo a lo que también se ha llamado el líder narcisista.[26]

Este fenómeno, para Goleman, reside en una falla de la inteligencia emocional, consistente en creer que no es posible el cambio, y, por tanto, no se valora el *feed-back* negativo -el *desagradable feed-back* negativo, dice- que al CEO pudiera dársele.[27] Sin marginar las anteriores aseveraciones, nosotros preferimos traducirlas a los términos de la antropología clásica, no con otro motivo que el de llevar muchos más años de comprobación (no se puede aún decir ahora que Goleman es un clásico). La sobrevaloración del propio yo no es un problema de inteligencia (emocional o no) sino ético: esta sobrevaloración puede llamarse falta de humildad, o, sencillamente, soberbia.

El conocimiento verdadero (y específicamente el conocimiento verdadero sobre el propio yo) consiste, precisamente, en la primacía de la realidad sobre el yo que la conoce. Esta pretensión se logra, como es fácil de ver, desde ambos extremos: o bien presentando la realidad en su posición prevalente, poniéndola en condiciones de evidencia, para que no quepa la menor duda de su objetividad; o bien *propiciando el sometimiento del yo para que se deje imponer por la fuerza de la realidad.* A este sometimiento le hemos llamado humildad; y a la rebeldía del yo sobre su objeto, egoísmo o soberbia.

---

[25] Daniel Goleman *et al. El líder resonante...*, p. 130 y ss.

[26] Michael Maccoby "Narcissistic Leaders: The incredible Pro, the inevitable Cons" en *Harvard Business Review*, January-February 2000, pp. 69-75.

[27] Daniel Goleman *et al.*, *El líder resonante...*, p. 129. *Sobre* el mismo asunto, Cfr. *Infra* I, 10: *Preponderancia.*

Nuestra reflexión sobre el conocimiento requiere el cuidado en estos dos flancos que son, a su vez, inversamente proporcionales: a mayor importancia que se le dé al yo cognoscente, menor evidencia y epifanía de la realidad conocida; de igual manera, a mayor luminosidad del objeto a conocer, menor fuerza subjetiva por parte del entendimiento.

Esta sería, pues, otra descripción de la humildad en nuestros juicios verdaderos: el entendimiento se deja vencer por el objeto; cede al objeto la última palabra. Tal supuesta derrota del yo es precisamente su victoria, porque el entendimiento y el yo intelectual son propiamente tales cuando se hallan en la verdad.

No debemos olvidar que lo anterior, ya de suyo difícil, se complica en el caso del conocimiento de sí mismo (conocimiento verdadero en que consiste justamente la humildad), porque aquí el objeto a conocer es -y no nos importa repetirlo- el propio sujeto que lo conoce. Hacemos notar que en los párrafos anteriores se han hecho afirmaciones poco banales, que sería grave considerar como descontadas. Pues la reflexión intelectual del diagnóstico, que podría considerarse *primo ictu* como una actividad monopólicamente intelectual, se nos ha transformado en una realidad antropológica completa; sobre todo, moral. La adquisición de las virtudes humanas no se lleva a cabo sólo considerándolas, sino encarnándolas o ejerciéndolas, como se patentiza en la *Ética Nicomáquea* de Aristóteles. La humildad es la virtud fundamental, no porque sea la más importante, sino por ser *conditio sine qua non* de las demás, pues sin ella no hay ninguna otra que lo sea.

Esas afirmaciones adquieren también importancia en el momento cultural contemporáneo, en el que nadie ignora que la tendencia usual en los pensadores es la soberbia del pensamiento, cuando debería serlo el valor mostrativo de la verdad. El auténtico intelectual debería ser socialmente ignorado. Ello, no por carencia de relieve, sino porque su relieve se halla -insistimos- no en él, sino en la realidad que nos muestra. Subrayar quién es el que ha demostrado un avance concreto de la ciencia o descubierto cualquier adelanto en la investigación de un determinado campo, no es en rigor conocimiento sino mera erudición. Ya dijimos, precisamente al hablar sobre la egolatría, que en el ámbito de la inmanencia prevalece el yo sobre la realidad: no si la realidad se da de esta o de otra manera, sino *quién nos ha dicho* que es de esta manera y no de la otra.

En resumen, la humildad nos evita, más que cualquier otro ejercicio gnoseológico, comenzar cartesianamente con un *yo pienso* en lugar de hacerlo veritativamente con el *objeto sobre el que estoy pensando*, de modo tal que mi pensamiento procure por el objeto, no por sí mismo, sabiendo con humildad que la procuración por el objeto real es la más fuerte procuración por el pensamiento del yo.

Hemos dejado arriba una observación inconclusa, a la que debemos retornar. Hay una difícil objetividad que ha de lograr el sujeto sobre sí mismo, para acertar en esa dimensión del diagnóstico que hemos denominado *el yo de las circunstancias*. Pero esta dificultad puede soslayarse si en lugar de que yo me haga un diagnóstico sobre la situación en que yo mismo me encuentro -con mis capacidades y limitaciones- es otro quien, como un *alter ego*, me ayuda a llevar a cabo esta difícil tarea.

Ello es válido especialmente en lo que hemos denominado *feedback negativo*, bien porque nos señalen objetivamente nuestros defectos objetivos de los que no éramos sabedores, bien porque nos rebajen las altas cualidades que considerábamos erróneamente tener.

En: *La amistad en la empresa*[28] hemos desarrollado un capítulo acerca de las ideas básicas sobre el *modo de corregir*. En esa ocasión avanzamos esta idea: para que nuestras correcciones o reapreciaciones negativas puedan ser aceptadas por nuestros colaboradores, deberíamos alentar la disposición, difundir la costumbre, acoger con aquiescencia, las correcciones negativas que nuestros subordinados lleven a cabo con nosotros.

---

[28] Carlos Llano, *La amistad en la empresa*, pp. 239 y ss.

Consideramos esta importante actitud del jefe como una condición imprescindible, para que a su vez ellos, los subordinados, puedan modificar su conducta gracias a nuestras indicaciones. Pero la aceptación de las correcciones que los demás nos hagan no es un medio para que nosotros *podamos dirigir mejor*, esto es, alentar, modificar, corregir, orientar las actividades de las personas que de nosotros dependen. Es mucho más: si propiciamos, escuchamos y aceptamos las observaciones que nuestros colaboradores nos hacen, no sólo podemos dirigir mejor sino que *podremos ser mejores nosotros mismos*, lo cual tendrá como una de muchas consecuencias, y quizá para nuestra persona no la más importante, el que podamos dirigir mejor.

Acerca de la valoración de las personas utilizando la circunspección de los 360 grados, para evaluar nosotros a algún colaborador, debemos conocer la valoración de sus competencias y de su trabajo por parte de sus subordinados, colegas, jefes, e incluso proveedores y clientes con los que se encuentra en su trabajo. Pero lo que sirve para evaluar a los demás sirve peculiarmente para que los demás nos evalúen. Un líder humilde, en su deseo eficaz de ser valioso, ejerce esa privilegiada fase de la prudencia que denominamos circunspección. No sólo nos evalúan impersonalmente los resultados que obtenemos con nuestras acciones, sino de manera personal los juicios de todas las personas -360- que trabajan con nosotros.

Si el *feed-back* negativo ha de ser mutuo, para que realmente se dé, la propia valoración ha de ser también hecha por aquellos mismos a los que nosotros evaluamos. La *humildad es la verdad* acarrea consigo estas condicionantes, por duras que, en primera instancia, debemos admitir. Esto debería ser una costumbre habituada por un líder que busca equipos que trabajen juntos, a pesar de los defectos de unos y otros, porque representa el deseo de superarlos conjuntamente, que es lo más importante del trabajo en equipo.

Lo que estamos diciendo parece que marcha a contrapelo de las ideas psicológicas actuales, las cuales buscan ante todo en las personas lo que modernamente se llama *autoestima*. Una buena parte -se dice- de los trastornos psíquicos humanos se superan mediante la seguridad en nuestra valía. Nos permitimos decir que ello, sin más, es falso. La persona psíquicamente normal es -volvemos a repetir- la que se conoce como es objetivamente, gracias a la abierta reflexión sobre sí y a las observaciones de los demás. Este proceso de autoconocimiento nos lleva a la verdad sobre nosotros mismos -en lo bueno y en lo malo-: sería ya desfigurar la realidad propia si *queremos conocernos para auto-estimarnos.*

Es evidente que toda persona, por el hecho de serlo, incluye *propiedades* que son dignas de estima, y por *propias*, el sujeto que las posee es digno igualmente de la *autoestima* que a ellas corresponde. Pero también es evidente que toda persona, por el hecho también de serlo, incluye *defectos* que son susceptibles de recriminación, y como son defectos propios, merecen su *auto-recriminación.*

Intentar conocernos para valorarnos o para denigrarnos es una de las maneras más comunes de faltar a la objetividad del conocimiento de las circunstancias del yo en el diagnóstico, y de faltar a la humildad del yo de las circunstancias.

Por nuestra condición humana poseemos mucho menos de lo que carecemos. La autoestima tiende a dejar momentáneamente satisfecho al interesado, habida cuenta lo mucho que posee, especialmente si lo ha adquirido. Pero una correcta valoración de sí mismo nos pone de cara frente a las muchas cualidades que podemos aún poseer, y lo lentamente que avanzamos en esa dirección. Por ello, *la autoestima por las cualidades que poseemos es perfectamente compatible con el auto-desprecio por las cualidades que aún nos faltan por adquirir.*

La autoestima del presente ha de compensarse con las pretensiones del futuro. William James, en sus estudios de psicología, que tanto han influido en la *práxis* actual de los negocios, acertó a formular esta ecuación:

$$\text{Autoestima} = \frac{\text{Logros}}{\text{Pretensiones}}$$

Hay muchos que valoran exageradamente su autoestima, no porque sus logros sean muy altos, sino porque sus pretensiones eran muy bajas. Puesto en el límite, cualquier logro de un individuo que tiene *cero* pretensiones, resulta, en las matemáticas, infinito.

Hay en la estrategia de los negocios un sistema que propicia la mejor calidad de los mismos: el *benchmarking* es un proceso para analizar cuáles son las mejores prácticas de las organizaciones afines, para incorporarlas a las propias. Ha de darse también en el individuo un *benchmarking* análogo al de las organizaciones: estar atentos al modo caracterológico de ser por parte de las personas que directa o indirectamente conviven conmigo, para darme a la tarea de perfeccionar mi carácter en aquello que veo ejercido prácticamente en los demás.

Josemaría Escrivá nos descubrió hace mucho tiempo la relación causal que se da entre el propio conocimiento y la humildad: "El propio conocimiento nos lleva como de la mano a la humildad".[29] Este propio conocimiento nos lleva siempre a la autoestima. Por lo que nosotros somos -fuera de las ayudas naturales y sobrenaturales que recibimos- deberíamos admitir de buena gana el desprecio (no infravalorando lo que somos, sino teniendo presente lo que no somos, o no somos aún): "Cuando te veas como eres, ha de parecerte natural que te desprecien".[30] Es esta una manera práctica de *aterrizar* en la vida ordinaria el sabio principio teresiano por el que *la humildad es la verdad*. Entonces, no queremos ser como "aquella veleta dorada del edificio"... sino "como un viejo sillar oculto en los cimientos, bajo tierra, donde nadie te vea: por ti no se derrumbará la casa".[31] San Josemaría nos ofrece para ello un práctico consejo: "cuando percibas los aplausos del triunfo, que suenen también en tus oídos las risas que provocaste con tus fracasos".[32]

---

[29] Josemaría Escrivá, *Camino*, n. 609
[30] Josemaría Escrivá, *Camino*, n. 593.
[31] Cfr. Josemaría Escrivá, *Camino*, n. 590.
[32] Josemaría Escrivá, *Camino*, n. 589.

Estos análisis acerca de nuestras propiedades y carencias, o defectos, que nos hacen despreciables dentro de nuestra dignidad, y dignos en medio del desprecio del que somos objeto, ambas cosas a la vez, se encuentran íntimamente relacionadas con la vida de los negocios y de sus dirigentes: se encuentra clásicamente asentado que *quien no es humilde en los éxitos no es después fuerte en los fracasos*.

La prepotencia de Enron autoproclamándose como la primera empresa del mundo -y en algunos parámetros lo era realmente- se encuentra en íntima conexión con su notorio y ruidoso derrumbe total.

——— o ———

En el conocimiento de las capacidades del yo, que es una de las vertientes del diagnóstico, nos hallamos con dos tipos caracterológicamente fundamentales, frente a las oportunidades y amenazas que tales circunstancias nos implican. Hay personas que se polarizan en las oportunidades de acción poniendo en la sombra o desatendiendo las amenazas que, vistas las mismas circunstancias con otra óptica, ellas encierran. Como ya dijimos, sería erróneo formar un equipo de trabajo constituido con sólo *optimistas que subrayan las oportunidades* o con sólo *pesimistas que exageran* las *amenazas*.

Pues bien, lo que acontece en el diagnóstico de *las circunstancias del yo*, en el que ha de destacar la *objetividad* de tales circunstancias, abarcando, con su peso respectivo, las amenazas y las oportunidades, ha de ocurrir paralelamente en el diagnóstico sobre *el yo de las circunstancias*: no ya *cómo están las circunstancias* que me rodean, sino *cómo estoy yo* en medio de ellas, asunto que gira, según ya vimos, sobre la *humildad*. La humildad, en efecto, es la objetividad misma sobre el conocimiento del propio yo, en la medida en que ello sea posible, dada la dialéctica natural establecida entre el sujeto que conoce el objeto y el objeto que es conocido por el sujeto, la cual se agudiza cuando es el propio sujeto cognoscente quien ha de colocarse simultáneamente en condición de objeto conocido.

Aquí, en el diagnóstico del propio yo, aparecen también dos tipos caracterológicos fundamentales, análogos a los que detectamos en referencia a las circunstancias del yo. Allí los optimistas se sentirán atraídos por las oportunidades de acción, en tanto que los pesimistas se encontrarán repelidos por los obstáculos opuestos a la acción que señalaban aquellas oportunidades. Aquí, con relación al conocimiento del yo, hay pesimistas que consideran de manera especial las propiedades o cualidades personales con que cuentan, *las fuerzas* del yo, y al mismo tiempo pesimistas que abren sus ojos sólo para delatar los defectos o carencias del propio *ego*; es decir, *las debilidades.*

Y, como también dijimos, sería igualmente una equivocación formar un equipo de trabajo constituido sólo con optimistas que atienden unívocamente a las cualidades que poseen ante aquellos otros que sólo se percatan de las carencias o defectos.

En una obra anterior, destinamos un capítulo[33] (*La sinergia del trabajo en equipo*) para referirnos a la necesaria versatilidad de los componentes o factores del grupo, para que éste resultara creativo, lejos de discurrir entre la monotonía y la rutina. La versatilidad se refiere a muy diversas perspectivas del trabajo en equipo y de sus componentes: planeación y ejecución, operación y dirección, *staff* y línea, funciones y tareas, productos o servicios y regiones, funciones y profesiones, tareas y tendencias laborales... Nos referimos también, y de manera destacada, a la *estructura que debía hacerse entre las áreas de trabajo y los caracteres de quienes las desarrollaban.* Tan importante es saber si un conjunto de personas se encuentra capacitado para el trabajo en política de empresa, entorno económico o finanzas, por ejemplo; como saber si son optimistas, conservadores, extrovertidos, introvertidos, simpáticos, etc.

Podemos ahora completar y condensar esta estructura caracterológica, refiriéndonos de manera central a la labor de diag-

[33] Carlos Llano Cifuentes, *Falacias y ámbitos de la creatividad*, pp. 315 y ss.

nosticar la situación en que se encuentran las circunstancias de la empresa y los individuos que la componen; y valiéndonos para ello de los conceptos que acabamos de mencionar.

DIAGNÓSTICO

Objeto del diagnóstico	Sobre las circunstancias del yo	Sobre el yo de las circunstancias
Cualidad requerida	Objetividad	Humildad
Carácter fundamental posible Optimista	Oportunidades	Fuerzas
Pesimista	Amenazas	Debilidades

Un equipo conjunto preferentemente de pesimistas, no verá más que amenazas y debilidades; si sólo de optimistas, oportunidades y fuerzas.

Un trabajo en equipo objetivo y humilde, contendrá personas que se paralicen ante las debilidades, pero se impulsen ante las oportunidades; otros, estarán impresionados frente a las amenazas, pero podría contarse tal vez con sus fuerzas...

Basten estas ideas para llegar a una conclusión básica. El trabajo en equipo[34] no es necesario, como creen algunos, para tomar las

[34] Cfr. *Supra* I, 16.

decisiones participativamente. También lo es -según dijimos- para llevar a cabo las *ejecuciones* de acción coordinadamente. Añadimos ahora que el trabajo en equipo comienza con la primera de las funciones directivas, que es precisamente el diagnóstico de las circunstancias presentes del yo y del yo frente ante tales circunstancias. Se debe dar ahí ya, también, la versatilidad creativa del equipo, conjuntándose optimistas y pesimistas frente a las circunstancias (que atiendan tanto a las oportunidades como a las amenazas), y optimistas y pesimistas frente al propio yo (que den peso a las fuerzas y a las debilidades).

3 Decisión

Dijimos que la acción directiva comenzaba en una primerísima etapa imprescindible: el diagnóstico de la situación, el punto de partida. Las cualidades fundamentales que esta etapa exige del director son la objetividad (cómo se encuentran las circunstancias actuales) y la humildad (cómo me hallo yo). Metafóricamente, requieren una cabeza de hielo.

Hecho el acto del diagnóstico con objetividad y humildad, le corresponde al director señalar el sentido al que deben orientarse sus acciones futuras. La decisión es un acto directivo por excelencia (aunque no el único). Hemos querido evitar el pleonasmo, diciendo que el director debe señalar el *sentido* hacia donde han de orientarse las acciones futuras. Pero sería más propio expresarse pleonásticamente así: corresponde al *director* señalar la *dirección* a la que deben *dirigirse* sus acciones futuras. Este señalamiento o indicación de las acciones (propias o ajenas) a emprenderse, es la dirección. La dirección es, pues, un acto antonomásicamente directivo.

La decisión tiene por objeto una meta. La meta, evidentemente, señala algo al sujeto que aspira a ella por decisión. Sería un despropósito que el yo que decide poseyera ya la meta decidida: si estuvieran en posesión de ella no requeriría decidir lograrla.

La meta, pues, en el momento de decidir, *no existe*. No puede exigirse en ella la objetividad requerida para los hechos ya existentes que son definidos en el diagnóstico. A fuer de no existente, yo soy quien la decide. Así como no puedo decidir los hechos, sino admitirlos como dados (en lo que consiste la objetividad del diagnóstico), la meta a alcanzar no debo considerarla como dada. Es diversa del yo, porque éste no la posee, pero es sin embargo subjetiva porque soy yo, es decir, el sujeto, quien la decide.

Aquí el yo tiene un peso específico prevalente, a diferencia del diagnóstico en el que, si quiere estar bien hecho, si quiere ser objetivo, debe ponerse al yo entre paréntesis. Este acto humilde del yo no es requerido por la decisión, aunque se requieren otros.

Pero la meta no sólo implica ser diversa del yo que se la propone, aunque la proposición dependa de él. Exige, además, de alguna manera, que sea superior a él. De no encontrarse en un rango superior ¿qué ganará con alcanzarla?, ¿qué provecho tendría nadie al aspirar a algo que, consiguiéndolo, lo dejase en su misma condición presente o lo degradase de su presente condición?

3.1 Magnanimidad

Pese a la respuesta pagada a estas preguntas, es patente que hay quienes se proponen como meta su misma disminución entitativa. Pero no es menos patente que tal propuesta significaría sin duda una mala decisión. Por esto la *magnanimidad* queda señalada por nosotros como la virtud propia de esa actividad directiva que llamamos decidir; ser magnánimo significa aspirar a más de lo que se tiene, se hace o se quiere. *La magnanimidad se identifica con el afán del logro* o de superación. También expresándolo reduplicativamente, decimos que el magnánimo aspira y se decide por el logro de metas magnas. Magnánimo, en el sentido más apropiado, no es el que logra lo grande, sino el que aspira a lograrlo: las realidades antropológicas son de tal índole que el ser humano se agranda no tanto por las metas conseguidas, sino por el anhelo o por el esfuerzo –que produce en el hombre una suerte de estiramiento- para lograrlas.

Tal como se nos presentan ahora las cosas, parecería que la humildad que se requiere para hacer un buen diagnóstico de las circunstancias y de las destrezas o competencias del yo, se nos revierte ahora, pidiéndonos no ya la humildad -que sospechamos erróneamente como poco apta para un director en cuanto tal-, sino, al contrario, la magnanimidad o apetencia de cosas grandes, cualidad más correspondiente, ésta sí, a quien calificamos como director.

Tocamos aquí el nervio de uno de los puntos de confusión más usuales en la cultura de las organizaciones de hoy: la supuesta contravención de la humildad y de la magnanimidad; de la humildad (el tenerse por poco) y la magnanimidad (el aspirar a lo más). La experiencia de la acción directiva, estudiada detenidamente por nosotros durante muchos años y con miles de directores, nos dice que tal contravención es una auténtica falacia.

En efecto, el adjetivo *magno* debe reservarse avaramente a las realidades que de verdad lo son. Dentro del círculo intramundano del hombre, no hay nada más grande que la persona. De modo y manera que no será meritoria de ese apelativo una meta que se refiriese a cosas y gestos, por grandilocuente que fuera su empaque. Es magnánimo sólo aquél que se propone metas magnas: y lo grande es sólo la persona, lo cual equivale a decir que *el ámbito en el que se circunscribe estrictamente la magnanimidad es el del ser, y precisamente el del ser del hombre*.

Las metas verdaderamente valiosas, para que lo sean, han de hacer referencia a sí mismo o a los demás. Lo que caiga fuera de esa circunscripción no puede, en realidad, denominarse grande: cualquier actividad, obra, gloria, fama, triunfo o éxito no es grande sino en la medida, y sólo en la medida, en que aluda a la persona. La distancia que existe entre la persona y cualquier otra realidad existente en el radio intramundano, es casi infinita. Lo que equivale a afirmar que cualquier realidad no personal es, comparativamente, con el ser del hombre, infinitamente pequeña.

Es aquí donde hallamos el verdadero punto de cruce de la magnanimidad y la humildad. El director magnánimo no es el que lleva a cabo realizaciones admirables: es quien trabaja dentro de su propia persona y de las personas dependientes de ella en un trabajo tan escondido como silencioso. Vemos claramente que, bien entendidas, las cualidades de humildad y de magnanimidad, como propias de ese directivo, no sólo no se contravienen, sino que se dan la mano.

Somos conscientes de que estamos haciendo aseveraciones no del todo aceptables para muchas culturas en las que *se considera lo grande en su solo sentido numérico*, en la sola dimensión de su tamaño cuantitativo. Esto es así porque son víctimas de la falacia certeramente señalada por Mcnamara: *lo que no puede contarse no cuenta*. No es así como debe considerarse la magnanimidad. Al revés: ¡*lo que no puede contarse es lo que más cuenta*!

Las realidades espirituales no son mensurables, pero no porque carezcamos de utensilios para su medición; al contrario, carecemos de instrumentos para medir el espíritu porque el espíritu es inconmensurable y es hacia esa inconmensurabilidad hacia donde se orientan las acciones propiamente magnánimas.

Como leemos en *Camino*, "el mundo admira solamente el sacrificio con espectáculo, porque ignora el valor del sacrificio escondido y silencioso".[35] Pero, además, las metas que se refieren al carácter espiritual de las personas, no sólo son inconmensurables, sino infinitamente perfectibles. En determinados rangos de realidades resulta imposible o inútil lograr una medida más. En el caso del hombre siempre es posible un mayor progreso: la superación completa del hombre –su plenitud– es inalcanzable; cabe siempre un grado mayor de perfectibilidad. La meta de la superación humana es *permanentemente magnánima.*

[35] Josemaría Escrivá, *Camino*, n. 185.

Son, pues, de tal altura las metas a que el hombre ha de aspirar, que no logrará alcanzarlas él solo. Este es otro aspecto en que la magnanimidad y la humildad son tangenciales: si aspiro para mi ser a metas valiosas, debo tener la humildad requerida para saber que no podré lograrlas solo. Son otros, además de mí, quienes deben fijar conmigo las metas y coordinar nuestro esfuerzo para alcanzarlas. La magnanimidad de la meta y la humildad de quien se la propone termina en la consecuencia de que *la meta magnánima requiere el trabajo en equipo*.

Aparece así lo que podría denominarse *la prueba del ácido de la meta magnánima*. Si realmente pretendemos que las metas de la empresa sean magnas (pretensión surgida precisamente de la magnanimidad) no han de encontrarse constreñidas por las estrechas dimensiones del individuo que a ellas aspira. *La meta magnánima no puede ser individualista*: no puede referirse en exclusiva al sujeto que la realiza o pretende realizarla.

De ahí que la prueba prototípica para medir el valor magnánimo de un propósito es colocarlo en la situación límite en la cual el sujeto que lo pretende debería de estar dispuesto a renunciar a su protagonismo en la consecución de la meta que se ha propuesto; renuncia, entiéndase, no a la meta, sino a la relación directa y principal del sujeto que la pretende.

Parecería que estamos presentando al director con una condición ética extraordinaria, pero no es así. En otro lugar hemos sostenido la tesis, que ratificamos ahora, de que *la renuncia a la relación personal con la meta magnánima es una condición "sine qua non" para tener el temple de director, en tanto que tal -no ya de un buen director*. Para nosotros, pues, la magnanimidad y la humildad son indisolubles.

Por ello debe advertirse que el ser humano no soy yo solo, ya que el ser humano es el mío y el de los demás. Como ya hemos tenido oportunidad de advertir,[36] el hombre no es capaz de superarse a sí

[36] Cfr. *Supra* I, 16.5: *Trabajo en equipo y desarrollo.*

mismo más que en el grado en que, a la par, se ocupa de la superación de los otros. La superación ajena es, simultáneamente, origen y fruto de la propia.

Así, puede decirse que la única meta proporcionada a la grandeza del hombre es la libre afirmación de nuestro ser, según acertada expresión de Antonio Millán Puelles. Lo cual requiere dos importantes precisiones. Se habla de libre afirmación de nuestro ser, porque al ser humano le cabe la desgraciada posibilidad de la libre negación de ese mismo ser que es, pues hay acciones concordantes con el mismo ser del hombre, que afirman sus posibilidades, y acciones discordantes de él que niegan así el posible ser humano del mismo ser humano que se niega.

Lo anterior no significa que las metas que el hombre haya de proponerse deban referirse exclusivamente a su propio ser o al ser de los demás. El significado que hemos de dar a cuanto sobre esto hemos venido diciendo es el siguiente: aunque las finalidades que el hombre decida se refieran a acciones exteriores que deba emprender o a empresas que haya de conseguir, esta referencia es siempre, de algún modo, indirecta. La referencia directa ha de ser siempre -so pena de perder la magnanimidad- lo que de entitativo ha de lograr respecto de sí mismo y respecto de los demás, a fin de que aquellas acciones alcancen su objeto y estas empresas logren sus misiones. Dicho de otro modo, las acciones acertadas y magnánimas tienen permanentemente en cuenta el adagio escolástico según el cual *actio sequitur esse*, la acción sigue al ser. El radio de alcance de las acciones sigue a la profundidad del que las realiza o emprende: lo entitativo es el fundamento, fuente u origen de lo operativo.

3.2 Audacia

Ello explica que la buena decisión, la decisión acertada o la decisión magnánima, requieran de otra virtud -la audacia- que hace ahora otra vez referencia a mis capacidades personales. Si la *magnanimidad* se refiere a lo que debo lograr, la audacia alude a los recursos que he de conseguir para lograrlo.

Entre la *magnanimidad y la audacia*, pertenecientes a la decisión, hay un plexo paralelo al que observamos entre la objetividad y la humildad que pertenecen al diagnóstico. Así como la objetividad mira a la situación objetiva (análisis objetivo de las oportunidades y amenazas objetivas), y la humildad a la situación subjetiva (análisis objetivo de mis fuerzas y debilidades subjetivas), de manera parecida la *magnanimidad* se orienta hacia la meta que debe lograrse, atendidas aquellas oportunidades y amenazas (aun siendo esa meta yo mismo como objeto de logro), y la *audacia* se vierte sobre las capacidades -recursos, personal, etc.- que he de arbitrar para alcanzar la meta fijada.

Pero hay una diferencia básica: la díada objetivo-subjetiva de la *objetividad* y *humildad* en el diagnóstico se refiere estrictamente a cómo están las cosas respecto de mis circunstancias y de mí mismo; en cambio, la díada magnanimidad-audacia hace referencia no a cómo están, sino a *cómo decido que estén las cosas*. Según ya vimos, el diagnóstico se vierte sobre hechos; la decisión sobre deseos. El peligro que señalamos anteriormente consiste en confundir los primeros con los segundos, y pensar que las cosas tienen ya una propensión natural -al margen de mis intenciones- que facilita el cumplimiento de los deseos los cuales se transformarán en decisiones. Error profundo e irreversible.

Aplicado lo anterior a la virtud, atributo, o cualidad de la *audacia* que estamos analizando, ha de verse que, por esta virtud, decidimos arriesgarnos a conseguir los recursos, el personal, etc., de los que carecemos, pero que requerimos para conseguir la meta magna que nos hemos propuesto. Nuestra decisión acerca de la meta estaría afectada de mediocridad moral si no decidiéramos, a la par, fortalecer el estado material y humano, de nuestras capacidades e instrumentos, para lograr o realizar la meta.

Podría caber la posibilidad de que, considerando humildemente nuestras personales capacidades en el diagnóstico, éstas resultaran proporcionadas o aptas para conseguir lo que me propongo; pero si así fuera, habría aún que preguntarse si las metas propuestas reciben en verdad el calificativo de *magnas* (y requieren de mí la pretendida magnanimidad). En efecto, por lo anteriormente dicho, la magnanimidad mira a las capacidades entitativas y/u operativas deseadas, lo cual supone que carezco ahora de ellas. Acaece, en cambio, usualmente, que, si las metas son en verdad magnas -porque poseo un verdadero afán de logro, que es otro modo de definir la magnanimidad-, las capacidades poseídas suelen ser más cortas que la magnitud de la meta.

De ahí que todo *afán de logro* se empareje con una *capacidad de riesgo* proporcional: el riesgo reside, precisamente, en que he decidido emprender una acción para la que no estoy aún capacitado, pero asumo la posibilidad (el riesgo) de capacitarme durante el proceso de consecución que parte de mi propio decidir. Sin afán de logro no existe, en personas normales, capacidad de riesgo. El aventurero encuentra en el riesgo el logro mismo (no busca por tanto el riesgo por el logro, sino el riesgo por el riesgo). Dicho negativamente, hay pocas personas magnánimas porque hay pocas personas audaces.

Entre la audacia y la magnanimidad se da una estrechísima relación biunívoca. En efecto, por la *magnanimidad* aspiro -o tengo afán de- adquirir capacidades entitativas y operativas de las que carezco; mientras que por la audacia me arriesgo a adquirir las capacidades requeridas para alcanzar aquellas capacidades propuestas. Se trata de las mismas capacidades, aunque vistas bajo una perspectiva diversa: por la *magnanimidad*, en cuanto *logrables* (la decisión tomada decide, precisamente, que son logrables); por la *audacia*, en cuanto *requeridas*. Este requerir de la capacidad misma que deseo lograr, este sacar fuerza de flaqueza, este hacer, justamente, de la necesidad virtud, es un intrincado, pero no contradictorio, nudo antropológico que encontramos no sólo en este punto de inflexión entre el afán de logro y la capacidad de riesgo, sino en todo empeño verdadero de adquisición de la virtud.

El riesgo se refiere también a las posibilidades tecnológicas que durante el transcurso de mi acción, podría tener a mi alcance. Hay potencialidades técnicas subyacentes, que yo calculo que podrían actualizarse, por mí o por otros, en un determinado plazo. Debemos contar con ello, porque otros también lo hacen, y no puedo, respecto de ellos, incurrir en rezago.

Sin embargo, lo que sí está en mis manos alcanzar son, como hemos venido diciendo, mis competencias personales, que pueden *estirarse* en coeficientes insospechados. Deberé arriesgarme en relación con mis hábitos, virtudes, capacidades, competencias y destrezas antes -y más- que hacerlo en relación con avances tecnológicos, que son muchas veces promovidos exagerando su alcance o su eficacia. Como dice Guido Stein, dentro de unos cuatro o cinco años nadie hablará de *e-business*, porque será tan necio como referirnos ahora a hacer negocios por teléfono.

Uno de los riesgos que debemos enfrentar es precisamente el que se refiere al incremento de *mi capacidad para simplificar lo complejo.* Vivimos en un entorno inestable en donde –asegura Stein- la cantidad de información no surte el efecto esperado de menor riesgo, sino su contrario: incrementa la perplejidad. Alguien ha llamado a esta época la "época de la perplejidad informada".

Como hemos explicado hasta aquí, la audacia implica anticiparse a suponer que lograremos acopiarnos recursos -sobre todo potencialidades personales- para alcanzar las metas propuestas. Según observa Alejandro Llano, lo que se requiere para tal anticipación no son sólo conjeturas en el preciso momento de emprenderlas sino el arrojo de llevarlas a cabo. El *arrojo* -la audacia- tiene como contrapeso no ya la cobardía, sino la *humildad*, porque el anticiparse exige muchas veces contener el ansia de prevalecer sobre otros, moderar la precipitación y situarse en una posición de aparente inferioridad. El que quiere encontrarse siempre a la cabeza de la carrera no suele ser el que llega a estarlo cuando de verdad interesa: en la meta.

Nos encontramos, pues, ante la audacia, con uno de los nudos más complejos de la tarea directiva. Más complejos y más esenciales. Esenciales, porque el riesgo es una de los factores que definen al hombre emprendedor, al grado que muchos no lo son, o dejan de serlo, por una pusilanimidad (lo adverso de la magnanimidad) que los paraliza ante el riesgo.

El arrojo o audacia, encierra, es verdad, lo más semejante a lo que físicamente llamamos salto en el vacío. En efecto, pretendemos con ella adquirir cualidades, habilidades, destrezas, competencias, de las que ya nos sabemos carentes de antemano. El salto reside, así, en pretender sacar de nosotros mismos, por una especie de generación espontánea, aspectos de nuestra personalidad y de nuestro carácter. Por ello mismo, la magnanimidad de la meta (que debe preceder y acompañar a todos nuestros movimientos de audacia), debe ser lo suficientemente valiosa (y, si valiosa, también atractiva) para obtener por deseo, apetencia, verdadera sed anímica, por estiramiento, aquellos beneficiosos rasgos personales que sólo poseemos ahora de modo embrionario.

No digamos, por tanto, que queremos darnos a nosotros mismos aquello precisamente de lo que carecemos. Carecemos de aquello, sí, *psicológicamente*, pero lo tenemos en la mejor de las posesiones: *desiderativamente.* Por eso la audacia es una característica que se asienta más sobre la voluntad que sobre el entendimiento. Gracias a la inteligencia, a su creatividad e ingenio, podemos concebir metas lo suficientemente grandes y asequibles para poder tomar una decisión sobre ellas. Pero la inteligencia no decide. Lo hace la voluntad sobrepasando la inevitable emoción del miedo, y dejándose llevar por la del deseo. No obstante, la inteligencia que fija con magnanimidad la meta, y opta por ella, no es lo que podría llamarse *inteligencia emocional* sino, con más exactitud, *inteligencia voluntariosa.*

El tema que ahora estamos abordando es tan complicado e importante que Aristóteles se mantuvo, durante sus especulaciones, permanentemente indeciso, asunto grave cuando se está tratando de la decisión. Concluye, en el ápice de su razonamiento, que la elección (la magnanimidad y audacia entrañadas) es o bien una inteligencia que decide o bien una voluntad que piensa: o una inteligencia volitiva, o una voluntad intelectiva. Su más egregio comentador Tomás de Aquino, se atreve a decir, tímidamente, que parece ser más lo segundo que lo primero.

La voluntad intelectiva -a diferencia de la voluntad a secas- nos posibilita encauzar las emociones perturbadoras, y concretamente la emoción del miedo, la cual se opaca ante el querer la meta.

No obstante, este salto en el vacío, este arrojo por el que saco fuerza de flaqueza, o hago de la necesidad virtud, no es una cabriola inconsciente y ciega. No debe desechar paladinamente un diagnóstico objetivo, que valore la realidad de las circunstancias -de la plataforma que le dará punto firme para saltar, con sus oportunidades y obstáculos- y valore, más aún, su capacidad para dar el salto, con sus debilidades y fuerzas.

Audaz, además, no es aquél que da un salto repentino, sino que, una vez dado, se alegra de haberlo hecho, a pesar de las angustias para superar la brecha; por el salto, se encuentra ahora más cerca de la otra vertiente, que es justo lo que amaba o deseaba. Al contrario, se despreciaría a sí mismo si por pusilanimidad no se hubiera decidido a estirarse para estar más cerca: el lugar de la audacia es, curiosamente, el tránsito de una situación a otra mejor. Se puede decir aquí lo que en otro contexto encontramos bellamente escrito en Bartolomé Llorens: "dejó mi amor la orilla, y en la corriente canta: no quedó en la ribera, pues su amor es el agua".

No se confunda, pues, la audacia con la inconsciencia. La distinción entre estas dos actitudes de la vida humana, cuenta con esta clara piedra de toque: no dejar de considerar nunca los datos objetivos obtenidos en el diagnóstico, y en especial el diagnóstico por el que observamos -humildemente- las características de nuestro yo, con sus debilidades y fuerzas. La humildad nos hace caminar por planos inclinados. No importan tanto los grados de la inclinación cuanto la constancia en recorrerlos.

Sabemos que la humildad deriva etimológicamente de *humus* -tierra-: se supone que el hombre humilde se encuentra postrado reverencialmente en el suelo ante quienes considera más grandes de él. Por ello la audacia, el echarse hacia delante, el dar el salto, aparece como una actitud contraria a la del humilde. Nosotros hemos enfatizado -y no nos arrepentimos de haberlo hecho- la humildad respecto de la propia persona -objetividad en el diagnóstico por el que mido fuerzas y flaquezas-, al mismo tiempo que la magnanimidad, como anhelo de *ser más*, mucho más como persona. Hemos tenido cuidado de no separar la humildad al calcular mi posición real actual y la magnificencia para decidir con aspiraciones de alto rango, sobre esa misma persona que ha de calibrarse como *aún* poca cosa. La misma técnica constructiva de los edificios nos ofrece una fácil y clara metáfora: para elevarse alto hay que cavar hondo.

Pero no hemos sido sólo nosotros quienes, para hacer compatible el saberse poco y el aspirar a mucho, han insistido en la profunda importancia del diagnóstico con una preocupación del todo ajena a la humildad. David McClelland nos ha dado hace años valiosas ideas para no caer en lo que él llama la "espiral frenética de la planificación", que, como toda espiral, se va alejando de la base como el que fija metas cada vez más altas, despegándose del diagnóstico del que partió. Aunque muchas de sus ideas puedan parecer evidentes, no constituyen por desgracia una práctica actual en la vida de los negocios:

1) Los objetivos no deberían centrarse tanto en las dificultades como en las fortalezas.

2) Los objetivos deben ser intrínsecos, es decir, propios de la persona y no impuestos desde el exterior.

3) Los planes deben ser lo suficientemente flexibles como para que las personas dispongan de varias alternativas. En este sentido, la experiencia ha hecho evidente cuán inadecuado es un solo método de planificación impuesto en las organizaciones.

4) Los planes deben ser viables, estar graduados y escalonados debidamente: aquellos que no acaben encajando en la vida y el trabajo de una persona, que no se adapten a ella, acabarán abandonándose.

5) Los planes deben tener en cuenta las correspondientes etapas de entrenamiento o aprendizaje.[37]

Lo gradual, en resumen, no quita lo magnánimo, como lo cortés no quita lo valiente.

——— o ———

Otro pensador que ha tenido muy en cuenta la importancia del *diagnóstico* objetivo sobre el yo, y lo ha conectado sabiamente con la *decisión* de las metas a conseguir es Richard Boyatzis.[38]

Por de pronto, nos parece que Boyatzis tiene en cuenta, para ofrecernos sus propuestas, lo que se ha llamado la enfermedad del director, título con el que John Byrne publicó un atrevido estudio.[39] Pone ahí en boca de un director de cierta empresa europea: "A menudo tengo la sensación de que no me entero de las cosas que me rodean. Pero no se trata tanto de que los demás me mientan, como de que me oculten información o disfracen los datos importantes para que no me dé cuenta de ellos. Por ese motivo, a falta de información fidedigna, me veo obligado a actuar basándome en conjeturas."

Nosotros hemos otorgado a este hecho, que cuenta con una gran generalización, la mayor importancia. Se refiere a otra característica, estrechamente relacionada con la humildad, de la que en su momento nos ocuparemos con la extensión que merece. La enfermedad del directivo se debe, sin duda, a una falta de confianza por parte

---

[37] David C. McClelland, *Human Motivation*, Scorr, Foresman, Chicago, 1985.
[38] David A. World y Richard E. Boyatzis, "Goal, Setting and Self Directed Behavior Change", *Human Relations*, 23, No. 5, 1970, pp. 439-457.
[39] John Byrne. "CEO Disease", Business Week, 1-II-1991, p. 52-59.

de sus subordinados. Pero más aún: se trata en realidad de una literal desconfianza. Especialmente se le priva al jefe de la información que con más apremio necesitaría: datos sobre su propio modo de actuar y los resultados que produce, especialmente cuando tienen el signo negativo. (También cuando son positivos, porque para proporcionar entonces tal información no se requiere confianza, y, en cambio se puede caer en la adulación, que es otro modo -y más grave por inadvertido- de incurrir en desconfianza). Hemos antes dedicado a este tema el análisis que merece,[40] describiendo *las maneras acertadas de corregir*, sea al jefe si soy subordinado, sea al subordinado si soy jefe.

Boyatzis, decimos, al buscar el plexo entre el diagnóstico objetivo sobre el yo y la acertada decisión de una meta magnánima, se plantea la pregunta básica acerca del diagnóstico: *El yo real*: *¿Quién soy?*; y la pregunta básica acerca de la decisión: *El yo ideal: ¿quién quiero ser*? Establecer serenamente y sin engaños la diferencia entre lo que quiero idealmente y lo que realmente soy, es la manera adecuada de conseguir una relación certera entre el diagnóstico objetivo y la meta magnánima. La audacia es, como ya hemos repetido, el salto entre lo uno y la otra.

Pero en esta determinación de los propósitos de acción Boyatzis se hace dos consideraciones a las que arriba ya nos referimos, que tienen ahora su momento y lugar exactos: determinar las *fortalezas en las que se yuxtapone el yo ideal y el yo real*, lo cual debe hacerse con la frialdad que la cuestión merece, pues es aquí en donde se da el encuentro de la verdadera conexión entre la situación presente diagnosticada y la situación futura a la que quiero llegar. La teoría de Boyatzis, al considerar las diferencias que existen entre el yo ideal y el yo real, consiste en recomendar que nuestro yo futuro se apoye

[40] Carlos Llano. *La amistad en la empresa*, Fondo de Cultura Económica, México 2000, Cap. XII, "La ayuda del amigo"; XII.3, "Maneras acertadas de dirigir" p. 227.

más en las fuerzas de lo que soy, en lugar de observar lastimosamente mis debilidades.[41]

La teoría de Boyatzis requiere ser complementada con las ideas que nosotros desarrollamos arriba acerca del trabajo en equipo.[42] No se duda de la idea de Boyatzis gracias a la cual la grandeza de nuestra misión, para serlo, ha de apoyarse en las fortalezas objetivamente detectadas en el propio yo, en lugar de recortarla atendiendo polarmente a mis obvias debilidades.

No obstante, un líder humilde reconoce que puede haber muchos otros que cuenten con características fuertes que pueden suplir o remediar las débiles suyas. Diríamos incluso que en esta interacción reside el germen válido para el trabajo en equipo. Como ya lo hemos dicho en otra ocasión, el trabajo en equipo no constituye una fase de la psicología laboral en uso, sino una necesidad derivada de la magnitud de mis pretensiones y de la precariedad de mis posibilidades. Precisamente por ello debo ser objetivo acerca de estas posibilidades precarias. Como venimos repitiendo, la objetividad acerca de mis capacidades, destrezas, habilidades, competencias o atributos, se llama típicamente humildad. Habrá ocasiones en las que, vistas mis personales condiciones objetivamente –humildemente , puedo concluir que no son precarias, sino suficientes. Pero en tal caso tendré que poner la mirada en la presunta magnanimidad de la meta ¿no seré tal vez autosuficiente debido a que lo pretendido tiene un nivel muy bajo?

La humildad –objetividad ante mis posibilidades- no es requerida por uno que forma el equipo, sino por todos. La dinámica psíquica que debe desarrollarse en la sincronización del equipo es precisamente el convencimiento de la humildad de todos sus componentes

---

[41] Cfr. Daniel Goleman, Richard Boyatzis y Annie Mckee, *El líder resonante,* Plaza y Janés, Barcelona, 2002, pp. 150 y ss.
[42] Cfr. *Supra* I, 16: *El líder en el grupo de trabajo.*

(y, en primer lugar, de la mía). En el momento en el que haya alguno que considere que la acción de los demás no le es necesaria, esa sola condición basta no ya para que se anule su pertenencia al equipo, sino para que resulte perjudicial en la consecución de las pretensiones de éste. O bien se la hacemos sentir -me la hago sentir- de modo práctico y vivo, o es mejor proceder a su baja (o a mi misma baja). El mero mantenerse al margen resulta negativo.

En cambio, quien se sabe necesitado de los demás descubre en ellos formas de colaborar en el logro del fin propuesto, mediante la afirmación de cualidades que el propio sujeto poseedor de ellas ignoraba tener. El integrante de su equipo no sólo *consigue algo con* otros sino que, al hacerlo, *descubre algo en ellos*.

La más fuerte cohesión en el trabajo de un equipo es el resultado de la unión de caracteres complementarios. Varios de sus integrantes se asocian con otros porque poseen las cualidades que a ellos les faltan; y, en sentido inverso, éstos se asocian con aquéllos porque encuentran en ellos la fortaleza que es el remedio de sus debilidades.

De la manera predicha, el trabajo en equipo logra hacer compatibles la humildad del diagnóstico y la magnanimidad de la decisión. No basta reconocer fuerzas y debilidades propias; se requiere, además, complementarlas con las debilidades y fuerzas ajenas.

En este sentido, a la hora de precisar bien nuestras decisiones, debemos distinguir con cuidado tres conceptos que han sido ya tratados por nosotros precisamente al referirnos a este punto. Nuestro trabajo hacia el futuro no debe concebirse, según parece hacerlo Niklas Luhmann en "Sociedad y sistema",[43] como modelo cibernético en donde todas las condiciones están ya dadas, y lo que debe hacer el hombre es sólo procurar que el sistema social discurra sin estridencias y con facilidad.

---

[43] Niklas Luhmman, *Sociedad y sistema*, Paidós, Barcelona, 1990.

En este sentido, el axioma básico de los funcionalistas al modo de Luhmann vendría a ser éste: cualquier sociedad *con tal de que funcione*. Luhmann concibe este funcionalismo mediante una teoría que se erige en el ápice de todas las instituciones de nuestro tiempo, en torno a la irrelevancia de la persona frente al implacable proceso del sistema.

Como lo dice Robert Spaemann: *con Luhmann la subjetividad ha muerto*. Lo que cuenta no son ya los hombres, sino la fecunda funcionalidad del sistema. El hombre, podría decirse, viene a "hacer ruido" en el pulcro, limpio y silencioso transcurrir sistemático.

El líder, para serlo verdaderamente, debe estar convencido de que ninguna sociedad puede caminar como máquina autómata, por atrofiada o desplazada que esté la capacidad decisiva del sistema en cuestión. En una palabra: *el funcionalismo no funciona*. Así, cuando hablamos de liderazgo no debemos referirnos a modelos organizativos, sino a personas: Gorbachov, Yeltsin, Wallesa, Wojtyla, Ghandi, Teresa de Calcuta, Vaclav Havel, Mandela, y quien le facilitó el ascenso al poder, De Klerk.

La sociedad no debe concebirse como una maquinaria funcional, sino como algo pensado por el hombre para llevar a cabo objetivos por él definidos. En este sentido, en el extremo opuesto al de Niklas Luhmann, debemos señalar sin duda ninguna a Russell Ackoff,[44] quien distingue con certeza el plan de lo factible y el diseño de lo idealizado.

Para entender la naturaleza de estos dos planes, distingue tres diferentes niveles en los objetivos o propósitos de acción:

1. Las *metas* o los fines que se esperan y se pretenden alcanzar dentro del período cubierto por el plan.

2. Los *objetivos* que se pretenden, pero no esperan alcanzarse dentro del período fijado, durante el cual la expectativa se reduce a

[44] Russell Ackoff, *Planificación de la empresa del futuro*, Limusa, México, 1990, pp. 131 y ss.

avanzar en su futura consecución: las metas son los hitos que señalan este avance.
Nosotros interpretamos, como ya hemos dicho y diremos en el presente estudio, que en los objetivos la temporalidad se presenta con el modo verbal del gerundio: durante tal período no se *alcanzarán* sino que se *estarán alcanzando*, los objetivos de ahora serán las metas de mañana.

3. Los *ideales* son aquellos fines que se suponen inalcanzables, pero hacia los que es posible avanzar, precisamente mediante el logro de las metas y los objetivos. Los ideales se encuentran, de alguna manera, más allá del tiempo previsible, y, por tanto, más allá del plan de lo factible rigurosamente tomado: su carácter gerundivo es permanente.

Para Ackoff, la elección de los ideales se constituye, de esta manera, en el meollo de toda planeación práctica. Nosotros diremos que el líder es aquel capaz de presentar a sus hombres ideales que representen no sólo las posibilidades objetivas del trabajo a realizar, sino los valores, intereses y preferencias objetivas del trabajador. La participación en el diseño idealizado produce un fuerte compromiso para la realización del plan.

——— o ———

Además de la función expuesta por Luhmann y el plan de lo deseable descrito por Ackoff, hemos de considerar el acertado concepto sociológico de Pierpaolo Donati. Para el funcionalista no hay posibilidad proyectiva alguna; todo lo más la selección de las relaciones entre el sistema y el ambiente. Esta selección busca sólo reducir la complejidad a términos que sean *gestionables*. Por otra parte, si para Ackoff todos los planes de acción deben tener una dimensión subjetiva, personal, para Pierpaolo Donati el proyecto es connatural a la misma vida del hombre.[45]

---

[45] Pierpaolo Donati, *L'avventura e la meta*, Fundazione RUI, Documenti di Lavoro, 47, Roma, 1991, p. 60.

La sociedad debe tener planes, sí, pero dentro de ellos el hombre debe poseer siempre la aspiración a un proyecto personal e intransferible. Este proyecto es interiorizado, interno, subyacente, inobjetivable. Por esto Donati define al proyecto como la explicación de la realidad humana.[46] Si para Luhmann la función es mecánica y para Ackoff el plan es objetivo, para Donati el proyecto es *aventura.*[47] La aventura difiere de la evasión. Al revés. El proyecto nos invita a ser exploradores de ese infinito que somos nosotros mismos. Este constituye, como lo dijimos en alguna ocasión, "un viaje al centro del hombre". En dicho viaje no sólo la persona se compromete, sino que es sólo la persona la que se compromete.

No podemos entretenernos ahora en la articulación de estos tres importantes conceptos hacia los que todo auténtico líder apunta, pero ya podemos percatarnos con estos señalamientos, de que no habrá un líder si la función no se transforma en plan; y tampoco lo habrá si el plan es meramente *objetivo*, sin transformarse en verdadero proyecto personal.

4 Mando

Una vez tomada la decisión, las acciones directivas asumen otra actividad diversa, sin la cual el diagnóstico y la decisión quedarían totalmente truncos. Por la supremacía que la inteligencia (con la que elaboramos el diagnóstico) y la voluntad (con la que tomamos la decisión) tienen sobre las demás potencialidades humanas, parecería que la ejecución de lo decidido constituye una etapa directiva de rango inferior.

Deseamos salir al frente de este equívoco. Dirigir no es sólo señalar o indicar a dónde debe encaminarse la organización. Por importante que ello sea, resultaría pretensión inútil, y hasta ridícula, si la

[46] Cfr. Pierpaolo Donati, *L'avventura e la meta,* p. 60.
[47] Cfr. Pierpaolo Donati, *L'avventura e la meta,* p. 60.

organización no se *pone en marcha.* Lograr que la empresa entera se *ponga en camino* hacia la meta fijada es, precisamente, lo que llamamos *mando*.

Si nos forzaran a indicar a cuál de los tres grandes menesteres de la dirección (diagnóstico, decisión y mando) puede atribuirse más propiamente el del liderazgo, responderíamos sin dudarlo que el mando es la acción prototípica del líder. Gracias al mando, el director logra no ya simplemente ser seguido, como antes se interpretaba el acto nuclear del liderazgo, sino que los demás marchen con él, expresión más acertada para indicar lo que verdaderamente se ha de entender acerca de la capacidad del líder. Gracias, pues, al mando, se logra la ejecución de lo que se decidió, a partir del punto de partida (marcha, camino) fijado en el diagnóstico.

No ha de demeritarse la ejecución o mando como una actividad de rango inferior a la definición de dónde estamos y a la determinación de a dónde ir.

Ello, por dos razones sustanciales. En primer lugar, porque gracias a la ejecución *se hace realidad lo que se ha pensado y decidido.* Hasta que aquello -lo decidido y pensado- no se transforme en realidad, lo anterior, además de quedar inconcluso, resulta una tarea meramente inútil y estorbosa. Una decisión que no se cumple es un acto banal inservible: una pérdida de tiempo. Conocemos muchas personas inteligentes que detectan con exactitud y acierto la situación existencial en que ellos y sus circunstancias se hallan; y que son firmes y arriesgadas para tomar las decisiones a partir de aquellas circunstancias; pero que, paradójicamente, resultan ineptos a la hora del desenvolvimiento real de lo que fue planeado.

Últimamente se ha podido precisar que muchos de los directivos a los que se les ha invitado a dejar su puesto, el cese se debió no a una deficiente estrategia del negocio -algunos eran verdaderos genios en ese nivel- sino a una ejecución inepta: no sabían mandar y mandarse, de manera tal que la organización se moviera a lo largo de la línea previamente trazada.

En segundo lugar, puede hablarse de muchos directores que poseen en alto grado las cualidades de objetividad, humildad, magnanimidad y audacia -que les son utilísimas para llevar a cabo un diagnóstico veraz y tomar una decisión certera- y carecen, sin embargo, de aquellas otras cualidades precisas para la ejecución y el mando, las cuales son diversas de las primeras.

Esta diversidad de condiciones ha sido también metafóricamente adjetivada por Jaime Balmes. El hombre ha de tener la *cabeza de hielo* para definir el diagnóstico objetivo; el *corazón de fuego* para aspirar a una meta magnánima; y *los brazos de hierro para ejecutar lo decidido.*

El mando implica dos modalidades que se encuentran no ya unidas sino entrelazadas a tal punto que parecerían identificarse. No obstante, para muchos se trataría de dos géneros de acción diferentes y aún opuestas. Acabamos superficialmente de apuntarlas: *mandarse y mandar*. El señorío o dominio que se requiere para conducir hacia la meta a las personas que me han sido confiadas, o con las que trabajo, para decirlo más universalmente, es de igual género que el señorío o dominio necesitado para conducirme yo mismo a esa misma meta. Dentro de ese género hay diferencias específicas. Nosotros nos esforzaremos en dar más importancia a lo que tienen genéricamente de común que a aquello que específicamente los diferencia. Ello es una conclusión a la que hemos llegado como una consecuencia de analizar, con deseos de ser profundos, lo que la humildad significa e influye en el trabajo común.

Es usual que el líder tenga confianza en sí mismo con más seguridad que la que tiene respecto de los demás: mandarme a mí es más fácil -y tiene más visos de eficacia- que mandar a los demás. Nosotros no nos encontramos de acuerdo con esto. ¿Por qué razón me he de tener más confianza a mí mismo? ¿Acaso los demás valen menos que yo, aunque sea en la confianza? Yo sé de mí mismo que no soy confiable. Son estadísticamente muchas las ocasiones en que no me obedezco a mí mismo, en que claudico en mis propósitos, en que no me esfuerzo cabalmente en el logro de mis decisiones. No existe, que sepamos, ninguna razón objetiva en la que podamos fundamentarnos para pensar que los demás son menos dignos de confianza, menos confiables que yo; o, dicho masivamente, no me puedo mostrar un motivo por el cual pueda conjeturarse que yo soy más digno de confianza que los demás que trabajan conmigo. ¿Cómo puedo asegurar que mi confiabilidad respecto de mí mismo es de mayor rango que el de la confiabilidad que los otros tienen respecto de mí?

Pensar que yo soy más digno de confianza -respecto de mí mismo- que aquellos que trabajan conmigo, sin una prueba fehaciente de ello, de la que carezco, *es una flagrante falta de humildad.* Me atrevería, ante esto, a afirmar que, entre mis muchos coetáneos, ha de haber con seguridad personas múltiples más confiables que yo -de cuya precaria confiabilidad soy consciente.

Existe una obvia diferencia: en el *mandarme* el destinatario del mandar soy yo mismo; en el *mandar a*, el mando se destina a otros sujetos distintos de mí. No obstante, puede decirse que aquél que es incapaz de tener dominio sobre sí lo es también para tener dominio o peso sobre otros. Suponer lo contrario es una de las más lamentables equivocaciones del jefe.

Puede decirse sin temor que los actos requeridos para el dominio de mí son del mismo género y dificultad que los requerimientos que necesito para mandar a otros, aunque de diversa especie, por el hecho ya señalado de que el destinatario del mando es diverso. Pero *el mando como tal, es el mismo.*

Allí donde debo indicar que se dirijan los otros, allí también debo ir yo. Todos tenemos la experiencia de que nos rebelamos contra nuestros propios mandatos con mayor ímpetu que aquél con el que resistimos el mando de otros; y, a la par, igual que aquéllos que reciben los mandatos míos. Debemos admitir pacíficamente que el dominio de sí tiene una casi total conmensuración con el dominio de los demás.

Por esta causa, analizaremos genéricamente el mando, sin desviarnos ahora para distinguir sus dos formas específicas: mando a los demás y mando a mí mismo. El lector podrá traducir con facilidad lo que en esa acción de mando puede ser específicamente propio del mando a mi persona y específicamente propio del mando a los demás.

Debido a nuestro objeto de estudio, analizaremos las cualidades que el sujeto requiere para mandar con eficacia, y lo haremos desde la óptica que ahora nos importa: *el modo como la humildad se inserta en esas cualidades en cuanto factor esencial de ellas.*

4.1 Confianza

En el mundo de los negocios no se hablaba expresamente de *confianza.* Nos atreveríamos a decir que hace apenas cinco décadas el mundo de los negocios se caracterizaba por serlo el de la sospecha, y buscaban *menos la confianza y más la seguridad.* Era frecuente la expresión *cumplimiento de los contratos* y no de la de *guardar el compromiso* y, sobre todo, *guardar la palabra.* Mientras la palabra no quedara consignada por escrito ante testigos, y especialmente ante notarios, se consideraba líricamente como esos suspiros que "son aire y van al aire": cuando la palabra se incumple nadie sabe a dónde va.

Sin embargo, quienes hemos experimentado, aún mínimamente, las actividades del comercio, sabemos que sin la confianza el comercio es imposible, por muchos abogados que intervengan (casi podríamos decir que a pesar de la intervención de ellos). Tomás de Aquino dejó dicho que *sin confianza toda sociedad se hace inviable.* Nos aventuramos a afirmar que esto tiene valor emblemático en esa sociedad constituida por el mundo mercantil. A un comerciante que no guarda su palabra se le tiene desconfianza, no ya en su oficio, sino en su persona; nadie puede hacer negocios cuando la persona misma no es de fiar.

No obstante, la realidad de la confianza, y su necesidad social, se ha recuperado expresamente hoy gracias a *Francis Fukuyama*. En su obra *Trust*, califica a la confianza como capital social, más importante que el *capital monetario*.[48] Según Fukuyama y Sison,[49] el capital social se puede definir como "la capacidad de las personas para trabajar juntas en grupos y asociaciones comunes" o "la capacidad para trabajar unos con otros", lo que a su vez depende del "grado en el que una comunidad comparte normas y valores, y *subordina los intereses individuales* a los de grupos mayores".[50] Hemos subrayado nosotros esta subordinación de los intereses individuales, porque aquí se ha pergeñado una macla en la que debemos poner atención: la confianza se hace coincidir con la actitud humilde, según la cual los intereses individuales no son los más altos, sino que son subordinables.

Para Sison la confianza es una cultura corporativa en la que la palabra de una persona constituye un contrato.

Nos parece que uno de los estudiosos de la teoría de la organización que ha establecido un nexo más fuerte y bien cimentado entre el trabajo en equipo y la confianza es Pablo Cardona, para quien el resultado del refuerzo del compromiso y la confianza de las personas constituye lo que denomina *intrategia*, de valor equiparable a la *estrategia* que se mide en términos de beneficio económico.[51] Son muchos, dice, los aspectos que afectan el comportamiento de las personas, pero "la gran mayoría de estudios sobre este tema llegan a un mismo principio: la raíz y esencia de la dimensión de las personas son la confianza mutua y el compromiso de sus empleados con la empre-

---

[48] Francis Fukuyama, *La Confianza*, Atlántida, Buenos Aires-México, 1996.
[49] Alejo L. Sison, "Human Resources from Labor to Social Capital", en *Servicio de Documentación del Instituto Empresa y Humanismo*, Universidad de Navarra, Marzo de 1998.
[50] Alejo L. Sison, "Human Resources from Labor to Social Capital".
[51] Pablo Cardona. "Intrategia, una dimensión básica de la cultura empresarial", en *Paradigmas del liderazgo*, McGraw-Hill, Madrid, 2001, p. 19 y ss. *Idem* en p. 83.

sa. Estos dos elementos se refuerzan mutuamente y no pueden darse el uno sin el otro, pues, en el fondo, son dos caras de una misma moneda que llamamos *unidad*.[52]

Por nuestra parte, consideramos que aunque la confianza y el compromiso son indisolubles, si queremos hablar de *unidad*, como Cardona lo hace, preferimos denominar *lealtad* al cumplimiento del compromiso, por razones que luego veremos.

Lo anterior se reviste de mayor fuerza cuando consideramos la organización no ya como un conglomerado e intercambio de funciones, sino como conglomerado e intercambio de conocimientos.

Ghoshal y Bartlett nos dicen que "la confianza es el elemento integrante de todas las compañías que hemos estudiado en las que la transferencia de conocimientos y el aprendizaje organizativo están en la base de sus capacidades estratégicas".[53]

Sumatra Ghoshal y Christopher Bartlett han enfocado estas relaciones personales contrastándolas con las de aquellas empresas que consideran a sus componentes internos como trabajando dentro de un mercado, en el que cada uno debe conservar su propio nicho, cuidándose de no ser desplazado por los demás. "Empiezan a considerarse entonces como en el mercado, es decir, cada uno opera solo, como agente independiente, movido por la preocupación aislacionista de satisfacer sus intereses personales".[54] Bajo esta *lógica mercantil*, la estrategia de la corporación se enfoca en las estructuras para controlar el comportamiento, compensando aquella autonomía, pues el agudo sentimiento de satisfacer el interés personal hace que el individuo se vuelva incapaz de cooperar con otros. Hay empresas con objetivos que "resaltan la naturaleza ajena

[52] Pablo Cardona. "Intrategia, una dimensión básica de la cultura empresarial", p. 20.

[53] S. Ghoshal y C. A. Bartlett, C. A.: *The individualized Corporation*, Harper Business, New York, 1977, p. 93.

[54] S. Ghoshal y C. A. Bartlett y P. Moran. "Value creation", *Executive Excellence*, XI.2000, p. 10.

al mercado dentro de la empresa y motivan a las personas a trabajar colectivamente en pro de metas y valores compartidos y no en busca de la satisfacción del estrecho interés personal". Tales son, para nuestros autores, la ABB (poner el crecimiento económico y los mejores estándares de vida al alcance de todas las naciones); la Kao Corporation ("primero que nada, nosotros somos una institución educativa") y 3M ("los productos pertenecen a las divisiones, pero la tecnología es propiedad de toda la organización").[55] Esto sólo se logra "si el personal está convencido de que el beneficio de la corporación redundará en el suyo propio".

Nos damos cuenta ya de que la confianza es un sentimiento que facilita la conducta de colaboración, y deja al margen la imperiosa necesidad del egoísmo.

A nosotros nos parece que debemos, en esta línea, ir más lejos aún que Ghoshal y Bartlett. La empresa no debe entablar la competencia mercantil entre los componentes de ella misma. Pero tampoco en el mercado mismo y en su relación con otras empresas, debe establecer una competencia burdamente mercantil. Tom Peters nos da 25 consejos sobre ¿cómo vender? Uno de ellos nos sugiere "respetar a los competidores de manera casi religiosa", y el otro: "ser respetuoso de los nuevos competidores, quienes son el verdadero enemigo".[56]

Esta confianza no es simplemente una relación entre individuos. El compromiso con la empresa que ha de acompañarla exige a su vez, según Nuria Chinchilla, un punto de partida esencial para abrir el camino a fin de que el desarrollo del compromiso con la organización misma sea *confiable*. El grado de confiabilidad de la organización irá siendo descubierto por el partícipe, al ir siendo éste capaz de contestar las siguientes preguntas sobre la organización: a) ¿cuáles son sus

---

[55] S. Ghoshal y C. A. Bartlett y P. Moran. "Value creation", p. 10.
[56] Tom Peters, "¿Cómo vender", *Expomanagement*, Reforma, Suplemento, México, 2-VI-2003, p. 16.

políticas operativas e institucionales? b) ¿cómo las aplica en decisiones concretas? c) ¿con qué criterio me obliga a decidir?[57]

Nos importa decir aquí, por su vinculación con la humildad dentro del trabajo en equipo, que para la propia Nuria Chinchilla "si lo que pretendemos es generar esa confianza por parte de los miembros de la empresa no sólo en la competencia profesional de los tomadores de decisiones directivas, sino también en sus intenciones, a fin de minimizar los cortes de transacción intraorganizativas, así como las actitudes negativas de los empleados hacia su trabajo y hacia la organización, es imprescindible que basemos la gestión de la empresa en *estructuras de gobierno comprometidas*, es decir, en directivos que al tomar sus decisiones tengan en cuenta el impacto que las mismas puedan tener en el aprendizaje organizativo, con el fin de no rebajar los niveles de confianza alcanzados con anterioridad, y de incrementar los existentes".[58] Los compromisos, en efecto, del jefe del equipo, son superiores al jefe mismo, lo cual significa que los miembros del equipo de trabajo son superiores, paradójicamente, a su propio jefe, como ha quedado dicho arriba.[59]

Como lo leemos en Alejandro Llano, el individualismo egoísta erosiona lo que Juan Pablo II llama "subjetividad social", es decir, la capacidad para trabajar corporativamente en iniciativas y organizaciones sociales libremente permitidas por sus propios protagonistas. Y añade que la confianza es el mejor clima para conseguir un ambiente de trabajo estimulante y creativo. Bien advertido que la confianza no es algo que se pueda pedir ni mucho menos exigir: la confianza se inspira.[60]

Buscando la contratuerca negativa a estas afirmaciones, habremos de decir que no sólo cuenta la confianza *entre* las *stakeholders*

---

[57] Nuria Chinchilla, "Cómo retener el talento directivo", en *Paradigmas del Liderazgo*, Mc. Graw-Hill, Madrid, 2001, p. 102.
[58] Nuria Chinchilla, "Cómo retener el talento directivo", pp 109-110.
[59] Cfr. *Supra* I. 16.5: *Trabajo en equipo y desarrollo.*
[60] Cfr. Alejandro Llano, *La responsabilidad social de la empresa*, IESE, Barcelona, 2002.

de la empresa, sino que se expansiona hacia el exterior. Cuando las empresas no ven dentro más que a competidores, ven también el mercado externo como un conjunto de factores al que puede -si se deja- engañar. Los escándalos financieros ocurridos recientemente, con Enron a la cabeza, no son atribuibles al modelo de economía de mercado sino -como ya lo dijeron hace un momento Ghoshal y Bartlett- a las personas que dejan que las instancias pura y burdamente mercantiles, entren no ya dentro de la empresa sino dentro de la propia persona. No es el mercado el que falla, sino la persona la que se *mercantiliza*. En realidad, como ya lo dijimos, y como lo dice Rafael Termes, el mercado "expulsa a quienes infringen las reglas de la veracidad y la transparencia, en las que se basa la confianza".[61]

En este punto coinciden pensadores de los más diversos orígenes y culturas. Para Richard Whiteley el mayor desaliento en la confianza de los empleados es "el doble lenguaje". En muchas ocasiones hay empresas que despliegan "valores rimbombantes completamente ausentes en la conducta de los altos directivos. Se dice una cosa y se hace otra. Esa conducta es un factor significativo del desaliento, ya que la confianza del empleado en la empresa queda mermada.[62]

Son muchas, como ya hemos visto, las cualidades que sólo prosperan en la empresa cuando brotan de la persona de sus dirigentes. Pero quizá la que cumple más fielmente esta ley antropológica del *modus operandi* es la confianza. La *objetividad* del diagnóstico[63] y la *magnanimidad de la decisión*,[64] se complementa con la *confianza*. Uno de los rasgos del carácter humano es el de ser sociable, de tal manera que la confianza en los demás (en quienes trabajan conmigo, en la empresa y en la sociedad) nos empuja al liderazgo de manera podero-

---

[61] Rafael Termes. "Las irregularidades financieras y la economía de mercado", IESE, Universidad de Navarra, 2002.
[62] Richard Whiteley, "Encaríñese con su trabajo", *Expo-Management*, Reforma, Suplemento, México, 2-VI-2003, p. 18.
[63] Cfr. *Supra* II, 2.1.
[64] Cfr. *Supra* II, 3.1.

sa, porque nos orienta hacia el sentido de la colaboración más que al de la competencia, por mucho que se haya privilegiado a esta última en la sociedad contemporánea.[65] El hacer empresa requiere confianza. Sin confianza no se sabrá hacer "empresa" sino sólo negocios.

También hemos visto que son muchas las cualidades que se transmiten en la empresa más vivencialmente por contagio que académicamente por aprendizaje formal. La confianza es un caso prototípico de estas cualidades, porque se da con ella el claro fenómeno de la mutualidad: para que tus colaboradores te tengan confianza tú debes tenerla en ellos. Es inútil la discusión acerca de quién ha de dar el primer paso, asunto debatido -inútilmente, insistimos- en las teorías de la organización, porque la confianza de los otros en mí no se encuentra en mis manos, pero, en cambio, sí se encuentra en ellas, a mi disposición, mi confianza hacia los otros. Está claro que soy yo el que debo empezar.

Por otro lado, el sentido común mismo nos dice que *la confianza es un factor insustituible en el liderazgo*, como lo asevera Laurence Miller, en *Un nuevo espíritu empresario.* No le faltan razones para calificar a la confianza como factor esencial en el líder, sino, además, como primera piedra o piedra clave del liderazgo: "El liderazgo requiere de seguidores y el acto de seguir es un acto de confianza y de fe en el líder, y esa fe sólo puede generarse si los líderes actúan con integridad...".[66]

El proceso, en efecto, de la confianza inicia con la integridad del líder. Debe *ganarse la confianza* de aquellos que han de trabajar con él. Esto es válido e indiscutible tanto si los demás *han de seguirlo* -según lo propone Milller- como si yo debo *marchar con ellos*, como lo hemos propuesto nosotros. Ni me seguirán, ni podrán venir conmigo, ni yo podré ir con ellos, si no me gano su confianza. Parece ser que el

---

[65] Cfr. *Supra* I, 12.1: *Competencia y colaboración.*

[66] Cfr. Lorenzo Servitje, "El lado humano de la empresa", *Expo-Management*, 4-VI-2003.

acto de ganar la confianza se centra, bien en la manera de ejercer el acto, bien en la persona de aquél cuya confianza debo ganarme. Se trata de verdades prácticamente admisibles: debo actuar de manera tal que inspire, gane, merezca la confianza: y la persona a la que quiero ganar debe tener la nobleza subsiguiente para dejarse ganar por mí. Pero estas admisibles e indiscutibles propuestas no deben dejar a un lado lo principal. Lo principal para ganar la confianza de alguien no es *ni el cómo son mis acciones ni cómo son los demás*. Lo principal no esta ni en las acciones ni en los destinatarios de ellos. Lo principal está en mi propio ser: *ser digno de confianza*. Sin ello, fracasa todo el pretendido proceso de arrastre, en caso de que se haya dado en algún momento la chispa de encendido que lo puso en marcha.

Para Miller *se es digno de confianza cuando se actúa con integridad*. La contundencia de tal propuesta, con la que no podemos menos que estar conformes, implica, no obstante, una seria dificultad. Si los problemas de liderazgo se situaban hasta ahora en mi modo de ejercerlo y en el modo de ser de los demás, ahora regresan a mí mismo como un *boomerang*: el problema de mi liderazgo se encuentra -al menos inicialmente, como primer escalón de una intrincada escalera- en la integridad personal.

¿Qué significa para nosotros el ser íntegro? Es evidente que no podremos contestar esta pregunta *íntegramente*, pero podremos hacerlo reduciendo nuestro análisis a aquellos aspectos de la integridad que guardan una vinculación más estrecha con el liderazgo, y con el liderazgo encarnado en una persona humilde, única que podría ser líder *stricto sensu*.

La integridad es el atributo que corresponde a la persona que actúa de acuerdo con lo que piensa. No obstante, esta sencilla afirmación encierra una estructura más compleja, en medio también de su sencillez, que conviene ahora poner al descubierto, en el entendido de que la confianza es la piedra del arco del liderazgo, y de ella no seremos dignos sin integridad.

El actuar humano, en cuanto tal, comienza con el pensamiento. La característica, diríamos que única del pensamiento es la *objetividad*, como lo hemos visto detenidamente al estudiar el análisis objetivo de las circunstancias del yo[67] que denominamos diagnóstico. Verdad es el estado del pensamiento objetivo, vale decir, de aquél que piensa las cosas como son. Este es un aspecto embrionario de la integridad, pues hace relación inicial con ella, aunque en sí no la constituya. Prueba de esto es que quien no piensa las cosas como son decimos que se equivocó, pero no que le falta integridad. Lo opuesto a la objetividad es el error. El trazo completo, pues, de la integridad comienza con una simple figura:

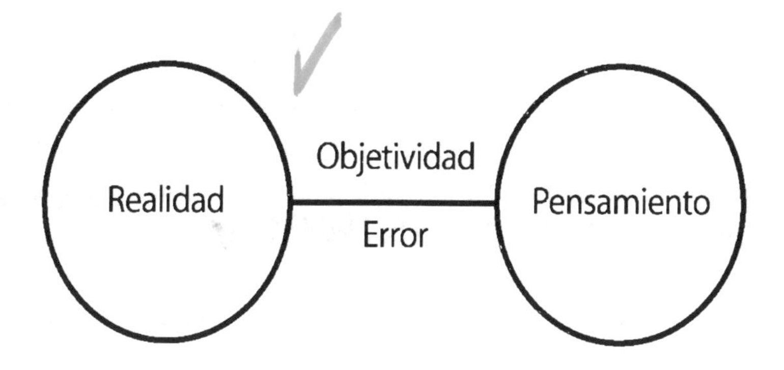

Como el hombre es un ser social, el pensamiento se trasluce al exterior, mediante la palabra: diríamos que se encarna en ella. Cuando el hombre dice lo que piensa, y como lo piensa, se encuentra en ese estado que llamamos verdad. La verdad es ya un elemento constitutivo del hombre íntegro. A quien no dice las cosas como se piensan se le llama no ya equivocado, sino mentiroso. La mentira es la primera y más grave falla para que se dé la integridad. La mentira se diferencia del error.

[67] Cfr. Supra II, 2.1.

La figura de la integridad se continúa, entonces, de esta manera:

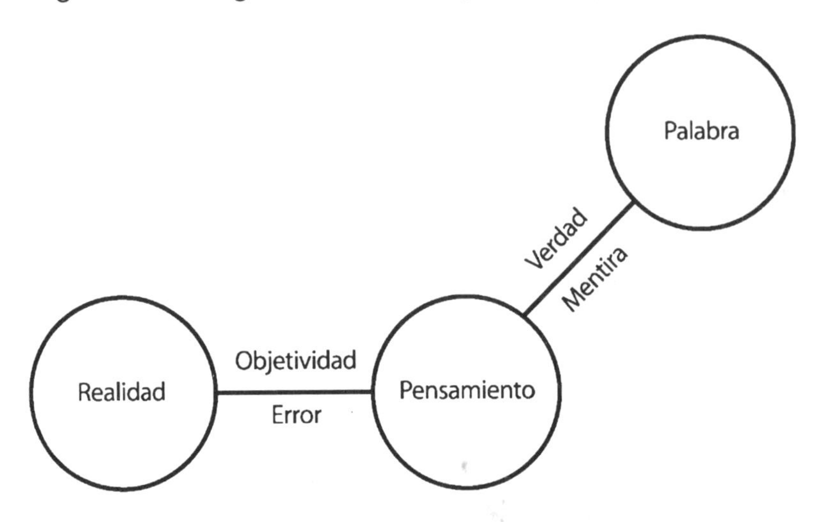

Es la palabra la primera acción externa intelectual del hombre. Pero a ella siguen necesariamente otras acciones. Precisamente del hombre que actúa como ha dicho que lo iba a hacer, quien cumple lo que promete, se dice que es un hombre íntegro. Sus palabras y sus acciones no se encuentran disociadas. Quien cumple lo que promete encierra dentro de sí esa armonía plena que se llama integridad, opuesta al repliegue y al doblez.

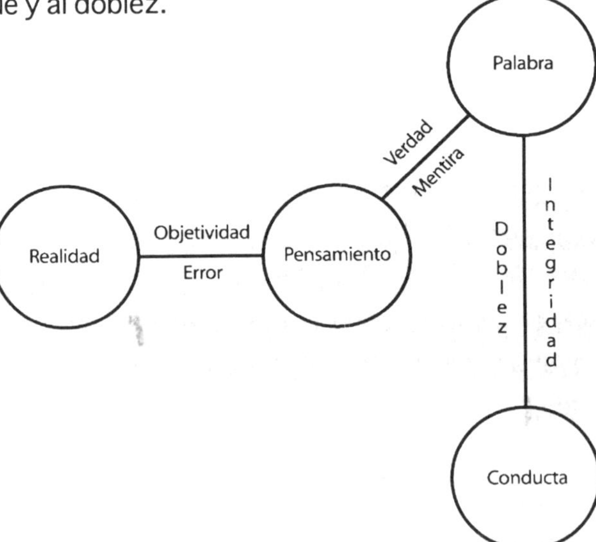

El hombre íntegro es aquél de quien los demás saben a qué atenerse. Es un hombre de palabra. Ya se ve que la integridad y la verdad se encuentran estrechamente unidas. La primera avala a la segunda. Si soy mentiroso, si no digo a los demás las cosas como las pienso, difícilmente actuaré conforme a mi palabra, que ya en su misma constitución es falsa. Pero integridad y verdad no necesariamente se identifican. Puedo decir lo que pienso como lo pienso -soy veraz-, pero a la hora de mi conducta soy débil: no me atrevo a cumplir lo que había prometido. Ya dijimos que el cumplimiento de la palabra se erige como una condición indispensable para la existencia de los negocios. Diríamos que lo es aún más para la existencia del liderazgo. Nos encontramos imposibilitados para confiar en una persona que no guarda su palabra, y esta misma imposibilidad aparece ante quien no dice lo que piensa. El incumplido y el mentiroso, se encuentran ante la ineptitud de poderse *ganar la confianza* de nadie. No existe sistema monetario, procedimiento de relaciones públicas o técnicas psicológicas que pongan remedio a esta incapacidad del ser humano. Nuria Chinchilla dice con fundamento que "no es posible vivir en una esquizofrenia constante".[68]

En la cultura de cualquier organización han de encontrarse reselladas estas convicciones: cumple aquello que prometiste; o su versión negativa, aunque tal vez más realista: no prometas aquello que no estás seguro de poder cumplir.

El incumplimiento que choca de bruces con la integridad es sobre todo no el de aquél que se halla impedido a hacer lo que dijo, por obstáculos insospechados en el momento de la promesa, sino el de aquél cuyo incumplimiento tiene su origen en la falta de fortaleza personal para llevarlo a cabo. En el primer caso más que falta de integridad se puede hablar de falta de precisión. Por ello, nos atrevemos a decir que el *imprevisto padece ya, aunque de alguna manera, de falta*

[68] Nuria Chinchilla, "Liderazgo Personal", en *Paradigmas del Liderazgo*, p. 124.

de integridad. El que se encuentra a la cabeza de una organización debe prever la posibilidad factual de hacer las cosas, antes de prometer que las hará. Es distinta la falla de quien no se levanta a la hora prometida porque no tuvo la precaución de poner a tiempo su reloj despertador, de quien no se levantó a tiempo por pereza. Pero tampoco tiene integridad -no es un hombre completo, íntegro- ante los demás el que no pone todo lo que está de su parte para cumplir lo prometido.

Algo semejante ocurre en el error. Quien se encuentra a la cabeza de un grupo no puede considerar intrascendente el equivocarse. De ahí la importancia del consejo de Tom Peters, el cual, aunque se destina a los vendedores, bien puede valer para los jefes de la organización: no deben sólo ser confiables, sino presentarse –que es una forma de venta- como tales: "Nunca prometas más de lo que puedes cumplir".[69]

Falta aún en nuestro diseño una pieza. El hombre integro, en el sentido que acabamos de dar tal calificativo -hombre completo- ha de cerrar cohesionadamente su círculo vital; es decir, aquél que comienza por el pensamiento de la realidad y termina en el compromiso de la palabra. En este círculo se dan varias fases constitutivas, en cada una de las cuales ha de darse la concordancia requerida para la integridad.

-realidad – pensamiento	Que da lugar a la concordancia o discordancia de la objetividad y el error.
- pensamiento –palabra	Cuya concordancia es la verdad, y la mentira su discordancia.
- palabra – conducta	Si hay concordancia, hay integridad; en caso contrario, incurrimos en doblez.

La última fase de la integridad cierra evidentemente el circuito: la concordancia de la acción y el pensamiento, que llamamos unidad de vida, y su discordancia, que recibe el nombre de incoherencia vital.

---

69 Tom Peters, "¿Cómo vender?", Expo-Management, Reforma, suplemento, México, 2-VI-2003, p. 16.

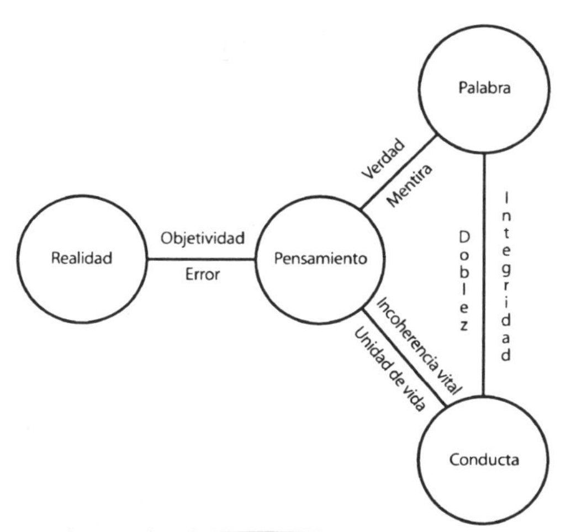

No podemos dejar de decir que la unidad de vida constituye la integridad completa: vivir como se piensa, pensando con verdad. Pero, en orden al liderazgo, es posible -sólo posible- que las consecuencias resultaran menores, ya que muchos pensamientos no son patentes a los demás y en cambio las palabras sí. No obstante, la incoherencia vital genera tal problema interno, tal esquizofrenia interior, que nadie sin unidad de vida habría de atreverse a sustentar una jefatura.[70]

El resto ya lo sabemos; pero, dada la flaqueza humana, es preciso tenerlo presente. Empleando una incorrección sajona, el hombre de empresa no cuenta con *checking list* más importante.

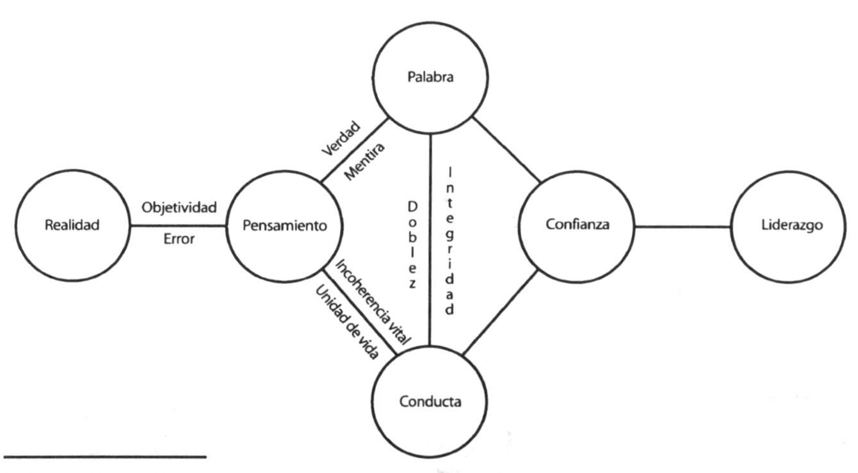

[70] Carlos Llano, El empresario y su mundo, McGraw-Hill, México 1993. p. 33 y ss.

No podemos incurrir en el lirismo ilusorio de pensar en líderes perfectos, para que lo sean. La confianza no viene producida sólo por la integridad, ni en todas sus cuatro fases necesarias.

Objetividad	En la relación de la realidad con el pensamiento.
Verdad	En la relación del pensamiento con la palabra.
Integridad	En la relación de la palabra con la conducta.
Unidad de vida	En la relación de la conducta con el pensamiento.

En el actual momento de nuestro estudio, se hace evidente que estas cuatro fases de la integridad se encuentran empapadas por esa actitud humilde que se expresa prototípicamente en el sometimiento: de nuestro pensamiento a la realidad; de nuestra palabra a nuestro pensamiento; de nuestra conducta a nuestra palabra; de nuestra conducta, en fin, a nuestro pensamiento.

El hombre egoísta, que quiere ser el ególatra dueño y señor de sus actos, que no desea someterse a las reglas básicas del comportamiento humano, es detectado enseguida, por sutiles que sean sus habilidades, como un hombre al que le falta la más elemental integridad.

La confianza no se tiene sólo a quien es ya perfecto íntegramente o a quien posee perfectamente la integridad. No podemos pedir esto a un hombre normal, ni tampoco a un supuesto líder. Lo que sí se le debe exigir, y de manera apremiante y perentoria, es que luche por alcanzar la integridad que todos le pedimos para que llegue a ser confiable o digno de confianza. Se gana nuestra confianza no el que resulta impoluto e impecable: como la nieve fría, más que atraer, repela. Es confiable quien comparte con nosotros la lucha por ser digno de nuestra confianza. No será, pues, aquél que oculte sus errores, sino el que manifieste sin desdoro ni vergüenza el modo rápido y fuerte que posee para rectificarlos: sabemos así qué es lo que haría con los errores nuestros. No es íntegro sólo el que nunca falla, sino el que pide perdón cuando lo hace.

Hay promesas implícitas. De quien se encuentra al frente de una organización se asume que se halla acorde con su finalidad o misión. La integridad requiere que sus acciones sean consonantes con esos objetivos, metas, finalidades o misiones de la organización. En caso de no serlo, debe dar a conocer la causa de esta momentánea, real o aparente desviación. En una empresa que muchos de nosotros conocemos se cuenta con la valiosa costumbre de comunicar las razones o motivos por los que una determinada orden parece ir contra las metas aceptadas o contra las políticas establecidas para alcanzarlas. Las razones podrán ser más o menos convincentes, pero, en cualquier caso, *deben comunicarse*: sólo así se restauraría la integridad, en el caso de que ésta se haya maltrecho, aun levemente. Pero lo más significativo de esta empresa es el establecimiento de una costumbre por la que el subordinado *está autorizado para y aun obligado a* preguntar la razón que se encuentra en la base de esa orden. Ello no supone en modo alguno una discordancia con la autoridad, sino, al contrario, una vigilante salvaguarda de los objetivos y políticas que fueron en un tiempo aportados por todo. Esta costumbre vivifica la filosofía de la empresa, al grado de evitar que sea *letra muerta*: la finalidad debe ser tenida en cuenta, pues es un modo de cuidar la organización, de la vigencia de las órdenes. *Sólo con integridad podremos saber a qué atenernos.*

Hemos visto que la integridad exige de nosotros ese alto atributo humano que es la humildad: es este atributo, y no otros procedimientos y técnicas, el que se gana la confianza de todos.

La empresa, institucionalmente, tiene al menos cuatro finalidades:

- La creación de riqueza o valor añadido.
- El servicio a la comunidad social en que se desenvuelve.
- El desarrollo de las personas que en ella trabajan.
- El mantenimiento de una continuidad duradera.

Pues bien: cualquier persona que ocupe un puesto en los cuadros directivos de la empresa, asume, por ese sólo hecho, la responsabilidad de aceptar y conseguir estas cuatro finalidades institucionales, además de las que específicamente cada empresa haya determinado para concretar las finalidades dichas. Una actitud íntegra es la de aquella persona que se impide a sí mismo ser director de una organización en la que no se consiguen esas finalidades, o no se está dispuesto a practicar los cambios necesarios para conseguirlas. La falta de integridad sería entonces primordial y básica: pues no es íntegro quien está trabajando como director de una empresa que no lo es.

El cumplimiento, al menos, de estas cuatro finalidades institucionales es, por otro lado, la principal responsabilidad social de la empresa. No puede ser íntegro quien es socialmente irresponsable.

La advertencia de San Josemaría al hombre común de trabajo es muy clara: "... *si no quieren llevar una vida íntegra, no deben ponerse jamás en primera fila, como jefes de grupo, ni ellos ni ellas*".[71]

Con frase concisa, Peter Drucker afirma que las empresas deben hacer bien las cosas (*do well*) para poder hacer el bien (*do good*). Este grato juego de palabras sajonas fue análogamente advertido muchos años antes por Josemaría Escrivá, valiéndose de otro juego de términos castellanos: *para servir, servir*, al punto de grabarlo en piedra para su primera casa romana. Para prestar un servicio, para beneficiar a los demás, hay que servir; saber hacer las cosas, ser útiles. Sólo en la organización cósmica puede Dios perdonar a los *siervos inútiles.*

La integridad, tal como la hemos estudiado aquí, "trata de que el personal a todos los niveles se involucre en las finalidades de la em-

---

[71] Josemaría Escrivá: *Camino*, n. 411.

presa, como si fueran propias: participan en el proyecto, en esa aventura que es la empresa, en la medida en que esté a su alcance. Hay que conseguir -como ya se dijo- que quienes trabajan en la empresa puedan aportarle su imaginación, su iniciativa, su entusiasmo".[72]

La integridad del líder se reduplica en aquellos con quienes trabaja. Así es como se introduce en la empresa el sentido humano...: vivificando las relaciones de jefes y colaboradores y del personal entre sí, *con el respeto que cada uno merece*, impregnándolos de un estricto sentido de justicia y *mutua confianza* y aun impulsándolos con la estimación y afecto que debemos tener al prójimo de nuestra vida de trabajo: nuestros empleados, nuestros compañeros, nuestros jefes.[73]

La mutualidad de la confianza es lo que más nos anima a que la confianza sea inspirada; con ella vienen a la organización muchas cosas buenas, que de lo contrario estarían ausentes. Reseñemos ahora sólo una de ellas: el respeto. Toda persona es digna de respeto, pero más lo es si esta persona es íntegra: para ella, el respeto y la confianza marchan paralelas.

——— o ———

La confianza se debe analizar con cuidado en el campo de los sentimientos, afectos, emociones y pasiones. Pero no debemos detenernos en ellos, como si la confianza fuera un afecto más. En ella concurren la inteligencia y la voluntad tanto como nuestras demostraciones afectivas. No obstante, como la confianza se remite a la persona entera, no debemos marginar en ella nuestros afectos. Pero, por ello mismo, no podemos tampoco dejar afuera "aquellos comportamientos observables y habituales que posibilitan el éxito de una persona...",[74] considerando, sin embargo, que la evaluación de competencias, per-

[72] Lorenzo Servitje, *El lado humano de la empresa*, Expo-Management, México D.F., Junio 4, 2003.
[73] *Ibidem.*
[74] Pablo Cardona. Pablo Cardona, "Dirección por competencias...", p. 82.

fectamente confiable con, y aun promotora de la confianza, toma en cuenta tanto aptitudes, como conocimientos, actitudes y rasgos de la personalidad.[75]

En especial, sería un error dejar a un lado los aspectos volitivos, para darle preferencia a los afectivos. Porque es la voluntad el campo en donde radica el compromiso. Pablo Cardona define el liderazgo por medio de estas cuatro notas: "lograr el compromiso de los colaboradores inspirando su confianza, dando sentido a su trabajo y motivándoles a conseguir sus objetivos". Tiene el acierto de elaborar un modelo de desarrollo de competencias en el que la voluntad ocupa el lugar central, por encima de la afectividad. El compromiso y la confianza constituyen para él la unidad, que es el aspecto principal de su *intrategia*, representante de las relaciones en el dintorno de la empresa, así como la *estrategia* consistiría en el sistema de relaciones con su entorno.

En la *intrategia* de la empresa pueden darse conflictos entre las motivaciones racionales y las motivaciones emocionales. Es entonces cuando la voluntad ha de intervenir *a favor de las motivaciones racionales.* "La voluntad es el núcleo más íntimo de la persona en la que reside su actitud y, en el fondo, su libertad". Resulta importante la adquisición, por parte de la voluntad, del hábito de intervenir a favor de las motivaciones racionales cuando entran en conflicto con las espontáneas. Nosotros nos permitimos añadir que cuando prevalecen las motivaciones espontáneas, corre el peligro de resquebrajarse la integridad, y particularmente la unidad de vida: lo espontáneo -como emocional- puede brotar al margen del pensamiento y no facilita mantener una línea de conducta coherente con lo que pensamos, a lo que hemos llamado *unidad de vida.*

En el momento actual es fácil incurrir en equivocaciones antropológicas, precisamente por la ignorancia moderna de la antro-

[75] Cfr. Boyatzis R. The Competent Manager, Wiley, New York, 1982, *passim.*

pología antigua. No pocos conciben entienden por inteligencia emocional la que pertenece a un entendimiento que admite la influencia de las emociones y afectos, cuando debería considerarse más bien como una inteligencia que tiene en cuenta los sentimientos, emociones y afectos de los demás, que -siendo subjetivos en la persona que es afectada por ellas- son sin embargo para el que con ellos debe relacionarse tan objetivos como sus brazos y sus piernas.

Para esto, para tener yo en cuenta objetivamente las afecciones subjetivas del otro, debo tener dominio sobre mis propias afecciones. A esto le llama Pablo Cardona, con todo acierto, y en contra de popularizados temas superficiales, inteligencia emocional: "la capacidad de dominar las emociones y los estados de ánimo para actuar ponderadamente".[76]

——— o ———

No se crea sin embargo, que la confianza, por tener un nervio básicamente intelectual y volitivo, carece de la intimidad propia de los sentimientos. Para entenderlo, hemos de considerar, con Nuria Chinchilla, que la confianza es el ámbito apropiado para que se den lo que llama *vínculos de pertenencia*,[77] cuyo máximo grado es el vínculo de lealtad o identificación, en el que se compromete la persona entera, y en el que prevalecen los *motivos trascendentes.*[78]

Hemos de tener en cuenta que para Nuria Chinchilla los motivos trascendentes no son sólo aquellos que tienen repercusión en las demás personas, sino también implican "esa difícil capacidad de moverse por los demás trascendiendo su propio egoísmo".

Cuando prevalecen los motivos trascendentes da lugar lo que Nuria Chinchilla denomina *compromiso con la organización,* el cual goza de una mayor estabilidad que aquella que se produce con los

---

[76] Pablo Cardona. "Dirección por competencias...", p. 85.
[77] Nuria Chinchilla, "Cómo retener el talento directivo...", en *Paradigmas del liderazgo...*, p. 97.
[78] "Distintos enfoques para la dirección de personas en la organización", en *Paradigmas del Liderazgo...*, p. 2.

compromisos personales. Por segunda vez vemos, antes gracias a Cardona y ahora a Chinchilla, que el compromiso y la confianza van de la mano, y juntamente requieren la trascendencia del propio egoísmo. En el compromiso personal cuenta más la persona (yo que me comprometo y el otro con quien me comprometo) que la organización. En cambio, en el compromiso con la organización cuenta más ésta que la o las personas.

Planteadas así las cosas, se comprende con facilidad que los *compromisos profundos* con la organización, tal que prevalezca sobre las personas, no podrán tener lugar si no laten en la misma organización, y en un conjunto proporcional de las personas que la integran, *convicciones profundas*. De esta manera, un mando basado en la confianza se relaciona estrechamente con lo que en la primera parte de nuestro estudio fue advertido sobre la profundidad de las convicciones (n.6) y con el talante humilde de quien las incorpora en su vida. La perennidad de las convicciones (n.7) compensa, y en cierto modo explica, la transitoriedad de los líderes (n.5).

El compuesto de estos diversos factores da lugar, al mismo tiempo, al florecimiento de la lealtad, uno de los valores más escasos en las empresas mercantiles. Para ello no sólo se requiere del líder una influencia, que puede incluso ser penetrante e incisiva, sino la capacidad de retener a las personas en la asociación. Cardona identifica esta capacidad retentiva con la lealtad profesional y la condiciona a que el líder *desarrolle profesionalmente* a quienes con él trabajan.[79] Pero -y ello es lo que hace interesante al presente aspecto del mando- el desarrollo profesional requiere también un clima de confianza.

En efecto, una de las más importantes técnicas para la evolución y desarrollo de los individuos es la llamada de 360°, porque se tienen en cuenta *todas las circunstancias del yo*: todos los que tienen una relación profesional con la persona que se desea evaluar, *con el fin*

[79] Pablo Cardona, "Liderazgo relacional", p. 141.

de desarrollarla (para el caso de otros fines esta herramienta no resulta tan aconsejable), requiere como condición un *entorno de confianza.*[80]

Este entorno de confianza no sólo es requerido para el empleo de esa técnica de desarrollo que acabamos de mencionar, sino para algo que no es ya un instrumento, sino un factor causal en todo desarrollo del hombre en la organización. Nos referimos a lo que el propio Pablo Cardona denomina talento interdependiente.[81]

Durante mucho tiempo se consideró que la eficacia del líder provenía de la habilidad que éste tuviera para suscitar relaciones de *dependencia* con él. Sus subordinados serían *subordinados dependientes del líder.* Incluso el término *dependencia* llegó a identificarse con subordinación: la pregunta ¿de quién dependes?, era análoga a la de ¿quién es tu jefe? o ¿a quién le reportas tu trabajo?

La revalorización de la persona que, al menos teóricamente, apareció en la empresa hace unos veinte años, por un movimiento pendular, calificaba como líder eficaz a aquél que lograba que sus colaboradores trabajaran, por contraposición, con independencia, sin que por ello perdieran la necesaria subordinación: estaríamos hablando de *subordinados independientes* del líder en aspectos básicos de su trabajo, independencia, sin embargo, que no anulase la requerida subordinación.

Lo que Cardona propone es el incentivo del *talento interdependiente.* "Una persona demuestra talento interdependiente cuando es capaz de actuar pensando en las consecuencias de sus acciones en los demás..., y es capaz de sacrificar su propósito en beneficio del equipo cuando es necesario. El talento interdependiente añade a la libertad propia del talento independiente una característica nueva: la responsabilidad ante los demás miembros de la organización. Por eso

---

[80] Pablo Cardona, "Dirección por competencias...", p. 87.
[81] Pablo Cardona, "Liderazgo relacional", p. 144.

lo que busca no es primariamente el éxito personal, sino la mejora de la organización.[82] No nos extraña que para Pablo Cardona "la evaluación por competencia no evalúe por comparación competitiva, sino por contribución al conjunto.[83]

Otra vez en el caso de Nuria Chinchilla y de Pablo Cardona aparece, en el ámbito de la excelencia del liderazgo, el importante papel de la motivación trascendente, en cuanto se trata de una cualidad gracias a la cual el que por ventura la posee, puede pasar por encima de sí -transcender- en búsqueda del bien de la organización y de sus componentes, soportando el egoísmo y enfrentando para ello el sacrificio. Es obvio que, en este sentido, la motivación trascendente y lo que nosotros entendemos por humildad cuentan con afinidades casi idénticas.

Nos vemos gratamente obligados, así, a estudiar el modo como para nuestros autores puede llegarse a una motivación trascendente, tanto para sí mismos como para las personas que tengo a mi cargo (para no decir ahora bajo mi dependencia).

Nuria Chinchilla reconoce que no es posible imponer desde fuera las intenciones que llevan a actuar a las personas. No obstante, los directivos pueden actuar de manera que mejoren las finalidades o motivaciones de las personas, a fin de que se muevan por motivaciones trascendentes.[84] Resumimos esta actuación:

1. *No ser obstáculo.* Condición que, pese a las apariencias, no resulta fácil de cumplir. Los objetivos inmediatos pueden suscitar en el líder la imperiosa necesidad de mover a sus colaboradores median-

---

[82] Pablo Cardona, "Liderazgo relacional", p. 144. (Cfr. Sobre este particular, lo que hemos señalado en el n. 10 de la primera parte de nuestra presente obra: *Preponderancia*).
[83] Pablo Cardona, "Liderazgo relacional", p. 144. Cfr. Al respecto, nuestro n. I, 12.1. Competencia y colaboración.
[84] Nuria Chinchilla, "Distintos enfoques para la dirección de las personas...", *Paradigmas del liderazgo*, McGraw-Hill, p. 3. La autora reconoce que las ideas aquí expuestas deben su filiación a Juan Antonio Pérez López, y por nuestra parte hemos asistido a lecciones en que Pérez López mismo presenta estas ideas.

te finalidades no trascendentes, incluso despertando o avivando sentimientos egoístas que todos tenemos larvados y exigen una válvula de escape. Aun inconscientemente, la costumbre de relacionar determinados resultados de la acción con premios extrínsecos suele encontrarse subyacente en modos de liderazgo que desean, por paradoja, expresa y conscientemente mantener viva la trascendencia en las finalidades de sus subordinados.

2. *Enseñar el valor de las consecuencias trascendentes.* Como, por definición, el resultado de las acciones realizadas con motivación trascendente no repercuten de modo directo en el sujeto que las realiza, sino en los demás, ha de procurar que los beneficiados mismos muestren sus avances y su agradecimiento. La compensación del agradecimiento, sin embargo, no debe ser la finalidad principal de la motivación trascendente, pues *eo ipso* ésta dejaría de serlo.

3. *Ser ejemplar*. Esta condición, según Nuria Chinchilla, es necesaria para que de los dos puntos anteriores resulten consecuencias favorables. Apela así, con acierto, al principio de reciprocidad en las relaciones interpersonales, principio en que se basa la confianza, pero que puede perderse en un instante. Basta con que el jefe decaiga en su generosidad o se deje llevar por los apetitos de preponderancia, para que el sistema de una organización que pretende basarse en las motivaciones trascendentes, se derrumbe sin fácil remedio.

En lo que a nosotros respecta, la experiencia nos muestra los pivotes centrales en que debe asentarse la confianza, los cuales no hacen más que subrayar sucintamente ideas que se han reiterado en nuestra presente obra. 1) Sinceridad; 2) Espíritu de servicio; 3) Rectitud de intención.

——— o ———

Nos preocupa no resaltar el lado obscuro de la confianza, que también lo tiene. Un buen amigo poseía la pesimista costumbre de tener a flor de labios el conocido -y desconfiado- refrán "piensa mal y acertarás". Le hicieron la saludable observación de que un pensamiento tan generalizado demeritaba a las personas en bloque, siendo así que habría muchos, entre los que se contaban sus amigos, que eran dignos de fiar. Aceptó la observación, pero cautamente. Desde entonces se limita a decir: *piensa bien aunque te equivoques.*

Sostenemos sin duda que el mando pide esa cualidad de las relaciones humanas que hemos denominado *confianza*.

Se trata, *en primer término*, de la confianza que he de tener en los demás para que ellos -conmigo- logren el propósito decidido.

En segundo término, derivado del primero, se trata de la confianza en su capacidad para adquirir las cualidades requeridas a fin de alcanzar la meta que nos hemos propuesto, la cual (como dijimos en II, 3.2) supera las posibilidades que *ahora* -cuando decidimos la meta- tenemos, y por ello toda decisión requiere de la *audacia*.

En tercer término, he de añadir la confianza no sólo de que son o serán capaces de lograr la meta, sino de que *querrán* lograrla, a pesar de las dificultades que se presenten, ahora imposibles de prever en su totalidad (lo cual nos llevará como de la mano a otras cualidades del mando que hemos denominado *fortaleza y constancia* y de las cuales nos ocuparemos después). Mi confianza anterior se refería a las capacidades operativas; en tanto que ésta apela a la capacidad volitiva.

En cuarto lugar, he de tener confianza de que yo, con ellos, tengo o tendré las capacidades que se requieren para alcanzar el propósito decidido. Esta confianza implica un factor de autoestima, sí, pero requiere la objetividad para calibrar cuál es el alcance del yo y mis circunstancias, en el diagnóstico.[85]

---

[85] Cfr. *Supra* II, 2.2.

En quinto y último lugar he de tener de nuevo confianza en que yo mismo seguiré queriendo el logro de la meta, ya que no sólo preciso, como los demás, estirar mis capacidades operativas sino, también como los demás, sostener mi vigor volitivo ante los obstáculos.

Estas cinco capas diversas de confianza contienen un elevado índice de riesgo, que requeriría de nuevo la presencia de la audacia, incluso, otra vez, refiriéndome a mí mismo y no sólo a los demás.

Suele acontecer que las personas tienen más confianza en sus propias posibilidades que en las de los otros, desigualdad injustificada, con un alto tinte de subjetivismo, pues no hay razón alguna para sostenerla en general. La excesiva confianza en mis posibilidades, aunada a la menor confianza en las de los que trabajan conmigo, anula axiomáticamente la acción en equipo, pues en cada uno de los demás se dará la misma tendencia a considerar que mis capacidades son menores que las suyas.

De esta manera, si la confianza en los demás pide la presencia de la audacia (por el riesgo que implica) pide encima la de la humildad, la cual -dijimos- nos hace objetivos ante nuestras propias capacidades (operativas y volitivas), requisito primero para serlo ante las de los otros. Pensar de manera general en el nivel superior de mis atributos (respecto de las metas fijadas) en comparación con los de quienes colaboran conmigo (en el logro de esas metas), no sólo encierra falta de humildad, sino también de justicia, pues nos atrevemos a emitir un juicio siendo nosotros mismos el juez y la parte. La injusticia podría dejar de suponerse, al menos, si el juicio favoreciera a los otros primero que a mí.

Repetimos que ese juicio conlleva una alusión a la persona que manda, esto es, a mí mismo. Como dijimos al adentrarnos en este espinoso camino del mando, debo mandarme, en el aspecto más reflexivo del término, para la ejecución de lo que decida. Esta ejecución no es en mí automática, como tampoco en los demás, de manera que se desencadenase maquinalmente a partir de la chispa encendida por la decisión. La decisión es un acto inmanente, interior, falto de potencialidad alguna hasta que no se desborde en el hecho de mandarme -y obedecerme- a mí en primer lugar y a los demás en segundo, para alcanzar lo que decidimos que se lograse.

Con lo anterior nos parece haber salido del peligro, y la preocupación consecuente, de presentar la confianza del líder y de sus colaboradores con un tono excesivamente positivo, y carente de claroscuro. Hemos señalado, en efecto, el punto débil de la confianza: la confianza en mí y en los demás implica riesgos, tanto por parte de las capacidades operativas y volitivas de quienes trabajan conmigo, como parte de las *capacidades operativas y volitivas de mí mismo, que no tienen por qué ser más confiables que las de los demás.* El verdadero riesgo de la confianza está en mí mismo. No debo dar por descartada la seguridad en mi propio valor confiable.

El riesgo que implica la confianza ha sido señalado con vigor por Robert Levering.[86] El acto de confianza es complejo: implica riesgo, vulnerabilidad, juicios sobre las capacidades y habilidades de los demás, cuestiones de poder y de control.[87] Pero no ocurre de repente: es lo que ha sucedido en el lugar de trabajo con el paso del tiempo. Si alguien respeta lo que es nuestro, guarda nuestras confidencias, crece nuestra confianza: si no nos devuelve lo prestado o no guarda un secreto, nuestra confianza en tal persona se pierde. Por ello Levering describe este fenómeno en términos de *depósito de confianza* (*trust reservoir*).[88]

Es tal el relieve que adquiere la confianza en la dinámica del liderazgo, y tal su relación con el núcleo de nuestro estudio -la humildad-, que por fuerza debemos detenernos en lo que consideramos el análisis más avanzado sobre la confianza que se ha escrito hasta ahora en la teoría del *management*. Nos referimos precisamente a la

---

[86] Robert Levering, *A great place to work, Great Place to Work Institute*, San Francisco, Cal. 2000, p. 187.
[87] Robert Levering, *A great place to work*, p. 187.
[88] Robert Levering, *A great place to work*, pp. 188-189.

obra de Robert Levering, *A Great place to work* (*what makes some employers so good – and most so bad*), que acabamos de citar.

Levering tiene conciencia de que su obra inaugura un nuevo modo de considerar el trabajo en la organización. Y lo dice expresamente: "rara vez se reconoce que el lugar de trabajo es *un sistema de relaciones interdependientes* -con la compañía, con el trabajo mismo, con los otros empleados-",[89] y "esta relación entre la dirección y los empleados estaba basada en el *respeto*, un ingrediente clave de la confianza.[90]

Después de analizar las principales teorías de las relaciones humanas en el trabajo, elucubradas a lo largo del siglo XX, se reafirma en el hecho de que está, en ese mismo terreno, dando un nuevo paso. "Podemos concluir que en ninguna escuela del pensamiento del *management* hay un espacio para una asociación genuina. Ninguna visión de estas escuelas ofrece una manera de *vencer la desconfianza latente del individuo* hacia la organización.[91]

Hace Levering un sucinto pero muy valioso resumen de esas teorías sobre las relaciones humanas en la empresa. El caso de mayor influencia en la empresa del siglo XX es sin duda el de Frederick Taylor (que la relación de directores y empleados es la que existe simplemente entre un pensador y un ejecutor[92]). El problema del taylorismo es que se encuentra *basado en la desconfianza*: asume que los trabajadores son *naturalmente perezosos.*[93] En Elton Mayo (y en cierto modo en Herzberg), propagador de la psicología individual, como especialista de relaciones humanas,[94] esa relación podrá parangonarse como la del doctor con el paciente.[95] Para Drucker,

---

[89] Robert Levering, *A great place to work*, p. 80.
[90] Robert Levering, *A great place to work*, p. 149.
[91] Robert Levering, *A great place to work*, p. 135.
[92] Robert Levering, *A great place to work*, p. 132.
[93] Robert Levering, *A great place to work*, p. 83.
[94] Robert Levering, *A great place to work*, pp. 154-155.
[95] Robert Levering, *A great place to work*, p. 133.

esta relación se resumiría en el nexo entre *los profesionales del management* y los especialistas de trabajos determinados.[96] Tom Peters lo asimilaría a un animador, pedagogo, mentor, ejemplar, inspirador de valores y dotador de sentido.[97]

A todas estas teorías de las relaciones humanas, que son otros tantos modos de liderazgo, les falta, según Robert Levering, el haber creado una sociedad fundamentada en la confianza.

Los atributos del ser humano, cuando la confianza entra en juego, se vuelven activos (*assets*), y cuando entra en juego la desconfianza se vuelven desventajas o pasivos (*diabilitis*). En los buenos lugares de trabajo no sólo se trata a las personas como a los activos más importantes, sino que además se sabe cómo aprovechar sus atributos según *lo que es un ser humano: una criatura que florece con la confianza.* Diversamente, negar la confianza es deshumanizar... .[98]

¿Cuáles son para Robert Levering las condiciones básicas para suscitar un clima de confianza en la organización, y convertirlo así en el mejor sitio para trabajar?[99]

Ya puede suponerse que la respuesta a esta pregunta no será ni sencilla ni superficial. Tal vez sea éste el mérito medular de Robert Levering. En el punto más álgido, a nuestro juicio, de su estudio encontramos por primera vez en las teorías del *management* una idea que hemos sostenido en todos nuestros análisis sobre el tema desde hace al menos treinta y cinco años: a la acción directiva no se accede con acierto si no se afronta como un estudio de la antropología filosófica. No será posible obtener criterios fundamentales sobre una de las acciones antonomásticas del hombre -la acción directiva-, cuyos destinatarios son precisamente también otros hombres, si no se parte de un concepto sobre el hombre con pretensiones y seguridades de

---

[96] Cfr. Robert Levering, *A great place to work*, p. 156.
[97] Cfr. Robert Levering, *A great place to work*, p. 156.
[98] Robert Levering, *A great place to work*, p. 183.
[99] Robert Levering, *A great place to work*, p. 26.

verdadero. La acción directiva ha de estudiarse partiendo del concepto más profundo del ser humano -el cual nos proporciona legítimamente la filosofía-, tanto porque sólo es el hombre el que dirige -es tarea propia y estrictamente humana- como porque son los hombres - y no las cosas ni los materiales- los destinatarios directos e inmediatos de esa dirección.

Por esto subrayamos lo que Levering dice sabía y agudamente, tal vez en el momento crucial de su obra: "*Necesitamos comprender el concepto de ser humano*",[100] con su inmediata consecuencia: "en los buenos lugares de trabajo las personas sienten que son tratadas como seres humanos".

Haciendo caso a tal cuestión, necesaria en cualquier estudio sobre el manejo de las organizaciones, pero imprescindible cuando, como ahora, se analiza nada menos que el mando y su ingrediente esencial de la confianza, hemos de adentrarnos en su cabal esencia (aunque erróneamente pudiera parecer que nos estamos desviando del tema, cuando en realidad buscamos su fundamento).

Una aproximación filosófica al ser del hombre, es decir, una antropología filosófica nos coloca en primer plano al ser humano como requiriente del trabajo *con* los demás y de la confianza *a* los demás.

La ordenación del individuo humano a la comunidad no es meramente requerida para su subsistencia material, como lo vemos en otros animales, desde hormigueros hasta manadas. La ordenación de todo individuo humano a la comunidad, según Levering con otros, es una profundísima e interna ordenación entitativa, una verdadera disposición natural, y por tanto una ordenación esencial del individuo a la sociedad.

Esta ordenación se opone a la opinión antropológica de Thomas Hobbes en la que encuentran su base no pocas teorías de la organización y de la sociedad generalmente tomada: *Homo homini lupus*: el

[100] Robert Levering, *A great place to work*, p. 178.

hombre es un lobo para el hombre, de donde arrancan muchos conceptos que son manejados por nosotros como si estuviéramos de acuerdo con tal propuesta (aunque no lo estemos: simplemente no hemos reparado en ella): no es el menos importante el tono competitivo de nuestras relaciones humanas,[101] la importancia primordial de un rígido control para que haya una buena organización, la necesidad de una medición *individual* del rendimiento, la desconfianza ante un equipo de trabajo solidariamente unido, porque podría oponérsenos en bloque... Uno de los más importantes estudiosos del hombre que se ha dado en la historia del pensamiento, Tomás de Aquino, recientemente y autorizadamente calificado como *Doctor humanitatis*, doctor sobre el concepto de humanidad, opone *avant la lettre* la tesis *homo homini amicus*: el hombre es un amigo para el hombre.[102]

Obsérvese que no se trata de dos modelos dispares de sociedad. Se trata de *dos conceptos opuestos sobre el hombre del* que arrancan, sin que tal vez lo sepamos bien, dos modelos antitéticos de organización. (Parece, que, igualmente sin saberlo, Levering está dando el primer paso serio para cambiarse de modelo).

El problema tiene una dificultad radical de solución. La referencia que un hombre guarda con los demás no se debe a necesidades operativas, ni siquiera para su elemental subsistencia material. El que tengamos que formar una comunidad para poder vivir es verdadero, pero insuficiente. La necesidad comunitaria es entitativa en un sentido plenamente metafísico, más que sociológico: el hombre necesita de otros hombres -requiere vivir en comunidad- no sólo para vivir materialmente -lo cual, repetimos, es verdadero- sino para ser hombre.

La comunidad entitativa, la disposición social mutua entre los seres humanos deriva de su modo esencial de ser. Sólo el hombre

[101] Cfr. *Supra* I, 12.

[102] Tomás de Aquino, *Summa contra gentes*, III, cap. 117, n. 6.

como compuesto de cuerpo y de espíritu nos orienta con toda precisión a una manera también esencial de relacionarnos. Ambos componentes esenciales del hombre -cuerpo y espíritu- desempeñan su propio y especialísimo papel.[103]

Por la importancia que el materialismo ha adquirido en nuestra sociedad contemporánea, y por los servicios y productos que genéricamente prestan nuestras empresas, se ha dado más importancia al aspecto corporal -material- del ser humano, siendo así que el núcleo de las relaciones humanas, en lo que tiene más propio suyo, se asienta sobre el compuesto complejo del hombre, y no sólo sobre el cuerpo. Aquí encontramos la concentración de las dificultades y de las fuerzas que deben descubrirse en nuestra sociedad.

El espíritu es *subsistente en sí mismo*, posee una subsistencia especial de la que brota este hecho: los individuos humanos *en cuanto a su naturaleza singular* son distintos unos de otros, en grado eminente, con una distinción mucho más subrayada que la que podamos encontrar en los animales.

Nuestros estudios sociológicos sobre la empresa tienden a ver las similitudes humanas en todo aquello que se refiere a su aspecto corporal y a sus potencialidades subsumidas en la materia (desde los sentidos internos y externos, hasta las tendencias sensibles, afectos, sentimientos y emociones) en los que la dimensión orgánica corporal tiene una señalada y detectada incidencia, y, al mismo tiempo, en medio de su singularidad, cuentan con cartabones muy parecidos, provenientes exactamente de su componente material.

Pero no es esto -lo material- lo que verdaderamente comunica e individualiza a un tiempo a los seres humanos. Su comunidad y distinción llegan a arraigar en un nivel más profundo. Una equivocación en este punto acarrea serias consecuencias en los estudios de las orga-

---

[103] Cfr. G. M. Manser, *La esencia del tomismo*, Consejo de Investigaciones Científicas, Madrid, 1953, pp. 783 y ss.

nizaciones. No son teorías especulativas sin resonancia práctica. La resonancia factible se produce precisamente cuando sólo tenemos en cuenta los aspectos de la operación humana embebidos en los órganos corporales y en los procesos de su sistema nervioso.

Ocurriría en este caso algo muy semejante al análisis que hiciéramos de dos libros ateniéndonos a su volumen, su peso, el tamaño de sus páginas, el número de ellas, el papel con el que está constituido y las características de su encuadernación. Queda aún por estudiar y distinguir la escritura contenida en ellos. Los libros se distinguen entre sí por su contenido intelectual o conceptual. Dos libros que tienen el mismo contenido son dos libros iguales, aunque las otras características mencionadas fueran diversas. No hemos de estudiar al hombre como ejemplares de una misma edición. Cada uno tiene su propia estructura interna. Las diferencias espirituales -precisamente porque cada hombre, siendo espiritual, subsiste en sí mismo- son infinitamente más grandes que las diferencias de carácter material, precisamente porque el espíritu es infinito mientras que todo lo cuantitativo es finito realmente -aunque se pueda matemáticamente estudiar una infinitud cuantitativa que no le es propia a la cantidad.[104]

Este carácter individual del hombre, de raíz muy superior a la mera singularidad animal, nos inclina a considerar la sociedad como un nuevo conjunto de individuos radicalmente distintos, cada uno con su vida y su contorno circunstancial en todo desigual a los demás. Esta consideración, bien fundada, nos lleva al *individualismo.*

Pero, al mismo tiempo, nos percatamos sin lugar a dudas de aquello que antes dijimos, en el sentido de que los hombres for-

---

[104] Desgraciadamente, no nos podemos detener en este principalísimo punto, que ha sido desarrollado por nosotros en *Dilemas éticos...*, pp. 62 a 71. en donde estudiamos los rasgos humanos que nos obligan a considerar que el hombre posee un espíritu infinito: ser capaz de concebir ideas abstractas, de conocer realidades inmateriales, de auto-reflexión, de autodeterminación con su libertad, y posibilidad de desarrollo ilimitado.

man entitativamente una comunidad que los interrelaciona para *ser*. Las versiones menos materialistas del *socialismo* apuntan a este tipo de comunidad: más una comunidad de espíritu y menos una de productos materiales, como la vio el joven Marx en su tiempo, ya pasado.[105]

Aunque no lo parezca, el individualismo y el socialismo tienen dimensiones más sociológicas y antropológicas que económicas. Esta falta de consideración es, sin duda, un error de nuestra política. Pero también lo es -y quizá más agudo- de nuestra empresa. Las teorías del *management* dan la impresión de una panorámica compuesta a retazos: paños de socialismo y de individualismo materialmente remendados, sin conjunción unitaria.

Los notables esfuerzos de Levering encuentran el peso de esta herencia bipartita en la que se quiere conciliar el espíritu individual del hombre -que realmente es individual- y el espíritu social del hombre -que es también real indudablemente.

La antropología clásica, al poner su vista especialmente en la condición espiritual del ser humano, ha llegado a señalar que estas dos notas constitutivas del hombre (individualidad y sociabilidad eminentes) no constituyen dos disonancias humanas. *Ambas arrancan del espíritu humano*, y se vuelven controvertidas cuando, como hoy, el espíritu del hombre queda en segundo lugar, si es que queda en alguno.

En efecto, según dijimos, es el espíritu el que provoca en el hombre características diferenciales inconmensurables con parámetros puramente materiales, que abonarían a favor del subrayar en las organizaciones los aspectos individuales, propios, insustituibles, de los seres humanos que la componen. Pero esto no es más que la mitad del asunto.

---

[105] Sobre este particular, en el que tampoco podemos detenernos, Cfr. Carlos Llano, *La amistad en la empresa.* Capítulo *La acción asociada en equipo en el empresario actual*, pp. 156 a 171).

La otra mitad brota, también, del mismo carácter espiritual humano. El mismo carácter espiritual humano, al tiempo que individualiza al hombre, le señala una finalidad inmaterial, también inconmensurable, un fin último allende cualquier meta material que podría lograr por sí mismo. Llamado en cambio a una finalidad muy superior que lo trasciende, el hombre necesita de los demás para alcanzar ese objetivo que lo supera. Es así como surge, por el mismo factor espiritual, la irrefrenable necesidad comunitaria, que asoma su propio rostro en la familia, la educación, el desarrollo social... La empresa no es más que una consecuencia de este factor constitutivo social del hombre. Sin exagerar, el hombre no puede hacer nada sólo por sí mismo; y, por ello, para ser sí mismo, como lo exige su naturaleza espiritual personal, necesita asociarse con otros, como también su naturaleza espiritual lo exige.[106]

Encontramos, en la cultura de las organizaciones occidentales, un vacío antropológico que será difícil llenar. Pero es más necesario que difícil. Si queremos remitirnos a los cimientos de este fenómeno, pues a partir de los cimientos ha de comenzarse, confesamos haber perdido de vista la especificación de la naturaleza, y, precisamente, su irreductibilidad a lo biológico y material. Los intentos de mantener en su ámbito propio la especialísima naturaleza del ser humano, terminan a lo sumo en un compendio -*parche*, dijimos- entre el espíritu y la materia, sin llegar a la cota metafísica del espíritu. Nos lo impiden múltiples corrientes sustitutivas de la ciencia metafísica que se han dado, por acumulación, en el siglo XX y prolongado de manera terca y poco dócil en el presente: el historicismo, el relativismo ético, el materialismo biológico han ocupado fácilmente el hueco dejado por las teorías -y las prácticas- marxistas, enturbiando nuestra visión que va allende -*metá*, en griego- los meros fenómenos humanos, sin un soporte sustancial válido.

[106] El verdadero *descubrimiento* de la antropología clásica consiste en percatarse de que, en virtud de su entendimiento, el hombre es capaz de concebir la felicidad como último fin, concepto del que carecen los animales (Cfr. Tomás de Aquino, *Summa Theologiae*, I-II, q. 1, a. 2, c.).

A ello ha contribuido también, sin quererlo, el llamado *personalismo*, que nos incita a una *autoconstrucción* en relación con los otros, sin partir de una esencia fija. Si pensamos que el hombre posee una esencia específica dada, el desarrollo de la persona no será una autoconstrucción sino una plenificación.

De manera inexplicable, las virtudes propiamente humanas han sido desplazadas por las aporías de Sartre, Merleau-Ponty, Kafka, Gehlen, dejando a un lado a Aristóteles y Tomás de Aquino -y a los muchos intelectuales de hoy que les siguen- en las que las enredadas cuestiones planteadas por aquellos otros, quedarían en buena parte resueltas, al mantener la consistencia operativa de un alma espiritual, aunque el hombre sea siempre -precisamente a fuer de ser espiritual- un misterio con el que tenemos la ventura de convivir.

Si queremos, como queremos, empezar por los cimientos, hemos de evitar el personalismo romántico y -sobre todo- el énfasis poco preciso en el concepto de *amor*, entendido sólo como la melosa relación antitética humana de las telenovelas y películas hollywoodenses. Con un pseudo-romanticismo, justifican y alientan la infidelidad matrimonial, queriendo remediarlo -falso remedio ése- con una óptica sentimental de las relaciones humanas. Si no se puede mantener la fidelidad al cónyuge, si en la relación filial puede más la independencia que la paternidad, si los nexos amistosos humanos tienen la corta vida de los sentimientos inconstantes, ¿cómo podemos tener confianza en unos y en otros? ¿Cómo podemos tener confianza en las personas con las que laboramos, si no la tenemos en aquellos con los que más existencialmente vivimos?

La antropología filosófica tiene ahora un reto de larguísimo alcance: debemos precisar las nociones de sentimiento, afecto, emoción y pasión. Frente al *animal rationalis* aristotélico, habría supuestamente que erosionar la importancia de lo *racional* para sacar a la luz el elemento emocional. ¡No es verdad que la antropología clásica haya descuidado el relevante papel humano de las emociones! Bastaría leer la *Ética Nicomáquea* y la *Retórica* de Aristóteles o la filosofía del ser humano contenida en las *Summae* de Aquino para percatarse de la ignorancia de quienes tal afirman. El hecho de que la ética y la antropología no hayan entrado en los estudios de las relaciones humanas desarrollados en la primera mitad del siglo XX no es sino un *bache* lamentable al que debemos poner pronto remedio.

La *inteligencia emocional* pretende -con buena intención y tino- cubrir ese bache. Nos parece que los planteamientos de Goleman se han acogido en el mundo del *management* con excesivo entusiasmo. Paradójicamente, nos hemos *emocionado* nosotros mismos con la *inteligencia emocional*. Precavidamente, Alejandro Llano la ha calificado como superficial e imprecisa.

En otra ocasión[107] propusimos: la *inteligencia emocional*, que nos muestra cómo inciden las emociones en nuestro pensamiento, debería verse también como *emoción inteligente*, en donde se expusieran las incidencias de la inteligencia en los movimientos emotivos del hombre. Ahora quisiéramos dar un paso más importante: la *inteligencia emocional* debe ser balanceada por la *inteligencia espiritual*, en la que se hagan patentes los datos que los factores emocionales dejan en nuestra inteligencia y en nuestra voluntad.

Bien está que se cuiden de las relaciones fisiológicas entre mente y cerebro, como lo hace Goleman, pero el estudio queda excesivamente animalizado -en cierto modo inespecífico- si no se estudian las relaciones metafísicas entre el cerebro y el espíritu.

No ha sido inútil esta aparente desviación psicológica. Al contrario: la atención al modo especial del ser del hombre nos abre camino para el acierto a la hora de buscar los sistemas adecuados para organizarse. Sistemas que lo desarrollen como persona espiritual (y no sólo neurológica), de donde surgirán todas las demás cualidades humanas.

---

[107] Carlos Llano, *Falacias y ámbitos...*, p. 114.

Dijimos que Robert Levering se nos presenta como el primer movimiento en las teorías de la organización que enfoca sus estudios centrándose en la idea de persona. No obstante, Levering se ve precedido a su vez, nos parece, por Charles Handy. Sus obras *Understanding Organization* e *Inside Organization* representan una síntesis (no un compendio) de sus experiencias en la dirección de Shell Oil y sus enseñanzas en la *London Business School.* Ha sido el conocido divulgador de las *cuatro culturas* de la organización que desembocan en la persona.

1. *La cultura del poder*, bajo la inspiración de Zeus -el dios de la fuerza-, en la cual los hilos de la telaraña que componen la organización dependen de un poder -persona o grupo- central. La relación con la persona más alta (*top person*) es el nexo más importante que existe en la organización y en cada uno de los que la componen.

2. *La cultura del rol*, en donde la importancia se centra en la debida descripción de los puestos, las descripciones específicas de sus trabajos y los procesos de conexión entre ellos. Si la cultura del poder pudiera derivarse hacia una organización paternalista y autocrática, ésta se derivaría hacia la burocrática. Se encontraría bajo la sombra de Apolo, quien al atardecer amaina las pequeñas trifulcas del Olimpo y hace cantar coordinadamente a todos los dioses en un solo y armonioso coro.

3. *La cultura de la tarea.* Las diversas tareas se encomiendan a pequeñas organizaciones que cooperan entre sí para proyectar y proporcionar un servicio o un producto (*network*). El énfasis está puesto en el resultado, y, por su propia naturaleza, constituye una estructura más flexible y adaptable que las anteriores. La cultura de la tarea es la cultura de Atenea, belicosa y serena, en la que se enfatiza el talento, así como la continua resolución de problemas en las consultas que se hacen.

Anotamos nosotros –no Handy- que nuestra explicación nos dice que la cultura de Apolo es más apta para la ejecución de las acciones, en tanto que la de Atenea lo es para la toma de decisiones.

4. *La cultura de la persona.* Aparece como una sorpresiva novedad en la teoría de la organización, siendo que la persona es lo más antiguo y lo más básico de ella. Tal vez la genialidad de Charles Handy ha sido la de dar carta de naturaleza a lo que ya tenía una existencia no reconocida como tal. Decir que la organización está constituida básicamente por personas parece decir muy poco, pero en realidad es decir mucho, si el término persona se toma en su definición clásica, tal como nos fue dada por Boecio: *individua substantia rationalis naturae*: sustancia individual -aislada de todo- de naturaleza racional –pero de todo necesitada- Afirmar que la empresa es una *comunidad de personas* ha dejado de ser una expresión blanda y sin compromisos a partir de la Encíclica de Juan Pablo II, *Centesimus Annus*, leyendo la expresión *comunidad* a la luz de las obras anteriores de Karol Wojtyla en donde el término *comunidad* y el término persona son constitutivos de una antropología previa muy bien elaborada y fundamentada muy solidamente. *El individuo es el punto central.* Si hay una estructura de organización, la hay en tanto que sirve a las personas dentro de ella; de no ser así, la organización se encuentra *desestructurada.*

Esta cultura se da y florece con vistas sólo a las personas que le concierne, y no tiene un objetivo ulterior. En ella, la persona humana deja de ser medio, para erigirse eminentemente como fin. Se cumple así, de modo inexpreso e implícito, el segundo imperativo de Kant, que es la traducción ilustrada del primer mandamiento bíblico: la persona, sea la mía, sea la de los demás, ha de considerarse siempre como fin y nunca como medio (ama a tu prójimo -dirá el Decálogo- como a ti mismo). Las personas que viven y laboran en esta cultura suelen poseer valores fuertes sobre el propio trabajo, no ciertamente fácil de manejarse. Esta cultura, que podría llamarse también *existencial* en tanto que se polariza en el existente humano, sólo puede mantenerse en el grado en que los individuos cumplen sus finalidades personales al tiempo en que la organización cumple las suyas, lo cual no acaecerá si la organización no integra entre sus objetivos primordiales precisamente el del desarrollo de las personas que la componen; y esto nuevamente no puede a su vez conseguirse si no tiene como finalidad el desarrollo de las personas a las que sirve, y de modo particular a sus últimos consumidores.[108] Nos parece un desacierto de Handy el poner esta cultura al amparo de *Dionisio*, si no es por ignorancia mitológica nuestra, pues Dionisio nos asocia en muchos aspectos con el individualismo materialista, que es una concepción antagónica a la de la persona en el pensamiento cristiano, entrevista por nosotros en el fondo de la perspectiva de Handy.

——— o ———

Robert Levering coloca también a la persona humana en el centro de la organización. Más aún: que la persona se encuentre en el centro de la organización es la condición imprescindible para que ésta se convierta *en el mejor lugar para trabajar.*

Los estudios de Handy han querido intencionalmente remitirnos no sólo a la antropología clásica, sino hasta la mitología que ella metafóricamente pudiera clarificar. Levering, en cambio, en vez de apelar a los dioses griegos, ilustra sus ideas sobre las organizaciones como buenos lugares para trabajar, mediante empresas concretas de este siglo (algunas, además, de origen muy antiguo) y con directores generales que viven más bien en el ámbito de *Fortune*, *Newsweek*, *Forbes* y *Harvard Business Review*, y no precisamente en el del Olimpo.

Los estudios de Robert Levering en la búsqueda del mejor lugar para trabajar comienzan precisamente con cinco frases obtenidas o arrancadas de los protagonistas o componentes de varios de

[108] Cfr. *Supra* I, 15: Necesidades y deseos.

esos buenos lugares de trabajo, entre los cien que ha venido consuetudinariamente analizando:

1. La empresa es un *lugar simpático* (*friendly place*). Esta nota de la simpatía no es usual -reconozcámoslo- en los estudios gerenciales. Resulta incluso en cierto modo sospechosa. Cuando nosotros hablamos de ella no fueron pocos los que nos advirtieron que incluir la simpatía entre los rasgos convenientes para el trabajo conjunto constituía una intrusión indebida.[109] Nos alegra comprobar ahora que no somos los únicos en haber incurrido en esta *heterodoxia* gerencial.

2. *No hay mucha política alrededor.* Todos tenemos la experiencia de que en muchas empresas cuenta más la maniobra para conseguir posiciones, o tratar de lograr favores de los altos niveles, que la efectividad en el trabajo. A fin de no caer en la llamada jungla de *Wall Street* parece ser que en una buena organización para trabajar, prevalece la eficiencia sobre la política, lo cual nos preanuncia ya el peso específico que la confianza tendrá dentro de ella, y presta su respaldo a la siguiente frase.

3. *Recibes un trato justo* (*You get a fair shake*). Sobre esto tendríamos poco que comentar, pues, eliminado de nuestra convivencia el intríngulis político, la confianza y la justicia son solidarias. Nadie confía en un individuo que no está dispuesto a dar a cada uno lo suyo, y menos aun en el que se encuentra pronto para apropiarse de lo ajeno.

4. *Se trata de algo más que un empleo* (*More than a job*). El empleo implica no un trabajo desgastante sin finalidad, sino una labor

[109] Cfr. Carlos Llano *La amistad en la empresa*, Fondo de Cultura Económica, México, 2000 cap. VI, "El proceso de la amistad" VII "Afinidad subjetiva: simpatía", p. 122 y ss.

que consume energía humana con un propósito y con un sentido. El sentido lo da la dimensión social. El *más que un empleo* querría decir, en suma, que en él me sé responsable del cumplimiento de esa dimensión social.

5. Es exactamente como una familia (*It's just like a family*). Esta es una frase escuchada por Levering en *Delta Air Lines, Federal Express, Hallmark Cards*, IBM, *Gose*. Con ello se ve que el *sentirse como una familia* no coincide con ser una empresa pequeña. Lo que prevalece en la familia, y la distingue de todos los otros grupos comunitarios, es precisamente *la confianza*. Podríamos decir que no interpretaremos mal a nuestro autor si aseguramos con él que un buen lugar de trabajo no podrá darse si entre las personas que llevan conjuntamente una labor, no existe confianza.[110]

Estas cinco frases, aparentemente inconexas, nos sirven para dar los primeros pasos de entrada en uno de esos lugares en que es bueno trabajar. El estudio de Robert Levering, no obstante, es conceptualmente muy rico en la configuración más precisa de ese lugar simpático, sin enredos políticos, justo, que trasciende los meros límites laborales de un empleo, y es semejante a una familia. No se requiere especial agudeza para ver a la humildad en el trasfondo de esas cinco propuestas.

Encontramos cómo en su estudio aparecen subrayados algunos de los conceptos a los que nos aproximamos en páginas anteriores, y no por coincidencia ni por mutua inspiración: tanto Levering como nosotros consideramos que *en el centro de la organización se encuentra la persona*. Nuestras coincidencias no pueden ser sospechosas.[111] Hemos de darle un pleno significado a la expresión que em-

[110] Robert Levering. *A great place to work*, pp. 16-17.
[111] Cfr. Carlos Llano, *Dilemas éticos...*, "La empresa, comunidad de personas" (p. 51 y ss).

pleamos cuando decimos que la empresa es una comunidad de personas, en donde la condición de *ser persona* prevalece sobre cualquier otra condición, incluso la condición que se deriva de su pertenencia a esa comunidad que llamamos empresa".[112]

Uno de los trazos subrayados por Levering al dibujar un buen sitio para el trabajo es algo que encontramos con Pablo Cardona en la entraña de la confianza: *el compromiso*. Aquí, el compromiso de carrera de por vida en su compañía. Este compromiso, que ayuda a crear el ambiente de familia en donde tiene lugar precisamente un presunto pleno compromiso vital, respeta sin embargo a las personas que, siendo provechosas para la organización, quieren guardar para sí un espacio solitario. Entrevemos ya aquí una de las visiones de Levering: conserva al mismo tiempo la comunidad entitativa de los seres humanos junto con el individualismo propio de ellos. (No se nos escape que la confianza aunada al compromiso genera lógicamente la *loyalty*).

Como en las familias, la idea de los papeles jerárquicos tiene una connotación negativa cuando se refieren polarmente a la autoridad. Los buenos lugares de trabajo se caracterizan por un *igualitarismo* en el que es común escuchar la palabra *asociación* (*partnernship*).[113] El concepto de asociación no tiene aquí un acento jurídico, sino único y plenamente humano en el sentido más sencillo del calificativo: *respeto mutuo*.

Introducidos por estas aproximaciones, nuestro autor se concentra en el hecho de que un buen lugar de trabajo no depende de políticas específicas sino de *la naturaleza de la relación entre la compañía y los empleados*. Pero *la confianza caracteriza esencialmente esta relación*.[114] En los lugares mediocres, esta confianza no existe o aparece esporádicamente.[115]

---

[112] Carlos Llano, *Dilemas éticos...*, p. 54.
[113] Robert Levering, *A great place to work*, pp. 16-17.
[114] Robert Levering, *A great place to work*, p. 22.
[115] Robert Levering, *A great place to work*, p. 22.

Se llega así a una triple relación que ha de darse en esos buenos lugares de trabajo.

1) *La relación de confianza entre empresarios y empleados es la base de un buen lugar de trabajo.*

2) Pero también es importante la *relación del empleado con el trabajo mismo*: el empleado debe estar orgulloso de lo que hace y sentir que su trabajo contribuye a eso que lleva a cabo.

3) Igualmente, ha de darse una buena *relación entre los empleados*, incluyendo a los directivos, de manera tal que haya una *camaradería* –limítrofe, consecuencia y facilitadora de la *confianza*–, al grado de que todos se sientan en una comunidad armoniosa, sin "política", en donde todos se ayuden al *crecimiento personal* y profesional.

Las tres relaciones son independientes en cierta medida, pero si una falta puede afectar a las otras dos. Las teorías y técnicas integrales de dirección deben estar enfocadas hacia estas tres clases de relación.

- De las personas con sus directivos.
- De las personas con su trabajo.
- De las personas con sus compañeros (entre los que se encuentran los directivos, no en cuanto directivos sino en cuanto compañeros).

La confianza no es sino la expresión hacia los demás y desde los demás de que *hay buena fe*. De ahí que Levering llegue a introducirse sabiamente en nuestro tema, no ya de la confianza, como hemos visto, sino de la humildad: *en un buen lugar de trabajo, la dinámica del egoísmo es sustituida por una relación en que ambas* partes [¿por qué *ambas* -le preguntamos- y no todas?] *encuentran una razón común para trabajar juntos por su beneficio mutuo.*[116]

Robert Owen, director de un modelo textil, dice haberse ganado la confianza de su gente revelando un *compromiso por tiempo indefinido.*[117] Por su parte, *Publix super Markets* -con trescientas tiendas en Florida- es conocida por su *comunicación continua* entre sus 51,000 integrantes. Los oficiales de Publix prometen a los empleados nuevos "una carrera, no sólo un trabajo" en una "tienda de oportunidad" en donde serán vistos como personas.[118] Así, los ejecutivos de Publix van más allá de lo habitual, y abren la posibilidad de una relación más plena, más humana, *de más confianza.*[119] Este modelo está apenas separado del paternalismo, pero los directores de Publix se limitan a reconocer explícitamente lo que es mérito y contribución de los empleados.[120]

Aparece también, de manera destacada, la empresa *Marion Labs.* En ella los principios que rigen la relación entre empresarios y empleados tienen un *descarado* carácter greco-judeo-cristiano.

1) Quienes producen deben compartir los resultados.

2) Trata a los demás de la misma manera como quisieras ser tratado... como un individuo, con integridad, confianza y honestidad.

3) Cuida las pequeñas cosas en el trato con los demás: aceptación; tolerancia respeto de los errores honestos por una falla del juicio humano (lo que no implica mediocridad); reconocimiento del crédito de las buenas ideas, y la contribución de los demás; que los asociados reciban información crucial sobre asuntos que otras compañías califican como confidenciales.[121]

---

[116] Robert Levering, *A great place to work*, p. 30.
[117] Robert Levering, *A great place to work*, p. 33.
[118] Robert Levering, *A great place to work*, p. 36.
[119] Robert Levering, *A great place to work*, p. 39.
[120] Robert Levering, *A great place to work*, p. 39.
[121] Robert Levering, *A great place to work*, pp. 40 a 44.

De *Marion Labs*, según Levering podemos obter
en la dinámica del negocio, la idea de que la confianza
ral y espontáneamente, sino que exige en las relaciones humanas
una aguda atención y un sumo cuidado para determinar a quién se otorga la confianza. La compañía debe ganársela. *Marion Labs* considera que para demostrar la confiabilidad a los empleados, debe poseerse:

1) Paciencia y consistencia. Implementar y cambiar políticas y prácticas sin prisa.

2) Apertura y carácter accesible: todos pueden formular cuestiones a quienes detectan la autoridad.

3) *Ir más allá de lo convencional y de lo convenido.*

4) *Cumplimiento de promesas*: la confianza se socava si los directivos no las cumplen.

5) Repartir equitativamente las ganancias del esfuerzo mutuo.

También se nos ofrece una muestra provechosa el caso de la reorganización de Northwestern Mutual, consistente en ampliar *de modo dramático* las responsabilidades de cada trabajador, que luego fue considerado como *enriquecimiento del trabajo*, cuyo autor podría ser Frederick Herzberg (siguiendo la tradición de Elton Mayo). Frederick Herzberg identifica en su libro *The motivation to work* (1959) cinco factores que pueden hacer motivador a un trabajo: 1) Realización o éxito (*achievement*); 2) Reconocimiento; 3) El trabajo en sí mismo; 4) Responsabilidad; 5) Progreso o ascenso (*advancement*).[122]

---

[122] Robert Levering, *A great place to work*, p. 54.

En el análisis que hace Levering acerca de los estudios de Peters y Waterman[123] se capta bien -tal vez incluso con inadvertencia de los autores y de su mismo intérprete-, una idea que dejamos anotada arriba al tratar de los presupuestos filosóficos de ese antagonismo internamente estructural en el ser humano, derivado de su espíritu: una doble exigencia. Exigencia por un lado de una comunidad imperativa por su ansia de infinitud y, por otro, profunda individualidad, incomunicable en muchos aspectos por su diferenciación espiritual.

Peters y Waterman se dan cuenta, en efecto, de que los trabajadores quieren *autodeterminación*, pero también *seguridad*. En bien de ésta abdican en algún punto de aquélla. La tensión entre la organización y el individuo, entre la seguridad y la autodeterminación puede ser eliminada. Los autores ofrecen un equilibrio o armisticio entre ambos aspectos. Hay para ello una razón metafísica a la que nuestros autores no atienden, porque no es su función hacerlo: tanto la seguridad (en la comunidad) como la libertad (en el individuo) se originan, según ya dijimos arriba, de una misma fuente común. Se trata del mismo manantial y de la misma agua. Es en el espíritu humano -en el que brotan los deseos de infinitud y de libertad- en donde ambas tendencias humanistas deben conciliarse. El punto espiritual -metafísicamente espiritual- de esta conclusión es la confianza, en donde se mantienen la individualidad y la seguridad, ambas en estado absoluto y definitivo.

Con sus estudios, Levering intenta una definición -hasta donde ella es posible- del buen lugar de trabajo. Los elementos básicos de esta definición ofrecen la ventaja de que sintetizan de modo práctico los dos factores componentes, a su vez, del ser humano: su cuerpo y su espíritu.

1. Se te paga una buena cantidad de dinero.

---

[123] Peters y Waterman, *On Search of Excellence*, Harper and Row, N. York, 1987.

2. Eres tratado como un ser humano.

3. Haces tu trabajo interesante.

4. Obtienes beneficios.

5. No eres despedido al más ligero descuido.

Levering piensa que en ninguna escuela del pensamiento *del management* hay espacio para una asociación genuina con los empleados,[124] y piensa -con Tom Watson de IBM- que ese espacio se logra cuando se hace del respeto por el individuo una piedra angular,[125] y cuando la relación entre la dirección y los empleados está basada en ese respeto, ingrediente clave de la confianza,[126] siendo prioritario lograr la credibilidad para establecer firmemente *esa confianza*[127] (se alinea con la terminología de Prestan Trucking, quien denomina *asociados* a los trabajadores, y llama *coordinadores* a los supervisores).

Como ya expusimos, Levering nos dice que "*necesitamos comprender qué significa el concepto de ser humano*".[128] No le resulta fácil -como a nadie de nosotros- conceptuar la naturaleza del hombre de modo que sea provechosa en el contexto de las relaciones de trabajo.

No pocos antropólogos se han aproximado a este concepto valiéndose de lo genérico -no lo específico- que el hombre tiene en común con los animales. Gehlen llega a la audacia de ilustrarnos propiedades características del hombre comparándolo, no sin cierta indignación nuestra, nada menos que con la garrapata. Este minúsculo animal se encuentra relacionado con el mundo, con la inmensidad del

[124] Robert Levering, *A great place to work*, p. 135.
[125] Robert Levering, *A great place to work*, p. 140.
[126] Robert Levering, *A great place to work*, p. 149.
[127] Robert Levering, *A great place to work*, pp. 154-155.
[128] Robert Levering, *A great place to work*, p. 178.

universo, mediante dos elementales estímulos: la luz y el calor. Aparece ante Gehlen como una continuación de estos dos estímulos de su entorno, su exclusivo entorno, como un apéndice y prolongación de ellos, de manera que pueden predecirse sus movimientos futuros atenido a los estímulos a los que estará sujeto. Entre el estímulo y la respuesta correspondiente no existe solución de continuidad alguna.

Gehlen nos presenta al hombre, bajo este esquema, dotado de una *ruptura* interna entre sus posibles estímulos, cuyo radio es infinito y sus posibles respuestas, también innúmeras. Entre el estímulo y la respuesta hay una discontinuidad. Nosotros decimos que la acción del hombre arranca de sí mismo -ésa es la libertad- pero no condicionada por los estímulos que recibe, por intensísimos y numerosos que sean.

No pocos directores de organización, al darle una excesiva importancia a las condiciones del entorno del hombre y a las motivaciones que se le ofrecen, terminan *animalizándolo*, en lugar de crear en la organización un ambiente en el que el hombre, desconectado de los múltiples estímulos de los que es receptáculo, pueda *hacer lo que quiere, queriendo lo que debe hacer*. En su lugar, la conducta que realiza se encuentra constreñida por motivaciones exógenas: no sabe si para evitar los castigos o para alcanzar los premios, que hacen en él la triste función de la luz y del calor para la garrapata. Introducirse en el campo de las motivaciones humanas o en el de la dirección de los hombres sin el conocimiento de lo más importante: -¿quién es el hombre al que debo motivar, quién es el hombre que debo dirigir?- es, por lo menos, una temeridad.

En este mismo deseo de conocer los limites del concepto humano Pavlov estudia con paciencia al simio, concluyendo, tras inequívocas experimentaciones, una constitución incapaz para conceptuar la realidad. El simio tiene las posibilidades de una imitación humana tal, que, atendidas las pautas de su conducta, podría pensarse que posee una inteligencia, al menos elemental, que le acerca al hombre de manera asombrosa. Sin embargo, carece de la capacidad del acto inteligente más bajo que puede llevar a cabo con soltura e inadvertencia todo ser humano desde su más tierna infancia. El simio de Pavlov, habitante rodeado por el agua de una laguna que cuenta dentro de la propia balsa con diversos recipientes de agua, no es capaz de abstraer el concepto *agua* del liquido contenido en la laguna y en sus recipientes. Otras experiencias nos dicen que si es capaz en un fenómeno de captar lo que es común, carece de la capacidad para distinguir lo que es distinto dentro de lo común; y si tiene capacidad de captar la diferencia entre dos elementos, no está capacitado ya para aprehender lo que haya de común en ellos.

El deseo de los superiores de las empresas, empecinados en que sus subalternos capten lo que hay de concreto en cada una de las operaciones a su cargo, atrofia, sin quererlo, esa capacidad de abstracción que los eleva por encima de los animales. La atrofia llega a hacerse literalmente invencible, al punto que el supervisor de hombres parece más bien ya domesticador de simios.

Más adelante tendremos oportunidad de ver cómo son aprovechables para el hombre el enfrentamiento con debilidades que le son también comunes con los animales. En este afán de aproximaciones parciales al concepto del hombre, Levering emprende una idea original y quizá más ilustrativa que la de aquellos antropólogos o de estos zoólogos. En su *estudio del hombre como centro de la organización* lleva a cabo un análisis de las decisivas diferencias que aparecen entre el *hombre y el robot*. La tarea no parece tan disparatada, dentro de una cultura contemporánea en la que la cibernética y la antropología han querido abatir sus fronteras, exagerando las ventajas que la inteligencia artificial nos ofrece frente al hombre.

En esa primera aproximación al distinguir los conceptos de robot y de ser humano nos dice:

1) *Un ser humano es único, no duplicable.* Cada persona posee rasgos únicos de personalidad. Tratarlo como máquina -piénsese en Frederick Taylor- indica que no se reconoce lo que hace especial no ya al hombre, sino a cada hombre.

2) *Un ser humano se auto-determina, no es programable.* Puede iniciar y controlar sus propias acciones. Cuando los integrantes de una organización no cuentan con espacio para incidencias propias, se sienten tratados como robots.

3) *Un ser humano es capaz de inteligencia y tiene una vida emocional.* Son tristes aquellas organizaciones que marginan lo que sus integrantes piensan o sienten, como si los pensamientos y las emociones fueran monopolios exclusivos de los directores.

4) *Un ser humano crece y aprende.* Un robot está limitado por sus programas. Desde su nacimiento el ser humano crece. La consigna *o crece o muere* es para él fatídicamente verdadera, como lo es el *avanza o retrocede.* Nunca dejaremos de aprender. Siempre adquirimos más conocimientos y habilidades. Podemos hacer cosas cada vez más complejas, y el hacerlo constituye nuestra verdadera vida, apelando así a la tercera diferenciación, que se acaba de señalar.

Robot	Ser Humano
1. Duplicable y desechable	1. Único e irremplazable
2. Programable	2. Autodeterminado
3. Carente de pensamientos y sentimientos	3. Racional y emocional
4. Intrínsicamente limitado	4. Capaz de crecimiento sin fin[129]

[129] Robert Levering, *A great place to work*, p. 178.

Estas precisiones respecto del concepto del hombre sirven a Levering para definir con novedad el carácter principal de las relaciones humanas. En efecto, cuando el depósito de confianza se acaba, la reacción más cómoda es la de *formalizar* las relaciones entre subalternos y jefes: aparecen los contratos, las reglas, los códigos, que hacen entrar estas relaciones en una *economía de mercado en la que el trabajo es sólo una mercancía.*[130] Cuando las personas se mantienen en cuanto tales, en cuanto personas (con los caracteres que son propios de su concepto esencial), es decir, cuando prevalecen entre ellas la comprensión, la confianza y el respeto que les son propios, tales relaciones se mueven en lo que Levering denomina una economía del don (*Gift* o *Giftlike*), que podría calificarse como un término contradictorio, pues lo que ahora entendemos por economía es un ágora en donde *se compra y se vende*, lo que constituye su relación principal y, al decir de Max Weber, única, y tal es lo que parece acontecer efectivamente en la economía de mercado.

En la economía del don, por el contrario, la relación humana principal no es aquella en la que se compra y se vende, sino en la que se da y se recibe. Ya hace una decena de años se atisbaba la *revolución silenciosa* de Inglehart, consistente en poner en primer término aquellos bienes que, por su mismo valor de intimidad, por su estrechísima relación con la persona, no son susceptibles de ser vendidos ni de ser comprados. Ello paralelo al fenómeno de que no sólo hay bienes que, por la dicha razón, no pueden entrar en el rejuego mercantil, sino que hay cada vez en el planeta un mayor número de personas que se encuentran también desplazadas del mercado: no pueden comprar nada, porque nada tienen que vender.[131]

Posteriormente, hemos tenido oportunidad de ampliar estas intuiciones, haciendo ver que en el seno mismo de las comunidades espe-

---

[130] Robert Levering, *A great place to work*, p. 192.

[131] Cfr. Carlos Llano, *El postmodernismo en la empresa*, McGraw-Hill, México 1994 2da. Ed. con el título *Sistemas vs mercado*, McGraw-Hill, México 2000.

cíficas del hombre, contando entre ellas la empresa, es un error de la cultura materialista de nuestra época *erigir la relación de reciprocidad en la relación paradigmática entre los hombres*, con lo que el mercado, en donde tienen preferente lugar estas reciprocidades, sería el lugar o ámbito más propio del hombre; lo cual consideramos como absolutamente falso. Lo más rico y valioso del hombre no tiene precio (no confundir, como lo confundía el necio aludido por Antonio Machado, *valor con precio*), y por ello no es susceptible de mercantilidad.

Nos atrevemos a considerar que el trabajo, por su única relación con la persona, corresponde más al tipo de bienes que no tienen precio y pertenecen por ello al ámbito de la dádiva. Ello, aunque la necesidad humana nos *obligue* a tasarlo en moneda, entrando también por ello en el mundo de la reciprocidad, y reciprocidad monetaria. La proliferación en las últimas décadas del voluntariado es muestra empírica que respalda nuestro atrevimiento.

En la comunidad humana, dijimos, se dan tres tipos de relaciones clásicamente diferenciadas: la relación de necesidad, de reciprocidad y de *dádiva*. La reciprocidad, que necesariamente ha de darse entre los hombres, se ve benéficamente influida por ese otro mundo en donde prevalece *la relación de dádiva*, que puede referirse incluso a acciones posibles de ser traducidas a términos cuantitativos materiales. Pero no se requiere contar con conocimientos profundos de antropología para percatarse, a primera vista, de que la dádiva o donación es el acto prototipo de los hombres en cuanto personas, con lo que ello implica de apertura y entrega a los demás.[132] No es verdad en modo alguno que la relación de necesidad o deseo sea el paradigma de la relación humana (y en menor medida la de reciprocidad). Lo es sólo para el que ignore o reprima la posibilidad del don de sí, con lo que entraña de vinculante compromiso y de sana y deliberada renuncia.

---

[132] Cfr. Carlos Llano. *La amistad en la empresa...*, p. 92 y ss.

Los actos propios de la dádiva -dijimos entonces- son los siguientes: *corresponder, agradecer, dar, darse (don de si), sacrificarse, enseñar, corregir, perdonar, comprender a alguien, acoger.*

Se dirá que para dar hemos de tener. Pero habrá que responder como el poeta: "si yo doy no es porque tengo, más bien tengo porque doy". Y siempre tengo cuando soy dueño de mí: sólo la libertad hace posible el don de la propia persona. La metafísica clásica nos ha hecho ver que el modo de ser persona, *en cuanto tal*, es el modo de relacionarse con las demás personas.

Es por ello que nos satisface que el libro *A Great place to work, What makes some employers so good (and most so bad)*,[133] con el *background* de muchos años de trabajo con que cuenta, hable ahora abiertamente de la economía de la dádiva. Cuando nosotros escribimos aquellas intuiciones, del todo paralelas, lo hicimos con el temor de que alguien se enfrentase con nosotros como quien lo hizo con Marx cuando propuso unas relaciones laborales sin moneda. Porque efectivamente, una relación de trabajo sin moneda es inconcebible. Levering se ha encargado de contestar por nosotros: "*la confianza es la moneda circulante de las relaciones en los buenos lugares de trabajo.*[134]

4.2 Fortaleza

La confianza que yo debo tener en los demás, y la que de los demás he de ganarme para un efectivo ejercicio del mando, nos facilita la senda para introducirnos en otra de las cualidades que el mandar exige. El sentido común nos hace ya patentes, sin grandes disquisiciones, que el mando implica fortaleza hasta, de algún modo, identificarse con ella. Así como el que manda se levanta sobre los

---

[133] Robert Levering, 2000 Edition Published by Great Place to Work Institute Inc., San Francisco Cal. USA.
[134] Robert Levering, *A great place to work*, p. 186.

otros -existen tribunas y podios para ello- así también su voz se eleva sobre las demás -existen para ello alta voces-. No está lejano el día en que mandar era sobre todo manifestar *prepotencia*, es decir, potencia o fuerza anticipada, que se sumaba a aquella preponderancia de la que antes hemos hablado.[135] Igual que allí, aquí parece que la humildad tiene poco que hacer. Así como la fortaleza y el mando se quieren identificar, el mando y la humildad tienden a contravenirse.

Para decirlo en términos usuales, puede pensarse que la preposición consectaria a la fortaleza es el ser *fuertes sobre.* Nosotros quisiéramos, en los análisis subsiguientes, referimos a otro modo de fortaleza diverso, expresado con los términos *ser fuertes en.* La importancia y el relieve de la fortaleza no se nos manifiesta sólo en el ejercicio del mando. Para enfocarla desde un inicio apropiado, recordamos que se trata de una de las cuatro virtudes fundamentales del ser humano, tal como fue analizado por la antropología clásica y se ha sostenido hasta hoy, sin que nadie haya propuesto una clasificación de las virtudes con ventaja alguna sobre ésta. Nuevamente aparece ante nosotros la *necesidad de un concepto del hombre* para delinear con seguridad la forma en que ha de adquirirse el liderazgo.

Las cuatro virtudes, tradicionalmente denominadas cardinales, porque sobre ellas, como sobre su eje -*cardo*, en latín-, giran todas los demás, no fueron estudiadas por nuestros predecesores clásicos teniendo en la mira el que el hombre llegue a alcanzar un peso aceptable en la sociedad, sino para que adquiera la plenitud humana a la que su naturaleza le llama. La esencia del hombre se despliega de un modo natural mediante cuatro facultades -potencialidades, fuentes de capacidad- que fueron resumidas *in illo tempore* de un modo sencillo e inteligente que repetiremos aquí, bien que no sea más que como un tal vez innecesario recordatorio.

[135] Cfr. *Supra* I, 10: *Preponderancia.*

1) Potencia aprehensiva o cognoscitiva *de* la realidad vista universalmente, o en términos generales, a la cual llamamos *inteligencia.*

2) Potencia tendencial *hacia* la realidad considerada en sus coordenadas universales, a la que llamamos voluntad, la cual tiende al bien tal como lo ha presentado por la inteligencia, cuya operación cronológicamente le precede.

3) Potencia aprehensiva *de* la realidad en sus modalidades concretas a la que llamamos sensibilidad.

4) Potencia tendencial *hacia* la realidad tal como en sus modalidades concretas nos es dada por los sentidos, que cronológicamente la precede.

Para esta clasificación la antropología clásica se ha servido de dos binomios de parámetros. Se refiere el primero a los dos tipos intrínsecos que corresponden a la potencia en cuestión. De acuerdo con ella, las potencialidades humanas son *aprehensivas de* o *tendenciales hacia.* El segundo parámetro atiende al tipo de realidades extrínsecas que constituyen el objeto de aquellas aprehensiones o tendencias. De acuerdo con esto, la potencialidades humanas tienen como objeto la realidad universal y la realidad particular y concreta. Así si conozco al hombre en sus características esenciales universales, estoy ejercitando mi inteligencia. Si tiendo al hombre como un bien hacia el que debe tenderse, no por ser un hombre determinado o concreto –sea Pablo o sea Pedro- sino por ser simplemente hombre, pongo en ejercicio mi voluntad. Cuando conozco al hombre en lo que tiene de cualidades concretas externas, lo estoy conociendo con mi sensibilidad. Y al tender al ser humano por estos datos concretos que me ofrecen los sentidos, pongo en uso el apetito (o tendencia) sensible.

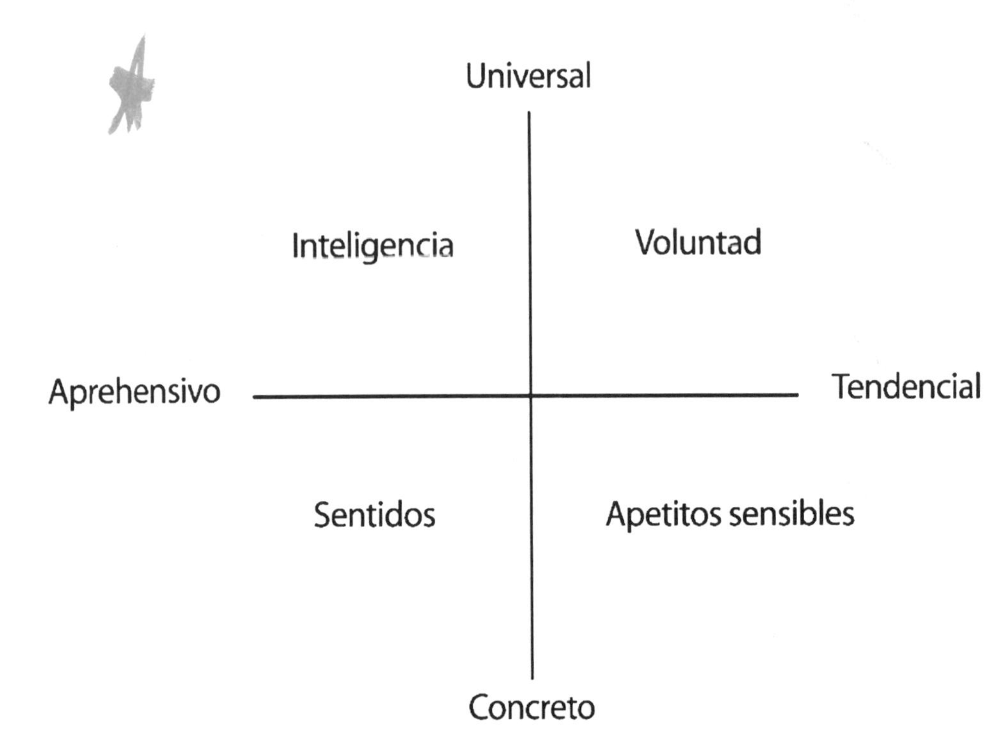

Existen otros datos que puntualizan y aclaran esta distribución de las potencialidades humanas.

En primer lugar, debe saberse que la inteligencia y la voluntad son facultades del hombre propiamente, de las que no son poseedores el resto de los animales, si no es de un modo balbuciente e inicial. El hombre se forma en cuanto hombre en la medida en que desarrolla sus potencialidades humanas, esto es, la inteligencia y la voluntad (en la medida en que capta la realidad como es y quiere esa realidad por ser bien). En cambio, de la sensibilidad, tanto aprehensiva como tendencial, derivan acciones que el hombre comparte estrechamente con los animales. Los actos de la voluntad y del entendimiento son espirituales. Los actos de la sensibilidad, tanto aprehensiva como tendencial, se asientan sobre órganos corpóreos. Los primeros se entienden. Los segundos se sienten. La sensibilidad es más fácilmente sensible, como su nombre indica, y el hombre difícilmente deja de advertirla. Un sentimiento que no se siente, deja de serlo.

Por el contrario, los actos de la inteligencia y de la voluntad, al no tener siempre repercusiones en los órganos sensibles, no suelen sentirse, y a veces, muchas veces, pasan inadvertidos. Así como no podemos aceptar sin indagaciones sentimientos que no se sientan, asumimos con menos dificultad que hemos estado pensando sin pensar que lo hacíamos, e incluso sabemos que hemos hecho actos de inteligencia, de los que no tenemos conciencia de haberlos entendido, así como podemos decir que muchas veces *queremos sin querer*, hasta que nos percatamos posteriormente de que lo hemos hecho.

Esto hace que el hombre tenga presentemente inherido el hecho de su animalidad, en tanto que sus dimensiones propiamente humanas caigan en una consuetudinaria inadvertencia. La atención que jefes y subordinados prestan por ello a la conductas derivadas de su animalidad no se encuentra proporcionada al poco peso que deberían tener frente a la inteligencia y voluntad que los califica como seres humanos.

En segundo lugar importa tener en cuenta que es propio de las facultades del hombre una duplicidad de reacciones, que se entreveran con el logro de realidad a la que estén referidos (universal o particular) y con el tipo de acción que les corresponde (aprehensiva o tendencial).

Esta duplicidad de reacciones se podrán describir simplemente así: *atracción o repulsa*.

- La inteligencia, primogénita de las facultades humanas, se encuentra exenta de estas dos reacciones. Su acto se limita a su presencia: o conoce o no conoce. Que lo que conozca le agrade o no, sería una reacción que no corresponde a la inteligencia, impoluta aprehensión de lo universal, cuyo acto tiene repercusiones en las demás potencias; pero en sí misma, la única repercusión es el propio objeto aprehendido.

- En la voluntad, por el contrario, ante la realidad presentada por la inteligencia, cabe esa atracción o repulsa que entendemos como querer o no querer o querer que no, según que la realidad se presente a la voluntad como un fin al que debemos acercarnos o como un mal que deberíamos evitar.

- En los sentidos ocurre algo parecido -a su nivel- de lo que acontece en la inteligencia. Se limitan, como operaciones meramente aprehensivas, a sentir. La calificación de lo que sienten (agradable o no, útil o estorboso) no corresponde a los sentidos en sí mismos, sino a las tendencias sensibles de ellas derivadas.

- En las tendencias o apetitos sensibles estas reacciones de atracción o repulsa hacen su eclosión de manera más abierta, y de ellas hay que cuidarse de modo especial (lo cual guarda, como seguidamente veremos, una estrecho nexo con la fortaleza y la constancia, que son virtudes relacionadas con el mando). Podríamos aquí decir que el apetito sensible manifiesta un importante desdoblamiento: una es la modalidad de ser tendencia ante lo agradable o desagradable (detestable o repugnante) y otra es su tendencia ante lo útil y lo estorboso.

Con estos prenotámenes podemos ver cuál es el papel que guardan las cuatro virtudes cardinales ante estas cuatro potencialidades humanas y también ante las acciones que hemos calificado antes como propiamente directivas (diagnóstico, decisión y mando) y sus correspondientes virtudes.

Al entendimiento le corresponde determinar el diagnóstico. Dijimos que su propiedad calificadora (su virtud) correspondiente era la objetividad. Como se trata de *un conocimiento con vistas a la decisión* la terminología clásica destaca para él la primera capacidad cardinal, a la que denomina *prudencia*, que es lo que en nuestro lenguaje usual llamamos *acierto*, al grado que en algunos idiomas objetividad, prudencia y acierto se significan con un solo vocablo.

La voluntad requiere de una capacidad conductual a la que corresponde determinar *lo que debe quererse*: no sólo el derecho de querer, sino el derecho de querer aquello que debe quererse para cada uno. Es la *justicia*. La justicia es la virtud prevalente de la decisión. Lo que debo querer para mí es mi propio bien. Y para los demás, el bien que le es a ellos propio. No podemos dejar de señalar aquí otra vez que lo más propio de la persona -lo que más a ella se le debe- es ser tratada como persona (como finalidad absoluta, dirá Kant, y no como medio), con el *respeto y la confianza* que le corresponde.

La templanza es la cualidad armónica del hombre que regula su apetito deleitable, de manera que pueda actuar con temple, moderación y dominio frente a las sensaciones agradables y desagradables. Veremos, en su momento, que la templanza tiene múltiples lazos con la constancia, o, para decirlo de otro modo, la destemplanza es una de las características del inconstante.

Finalmente, la *fortaleza* es la capacidad humana que se requiere para adquirir lo provechoso (que suele ser arduo) y eliminar los obstáculos (que suele ser difícil).

Esta única y fundamental descripción antropológica de las potencialidades humanas (inteligencia, voluntad, sentidos, y apetito o tendencias sensibles); de las realidades a que ellas se destinan (universales y concretas); el carácter de sus relaciones con ellas (aprehensivas o tendenciales); la reacción preliminar que suscitan (atracción o rechazo, querencia o ruptura, agrado o desagrado, utilidad u obstáculo) y, finalmente, las virtudes cardinales que en estas potencialidades se encuentran (prudencia, justicia, fortaleza y templanza), nos sirven para ubicar el sitio que, entre las diversas facetas humanas, le corresponde a la fortaleza.

En su sentido clásico, *la fortaleza es aquella cualidad del hombre gracias a la que éste cuenta con los arrestos necesarios para superar a las dificultades que conlleva el logro de bienes arduos*. Es la cualidad que potencia a la inclinación -apetito- que el hombre tiene para acopiarse bienes provechosos, *aunque* sean arduos. En la sociedad hedonista donde vivimos el calificativo de *arduo* aplicado a un bien resulta por lo menos paradójico. El bien debería ser deleitable y asequible para poder determinarse como bien. Tal vez sea éste el error más grave del hedonismo: no percatarse de que los verdaderos bienes, aquellos que se encuentran por encima de mí y a los que aspiro por su elevación o nobleza, son bienes arduos. Más aún: si no implica un trabajo, una disciplina y una dedicación el alcanzarlos, esto es, si no son arduos, puede sospecharse de su verdadera bondad.

Nos hemos olvidado del aforismo *per aspera ad astra*: a las estrellas no se llega más que por caminos ásperos, que, traducido al castellano, dice simplemente así: *lo que vale cuesta*. No es verdad su contraria: hay también realidades valiosas que se encuentran a la mano. Entonces aparece el asombro ante lo cotidiano: así como es requerida la fortaleza para encararse con lo difícil, así también se requiere el sentido de novedad frente a la rutina de lo diario. Ambas cualidades son necesarias para el hombre de acción. El asombro, sentido de novedad, redescubrimiento ante lo ordinario será tratado por nosotros cuando debamos abordar otra característica del hombre de mando: la constancia.[136]

El que nos dediquemos ahora al estudio de la fortaleza, por razones metódicas, en modo alguno significa que lo común y corriente, *lo cotidiano*, tenga para nosotros menos valor que lo arduo. El bien arduo, cuyo alcance requiere la fortaleza, tiene en la antropología de occidente un claro sentido transitivo: la fortaleza nos saca de nosotros mismos (es más: nos *estira*), para que podamos llegar al bien que aspiramos. La fortaleza, igualmente, nos saca de nosotros mismos para poder *remover las dificultades que se nos presentan, ya sea para alcanzar el bien del que carecemos, ya sea para mantener el bien que se encuentra en nuestra posesión, o para hacer crecer el que teníamos inicialmente.*

[136] Cfr. *Infra* II, 4.3: *Constancia.*

Estas tres especies transitivas de la fortaleza serán tratadas por nosotros separadamente, pues hay quienes contando notablemente con uno de los tipos de fortaleza transitiva (por ejemplo, la necesaria para alcanzar un bien arduo) carece por completo de la que requeriría para decirse poseedor de otro tipo de fortaleza distinto y aun adverso (por ejemplo, mantener el sentido de novedad ante lo cotidiano).

No obstante, por el sesgo que hemos dado a nuestro estudio de las acciones directivas, viendo en ellas el papel principal que juega la humildad, hemos de abordar primeramente no el estudio de la fortaleza transitiva -a la que nos dedicaremos después- sino del de la fortaleza reflexiva, hoy generalmente olvidada, precisamente en el ámbito de las organizaciones en las que resulta imprescindible.

La fortaleza necesaria para la adquisición de un bien arduo (fortaleza transitiva) no debe opacar la importancia de esa fortaleza reflexiva que anunciamos: esforzarse por obtener de nosotros mismos alguna cualidad que nos es incipiente o que aún se encuentra en las vetas subterráneas de nuestro yo inexplorado.

La fortaleza en el mando no puede simplificarse tampoco en el *ser fuertes con quienes me están subordinados*, porque hay también otro modo de ejercer la fortaleza, *esforzamos con nosotros mismos.* Entre el esfuerzo y la fortaleza hay afinidades y diversidades cuyos matices resultan de gran utilidad para la eficiencia en el arte de gobierno.

Cuando hablamos de las acciones directivas de diagnóstico[137] y decisión,[138] no dejamos de acentuar la versión personificadora de las cualidades necesarias para ejercerlas: la humildad en el diagnóstico, la audacia en la decisión; dejando ver que los verdaderos objetos de estas acciones no se encontraban fuera de noso-

---

[137] Cfr. *Supra* II.2.1: *Las circunstancias del yo*, y II.2.2: *El yo de las circunstancias.*
[138] Cfr. *Supra* II. 3.1: *Magnanimidad*, y II.3.2 *Audacia.*

tros sino en nuestro mismo interior, incluso en el interior de nuestro espíritu. Algo similar acontece con la confianza: no sólo debemos confiar en los demás, no sólo debemos ser dignos de confianza para ellos, sino aun más: debo tener confianza en mis propias posibilidades.

Pues bien: ahora, la fuerza debe aplicarse no a circunstancias, situaciones, coyunturas en las que podremos encontrarnos, sino que hemos de esforzarnos por sacar a la superficie cualidades que, perteneciéndonos seminalmente, son por nosotros desconocidas. Hay una distinción, sutil pero verdadera, entre el *esforzarse* y el *ser fuertes*. Cuando hablamos de la fortaleza en el mando y en el liderazgo, hemos de darle más peso a lo primero que a lo segundo. Si quisiéramos hablar con propiedad antropológica, nos referiríamos a algo que podría parecer en muchos una indudable redundancia, no siéndolo: *esforzarnos por ser fuertes.*

James Hunter reconoce que "*el liderazgo requiere un gran esfuerzo*".[139] Los líderes tienen que decidir si están o no dispuestos a dar lo mejor de sí mismos por aquellos a los que dirigen. Se da aquí, en Hunter, quizá sin él advertirlo, la inflexión o cruce entre la fortaleza transitiva (exigir a los demás) y la fortaleza reflexiva (ésta de exigirse a uno mismo). Al introducirnos en la función de dirigir que llamamos mando,[140] advertimos que hay una delgada membrana para separar el dominio sobre sí mismo y el dominio sobre los que trabajan conmigo. Dijimos que mandar a otros y mandarme a mí mismo, aunque fueran acciones específicas en algún modo distintas, tenían una gruesa y amplia comunidad genética, al punto que podría afirmarse, como lo ha venido diciendo la tradición occidental, que el incapaz de gobernarse a sí está marginado de la posibilidad de gobernar a los demás. Aquí nos encontramos con otra utilísima versión de lo mismo: quien no

[139] James Hunter, *La paradoja*, p. 112.
[140] Cfr. *Supra* II, 4.

puede esforzarse para dar lo mejor de sí, no podría lograr que los demás den igualmente lo mejor de ellos mismos.

"No debemos nunca atrevernos a pedirle a las personas que dirigimos que sean lo mejor posible, que *se esfuercen* por mejorar siempre, si nosotros no estamos dispuestos a crecer y a llegar a ser lo mejor posible."[141] Uno de los interlocutores de Hunter exclama con un suspiro; "ese... compromiso, liderazgo, ese *esforzarse* al máximo para los demás... todo me suena a muchísimo trabajo".[142] Pues bien, este *muchísimo trabajo* es precisamente una dificultad que sólo se supera con fortaleza.

Refiriéndose al esfuerzo, Hunter nos dice con una ilustradora metáfora que "forzar y desarrollar los músculos emocionales tiene mucho que ver con forzar y desarrollar los músculos físicos. Al principio es difícil. Sin embargo, con disciplina y con un ejercicio adecuado, con la práctica, los músculos emocionales -como ocurre con los físicos- se desarrollan y adquieren... tamaño y... fuerza.[143]

Los pusilánimes siempre nos haremos la pregunta que aparece en *La Paradoja* de Hunter: "El empeño que se requiere para conseguir influencia, el trabajo de prestar atención... de dar lo mejor de uno mismo por los demás, y la disciplina que se requiere para adquirir esas nuevas destrezas y esos nuevos comportamientos... ¿vale la pena tanto esfuerzo?"[144]

La pregunta nos señala la dirección en la que debemos seguir nuestro análisis. En un análisis, en efecto, cuyo punto central es la humildad del líder es necesario dejar bien sentado lo que acabamos de decir: el problema de la fortaleza no reside en el empuje con que movemos a los demás, sino en el esfuerzo con que nos esponjamos a nosotros mismos como seres humanos. Nos esforzamos porque esta-

[141] James Hunter, *La paradoja*, p. 119 (subrayado nuestro).
[142] James Hunter, *La paradoja*, p. 119 (subrayado nuestro).
[143] James Hunter, *La paradoja*, p. 144.
[144] James Hunter, *La paradoja*, p. 161 y 162.

mos muy lejos de poseer la plenitud que, como estos hombres individuales que somos, podemos adquirir. Este planteamiento -que es el verdadero- no se lo puede hacer alguien que considere haber logrado esa plenitud, y su función es sólo transbordarse o volcarse sobre los demás.

¿Vale la pena el esfuerzo? El esfuerzo que debemos aplicarnos, las dificultades que tenemos que salvar, los peligros que hemos de arrostrar o sortear son proporcionales a la magnitud de la meta.[145] Cuando la meta es muy alta cualquier obstáculo se nos antoja una piedra en el camino que es posible superar sin disminuir el paso. Cuando es muy pequeña, la piedra -pequeña también- es un muro insalvable ante el que nuestros ánimos decaen.

Esforzarse es una acción reflexiva, que recae sobre mí mismo, cuando considero que yo no soy lo que soy ni lo que debo ser. En este sentido, el esforzarse por llegar a lo mejor de sí mismo, proviene de una actitud distinta, y aun contraria, de la enojosa traída y llevada *autoestima*. Hemos de tener cuidado de que nuestro lícito deseo de seguridad en nosotros mismos, que inocentemente dice buscar la *autoestima*, no sea un mero vestido que hemos confeccionado para nuestra soberbia. Hemos de cuidar, como lo aconseja Alejandro Llano, que no propugne un repliegue *narcisista* sobre nuestra presuntamente valiosa intimidad.

Nuestra experiencia, practicada ya durante no pocos años, nos asegura que la búsqueda de la autoestima no termina bien. Desemboca en un falso mantenimiento de la imagen, en una continua consideración de que los demás son otros tantos espejos en donde debo mirarme. La buena apariencia psíquica y física hacia la que la *sic dicta* autoestima nos conduce adopta las formas más femeninas de la vanidad.

Entendiéndolo bien, el afán de alcanzar la plenitud a la que hemos sido llamados no ha de partir de la *propia estima* sino del *propio*

---

[145] Cfr. II, 3.1, *Magnanimidad.*

aborrecimiento. La primera vez que me he encontrado con tal propuesta hube de detenerme a pensar. Josemaría Escrivá nos dice: "Agradece, como un favor muy especial, ese santo aborrecimiento que tienes de ti mismo".[146] Me pareció que, aun siendo sin duda verdadera la propuesta, nuestra cultura contemporánea difícilmente captará esa verdad. Me he dado cuenta pronto de que no es así.

Quien podría calificarse como el padre del pragmatismo norteamericano, William James, nos habla de la propia estima, curiosamente, en términos coincidentes, aunque no lo parezca. Relaciona estrechamente la autoestima con las pretensiones. Quien se tiene en alta estima tal vez sea porque pretende poco. De ahí la conocida y reconocida ecuación de James:

$$\text{Propia estima} = \frac{\text{Logros}}{\text{Pretensiones}}$$

De acuerdo con esta ecuación, quien no tuviera nada como pretensión, quien tuviera cero pretensiones, cualquier mínimo logro producirá una propia estima infinita. No pocos psicólogos se dedican hoy con buena intención a convencer a sus pacientes que son meritorios de reconocimiento dado que sus logros, en cualquiera de sus aspectos existenciales, tienen alto valor; en lugar de elevarles la mira y proponerles metas verdaderamente valiosas, para lograrlas, olvidándose, con un duro ejercicio mental, del termómetro que mida la estima por parte suya y por parte de los demás.

Quien verdaderamente pretende ser hombre cabal, ha de tener un venturoso aborrecimiento de sí, porque se percata de modo humilde, objetivo y sereno de lo mucho que le falta para llegar a serlo y lo poco que se ha empeñado en conseguirlo. Se trata de un aborrecimiento positivo, como el del que *le tiene asco al mal*, emoción que podría promoverse en lugar de sus falsos sustitutos.

[146] San Josemaría Escrivá, *Camino*, n. 207.

Dilucidado lo anterior, hemos de pasar al examen de la fortaleza en su dimensión transitiva: empujar a los demás para que logren lo que todos pretendemos.

Hemos definido antes la fortaleza como la virtud que facilita al hombre su tendencia a los bienes arduos. Dijimos ya que el apelativo de arduo no disminuye en nada –al revés- la característica de bien, pues todo objetivo magnánimo adquiere de suyo la condición de ser arduo. Su consecución implicará frecuentemente dificultades y obstáculos. La fortaleza es, pues, la disposición habituada para enfrentarse con dificultades y obstáculos a fin de lograr la meta. Es una de las virtudes por las que el hombre se hace más atractivo con respecto a los otros hombres, y más efectivo precisamente respecto de los fines que pretenden. Es por ello una de las notas más señaladas del liderazgo.

En la tarea directiva, el hombre fuerte es preferible al inteligente (en el siguiente párrafo diremos que el hombre constante es preferible al hombre fuerte). La eficacia de la práctica puede deberse sin duda a la virtud de la prudencia, que capacita al entendimiento para que acierte en definir los objetivos a lograr. Pero el acierto intelectual de los objetivos es una parte, y sólo una parte pequeña, de su consecución. El esfuerzo para acceder al objetivo fijado, que es la fortaleza, se cumple y pone a término con la consecución del objetivo.

Existe una versión intelectualista de la empresa según la cual en la fijación de los objetivos estarían ya pensadas y volitivamente superadas las dificultades presumibles que obstaculizarán el logro del objetivo. Según esta forma de pensamiento, si las dificultades no han sido previstas, el problema no es de la fortaleza, sino de acierto; vale decir, es problema de una virtud del entendimiento -la prudencia- y no de la fortaleza. En lugar de *esforzarnos para cumplir lo decidido debemos pensar bien lo que decidamos para prever las dificultades que se presentarán.*

Se supone, pues, que el ser humano tendrá la clarividencia para poder predecir las dificultades aparejadas a las metas propuestas. Lo importante será el *profundo y detallado pensamiento del plan*, y no la energía o ánimo -fortaleza- para arrostrar dificultades importantes que se debieran haber previsto.

Tal es el modo de pensamiento de los marxistas que apostaban todo el acierto de la política a la recta elaboración del plan quinquenal. Adolfo Sánchez Vázquez nos advertía entonces, en su *Filosofía de la praxis,*[147] que los actuales avances de la información, apuntalados por los progresos de la cibernética, nos proporcionarían los conocimientos necesarios para hacer un plan quinquenal sin errores, deficiencias y vacíos. Incluso podrían predecirse los futuros sucesos metereológicos. Hoy vemos ya lo lejos que nos encontramos de una predicción de ese talante. Nos atreveríamos a decir que los planes quinquenales (soviéticos o no) con tales pretensiones serían más objeto de una profecía que de una predicción.

Pero si, al contrario, las dificultades fueran, en buena parte, anticipadamente previstas, tampoco se requeriría la fortaleza, pues la dirección fijó la meta asumiendo el objetivo junto con sus dificultades, y no habría ya por tanto necesidad de una fuerza adicional para superar algo que fue fría y firmemente calculado y aceptado.

Consideraciones de este tipo se exceden en la importancia que dan a la inteligencia, y a la virtud propia de la inteligencia práctica, que es la prudencia, o virtud del acierto, para definir los objetivos que quieren lograrse. Diríase que la definición del objetivo -en tan preclaras condiciones- traería consigo de modo indefectible su real consecución.

Dos filósofos escolásticos, Molina y Poinset, presentaron sobre esto hipótesis controvertidas. Según Molina era necesario centrarse bien en el entendimiento para la elucubración intelectual. Si algo del plan fallase, esto es, si la ejecución se desviara de lo planeado, habría que apelar a aquella elucubración intelectual planificadora, pues

[147] Adolfo Sánchez Vázquez, *Filosofía de la Praxis*, Grijalbo, México, 1967.

ahí encontraremos el verdadero motivo de la falla o desviación. Para Poinset, sin embargo, la fortaleza sigue siendo necesaria, porque *la dificultad pensada*, no es lo mismo que *la dificultad real*. La dificultad pensada se resuelve en el nivel del pensamiento, y para ello se requiere, efectivamente, de la prudencia o el acierto. Pero la dificultad real requiere de una acción real, y está necesitada de una virtud, habituación o capacidad diversa, que llamamos fortaleza, la cual hará posible, sí, la superación de las *dificultades reales*.

Como ya advertimos antes, se da una peculiar dialéctica entre la meta magnánima y las dificultades que obstaculizan su logro. Esta peculiar dialéctica puede describirse así: si la meta es verdaderamente valiosa, encontrará serias y profundas dificultades e inconvenientes, que serán mayores en el grado en que sean más grandes los objetivos; la magnanimidad debe ser por ello seguida de la fortaleza. Pero, a la par, el valor mismo de las metas valiosas me da fuerzas y ánimo para superar los obstáculos. En paralelo, una meta mediocre exige menos esfuerzo en su consecución, pero de la mediocridad misma del objetivo no emanarán la fuerza y el ánimo para superar los obstáculos, aunque estos sean menores (pero es menor también mi ánimo y mi fuerza).

——— o ———

La fortaleza -sin que ello suponga la metáfora de ningún ring boxístico- se encuentra en un cuadrilátero de tendencias.

Por un lado, según ya sabemos, debe enfrentarse con las dificultades u obstáculos reales que -improvisados o previstos- aparecen en sus intentos de logro. Corresponde esto a la primera dimensión de la fortaleza tal como fue descrita páginas arriba: 1) *remover las dificultades que se nos presentan para alcanzar un bien del que carecemos y que decidimos obtener.* 2) *remover las dificultades que se nos presentan para mantener el bien que ya poseemos*. En tal caso, la dificultad toma el nombre de *peligro*. El peligro lo es cuando atenta contra nuestros bienes personales o materiales. 3) Nuestra actitud ante el peligro que amenaza lo que poseemos es distinta de la que cabe ante los obstáculos que dificultan lo que pretendemos. Ambas actitudes pertenecen, bien que de distinta manera, a la fortaleza. Cuando ésta no es suficiente, nuestras posturas suelen ser también diversas: ante las dificultades para conseguir, el decaimiento o desánimo para seguir pretendiendo; ante el peligro que amenaza, la huida para salvar mis bienes o a mí mismo y a los míos. 4) *Dificultades para hacer crecer el bien que inicialmente tenemos.* También aquí, como dijimos en 3, cabe la postura del decaimiento, desánimo o deserción.

Aparentemente, este cuadrilátero se sostiene respecto de los bienes que queremos, de los bienes que tenemos y de los bienes que, teniéndolos, se encuentran en posibilidad de desarrollarse dentro de mí. No obstante, lo que parece ser una actitud ante bienes reales, se convierte, sin embargo, en mi postura frente a la situación en que tales bienes se encuentran.

La fortaleza no se refiere, pues, a las realidades mismas que deseamos alcanzar o conservar, sino más bien a las tendencias (afectos, pasiones, emociones) que surgen ante ellas. *La fortaleza regula tendencias personales, no bienes reales.* Por ejemplo, la fortaleza es necesaria para no retroceder ante los obstáculos; pero no tiene como objeto el obstáculo mismo. La tendencia sensible o sentimiento que surge ante un bien arduo, es precisamente el temor de no alcanzarlo. Lo que hace la fortaleza es superar el miedo a las dificultades, *no medir la intensidad del miedo* (como parecen hacer algunos de los psicólogos contemporáneos), sino el *calibre real de la dificultad.* Un psicólogo tiene todo el derecho -no sé si el deber- de pensar que la intensidad del miedo o la preocupación ante determinadas dificultades, puede enfermar al paciente, y aconsejarle, en tal eventualidad, que desista. Pero un líder ha de relacionarse con su equipo -no con sus pacientes- para que, en lugar de pulsar introspectivamente la intensidad de su miedo, desánimo, o preocupación, pase por encima de tales sentimientos a fin de alcanzar la serenidad que le permita medir objetivamente el grosor de las dificultades y la energía con que cuenta para perforarlas.

La fortaleza no nos enfrenta, insistimos, con los peligros externos, sino con los sentimientos interiores de nerviosismo, a fin de dominarlos, trascenderlos o encauzarlos. La postura del hombre se nos muestra, pues, una vez más, como autodominio; no dominio de los obstáculos presentados o los peligros aparecidos -pues quizá tal dominio no se encuentre en sus manos-, sino dominio ante los sentimientos- apetitos sensibles- que surgen frente a ellos: sobre tales sentimientos el hombre se encuentra siempre en tesitura de dominio, entendiendo aquí como dominio no la represión, anulación o apaciguamiento de ellos, sino la posibilidad de sobrepasarlos o trascenderlos, es decir, de actuar -*Sentimiento y Comportamiento* (I, n. 14)- como si tales sentimientos no existieran. Dominando el miedo ante la dificultad, ésta será también menor, y muy probablemente vencible.

La humildad asoma aquí de nuevo su cabeza. Así como al hablar de la confianza reflexionamos si nosotros éramos de fiar para nosotros mismos (dado que nuestra debilidad o flaqueza sería presunta o pretendidamente igual a la de los que trabajan conmigo), así ahora no debemos atribuir la causa de nuestra falta de logro a los obstáculos exteriores. La fortaleza, en resumen, consiste en que nuestras tendencias hacia lo provechoso o útil, sobrepasen a nuestras tendencias sobre lo gustoso o fastidioso, lo deleitable o lo desagradable. La animosidad frente a estas afecciones sensibles es fortaleza; el apocamiento ante ellas, debilidad.

Las cosas, nos dijo el mejor consejero con que hemos contado en nuestra mi vida, tienen la importancia que nuestros nervios quieran darle.

——— o ———

Hay otros dos aspectos sobre la fortaleza que conviene tener en cuenta, justamente al referirnos al mando. También clásicamente esta virtud cardinal ofreció dos maneras de desarrollarse. Ante las dificultades o peligros, cabe el ataque, para vencerlos. Atacar es, como se sabe, uno de los actos prototípicos de la fortaleza: el hombre fuerte es valiente. A veces, sin embargo, cuando las dificultades o agresiones

-nervios aparte- son objetivamente insuperables, esto es, claramente superiores a mis fuerzas y atentan contra el núcleo de mi existencia, lo prudente será huir. No huyo entonces por la tendencia de huida ante el peligro, por la intensidad de mi miedo, o porque éste me afecte personalmente a mí. Cuando el hombre huye porque el peligro le es insuperable (insuperable, no insoportable) no se le puede decir cobarde -tampoco valeroso- sino sólo inteligente.

Pero hay situaciones en que concurren tres circunstancias simultáneas: el peligro es superior a mis fuerzas; el peligro atenta directamente a lo más propio de mi existencia; pero no gano nada con huir. Piénsese -si se quiere ser gráfico- en el cáncer incurable en mi propia persona o en un familiar próximo.

La actitud que debe adoptarse ante esta triple circunstancia es la otra forma de fortaleza: no ya atacar o enfrentarse con el peligro, sino resistir. La pregunta acerca de la resistencia resulta obvia: ¿qué ganamos con resistir? Aristóteles nos responde sabiamente que el hombre fuerte que resiste ante la presencia del peligro, cuando el peligro no simplemente amenaza, sino que ya está aquí, *no gana nada: se gana a sí mismo*. Se hace meritorio de ser hombre. Este requerimiento del resistir ha de subrayarse en el caso del jefe, del líder. Allí donde otros podrían darse por derrotados, derrumbándose en lo más íntimo y nuclear de su persona, el líder debe mantenerse anímicamente en pie: su deber de ejemplaridad se hace en este momento más álgido. Diremos que el liderazgo se trasparece y toma su forma más propia no cuando valiente se enfrenta con el peligro sino cuando paciente lo padece. Dijimos antes: *el hombre fuerte es valiente*, diremos ahora: *el hombre fuerte es paciente*.

En el momento de peligro terrible, de caos profundo, de desbandada general, el jefe ha de mantener la serenidad de quien, no pudiendo dominar las circunstancias que rodean al yo, domina al yo afectado por sus circunstancias. La jefatura, al contrario, se falsifica con el grito, el mal humor, y el monopolio de todo lo que pudiera hacerse. En cambio la fortaleza del jefe se ratifica con una sonrisa.

Somos conscientes de que con estas aseveraciones ofrecemos una imagen de la fortaleza contraria de la que hoy usualmente está en circulación; pero la mantenemos.

Hace cientos de años surgió en la antropología filosófica la cuestión acerca de cuál era la acción más esencial de la fortaleza: el atacar para unos y el resistir para otros. Los griegos, encabezados por Aristóteles, pensaron, no sin razón, que el constitutivo y manifestativo del hombre fuerte era salir al frente del peligro: el atacar. Muchos de nosotros nos abanderamos a esta opinión aristotélica.

Para la filosofía cristiana, en cambio, el estereotipo de la fortaleza consistiría en el resistir. Se requiere una fortaleza de mayor fibra para soportar el peligro cuando ya se encuentra y dentro de mí me afecta que cuando lucho para que no llegue. La lucha, en efecto, lo que pretende es que no llegue el peligro, o la desgracia, o la derrota. Trata de evitar precisamente encontrarse en una situación de resistencia. Se halla, pues, en una etapa anterior a aquella en la que la fortaleza llega a su límite. Lo que para los griegos era una deshonra para los cristianos constituía, al revés, una victoria sobrenatural. El ejemplo de la conducta de los mártires que afrontaban la muerte no sólo con serenidad sino con buen semblante les ofrecía una prueba irrefutable para su argumento. Hoy mismo, por ejemplo, la lectura de las cartas de Ignacio de Antioquia, en viaje a Roma para el encuentro inminente con su ya decretado martirio, ofrece una lección de fortaleza que ningún manual de ningún curso de desarrollo humano es capaz de presentarnos.

También en la resistencia ante el peligro presente, la desgracia actual, el dolor en carne viva, el derrumbe de lo construido en toda una existencia, guarda un apretado vínculo con la humildad: no ya la humildad que se vive en estado de desgracia, dolor o derrota, la cual quizá no tenga más remedio que tenerse (y habría incluso que detectar si nos encontramos ante una actitud humilde o ante una mera resignación), sino lo que llamamos *humildad* anticipada, que se condensa en este clásico apotegma: *quien no sabe ser humilde en el éxito no sabrá ser fuerte en la desgracia.* Como el estado de desgracia es inevitable, porque es el costo mínimo de la vida, y como la resistencia en ese estado es la forma cumbre de la fortaleza, podemos bien decir que *la humildad es una deseable preparación para la fortaleza*, porque nos prepara para la resistencia.

No debemos dejar de hacer un apunte sobre la sutil pero importante distinción que existe entre la resistencia y la resignación. Esta es un mero abandonarse, dejarse llevar, modo simulado de huida ante la derrota. El que resiste no deja de ser quien es, en medio de su situación: no se deja llevar, sino que se *agarra*. Resistir es *agarrarse* al propio yo que se encuentra constituido por los principios intelectuales de nuestra sabiduría, y por los usos prácticos de nuestros comportamientos. La resistencia no se da donde no hay raíces en las que apoyarse ni tierra propicia para el arraigo.

Hemos dicho que la resistencia es el último recurso de la fuerza, y el más válido. Por ello el hombre fuerte ha de llegar a la resistencia, después de haber intentado todo lo que se encuentra en sus manos para evitar la presencia del enemigo, del peligro o la desgracia. Por esto hemos aseverado que es más propio del líder cambiar *la* situación que le es adversa, que cambiar *de* situación por serlo. Además del parágrafo en que especulamos sobre la constancia, este hecho tendrá que aparecer de nuevo: primero se ha de luchar porque cambie *la* situación; y sólo después, si esto no es posible, habría que cambiar *de* situación.

Deteniéndonos en este punto por el valor que posee en las actuaciones del hombre, recordamos que la situación es definida por José Gaos como la relación del yo con sus circunstancias, definición cuya fuente orteguiana no se puede ocultar. A veces, esas circunstancias son otros hombres, y ello es importante tenerlo en cuenta cuando se habla de la actitud cabalmente fuerte del líder.

Si las circunstancias amenazantes no pueden cambiarse, tal vez el que deba cambiar deba ser yo ante ellas, en vez de cambiar las circunstancias, las cuales según el *status quo* establecido no son transformables. Nuevamente, la fortaleza adquiere una tonalidad de carácter personal: soy yo el que debo cambiar, tomando una actitud diferente ante esas circunstancias. Hay quien logra, por una honda metamorfosis personal, ver en tales circunstancias oportunidades de acción cuando antes sólo veía dificultades y problemas. Como la situación se define, según dijimos, por la relación de las circunstancias con el yo, al cambiar el yo de las circunstancias, hemos transformado las circunstancias mismas aunque ellas, de suyo, no hayan mudado: la mudanza ha ocurrido sólo conmigo mismo. Pero ha cambiado con ello *la* situación, en lograr de "irme con mi yo a otra parte", es decir en lugar de cambiar yo *de* situación.

Se nos presenta, pues, la fortaleza nuevamente en esa tesitura que hemos venido viendo a lo largo de nuestros análisis. La práctica de ésta no se encuentra tanto fuera de mí, en las realidades que obstaculizan lo que quiero o que amenazan lo que tengo o lo que soy. A este enfoque lo denominamos *personificación de la fortaleza.*

Si queremos precisar con rigor esta *personalización*, diremos que la fortaleza consiste en aquella cualidad o hábito gracias al cual las tendencias meramente sensibles (disgusto, dolor, decaimiento, desagrado, falta de ánimo) son dominadas o encauzadas o superadas o trascendidas gracias a las tendencias que poseo y utilizo respecto de los bienes arduos, los cuales, aunque no agradables de suyo ni en sí mismos ni en sus consecuencias resultan provechosos o útiles, categorías antropológicas de rango superior a las que hemos descrito como deleitables y placenteras, o, al revés, desagradables y dolorosas. Es aquí, en este preciso punto, en donde se localiza el nervio de la fortaleza, y en donde ésta adquiere lo que llamamos *personalización*: el predominio de la tendencia hacia *lo provechoso*, racionalmente considerado, por encima de *lo deleitable,* en el caso, harto frecuente, de su oposición.[148]

[148] Estas afirmaciones pueden útilmente relacionarse con las que hemos analizado páginas antes. Cfr. *Supra* I, 15: *Necesidades y deseos.*

Hay aún otro punto en donde la fortaleza se inflexiona personalizándose: cuando la tendencia hacia el bien que me es útil y provechoso (que acaba de predominar sobre lo placentero y agradable), es dominada aún por otra de rango superior: la tendencia a mi utilidad y aprovechamiento es dominada por aquella otra que me inclinaría hacia los bienes que son útiles y provechosos para lo demás. Para que tal dominio pueda darse, se requiere de una *decisión decisiva*, por la cual opto postergarme en bien de aquellos que trabajan y conviven conmigo.

De este modo, nuestra fortaleza personificada, vale decir, referida a mí mismo más que a las circunstancias, se supera mediante dos grados de mayor nobleza antropológica: el apetito de lo útil predomina sobre el apetito de lo placentero; y el apetito de lo generoso predomina sobre el apetito de lo egoísta.

No se nos oculta que esta fortaleza así personificada hace al hombre más hombre; y que las tendencias dominadas (hacia lo que es racionalmente útil -no placentero- para los demás) tienen su larva o semilla en todas las personas, por débiles y degradadas que se encuentren. No se trata de *introducir* estas tendencias *en* los individuos (así se entendería equivocadamente la educación para fortalecer a los educandos o a los subordinados) ni menos de imponerlas *sobre* ellos. Alasdair MacIntyre ha acertado aplicando el término *flo recimiento* para nombrar el desarrollo del hombre en la virtud. La virtud en el hombre ya se encuentra en él: al líder, al maestro, al padre, lo que le toca es ayudar al florecimiento de lo que ya está seminalmente sembrado en la propia naturaleza del subordinado, del hijo, del alumno... Según nuestro autor, florecer puede traducirse como *bene vivere,*[149] o, como lo ha traducido Alejandro Llano, *una vida lograda.*[150]

---

[149] Alasdair MacIntyre *Animales racionales y dependientes* ("¿Por qué los seres humanos necesitamos de las virtudes?"), Paidós, Barcelona, 2001, p. 81 y ss.
[150] Alejandro Llano. *La vida lograda*, Ariel, Madrid.

Este florecimiento no puede tener lugar en el hombre (y en algunos animales no humanos de rango ontológico alto) más que en medio de sus comunidades vitales. En nuestro caso, podemos decir -no basándonos en los interesantes análisis antropológicos de este profesor de filosofía en Duke sino en nuestra no corta experiencia- que el trabajo en equipo de las organizaciones es el clima propicio para tal florecimiento. Y ello enlaza con el problema que ahora tenemos entre manos: la actitud que debe adoptar el hombre frente a amenazas para las que no tiene defensa, o qué le corresponde hacer, además de resistir, ante la adversidad, cuando de temida pasa a ser presente.

Es precisamente Alasdair MacIntyre quien nos pone de manifiesto lo que los animales ontológicamente más cercanos al hombre hacen cuando resulta patente su vulnerabilidad. Ya hemos visto arriba cómo algunas de las comparaciones del hombre con el animal no humano pueden ser ilustradoras, por semejanza y por contraste, para entender el modo esencial del hombre. Nuestro autor aplica aquí esta intuición, con el convencimiento de que "una gran parte de lo que el ser humano tiene de animal inteligente no es específicamente humana",[151] al grado de pensar "que en su primera infancia los seres hombres no han realizado aún la transición entre un animal potencialmente racional y un animal efectivamente racional".[152]

Estas ideas sirven a MacIntyre para subrayar que en los hombres incipientes, en el niño pequeño, al igual que en algunas especies animales (perros, chimpancés, gorilas, elefantes o delfines)[153] la conciencia de su vulnerabilidad los agrupa: "Algunos seres humanos y algunos animales no humanos buscan bienes respectivos en compañía y en cooperación unos con otros; y la expresión *bienes* significa exactamente lo mismo, ya se trate del ser humano, del delfín o del gorila".[154]

---

[151] Alasdair MacIntyre, *Animales racionales...*, p. 58.
[152] Alasdair MacIntyre, *Animales racionales...*, p. 75.
[153] Alasdair MacIntyre, *Animales racionales...*, p. 31.
[154] Alasdair MacIntyre, *Animales racionales...*, p. 79.

De acuerdo con esa vulnerabilidad se estructuran las relaciones "mediante la asociación en grupos (grupos de hombres y sus crías, grupos de machos y sus crías, grupos de machos subadultos, grupos de delfines machos y hembras adultos), y la formación de alianzas".[155] Estas asociaciones permiten tanto la *supervivencia* como el *florecimiento.*

Se nos alumbra aquí una nueva perspectiva en el tratamiento de la fortaleza: no basta el ataque, no basta la resistencia o resignación cuando el ataque se ve imposible o termina en derrota. Hay una forma de fortaleza que debemos explorar a la hora de estudiarla en las organizaciones. La conciencia de nuestra fortaleza puede en cierto modo individualizarnos como autosuficientes. En cambio, la intuición de nuestra debilidad, nos inclina a la búsqueda de los otros para que suplan mis deficiencias; y los otros aceptan la asociación conmigo precisamente por lo mismo: para que sus insuficiencias encuentren en mí remedio. Lo que se da de manera permanente en muchos animales e inicialmente en ese tipo de animal que somos nosotros, debería de tener su continuidad en todo caso; *porque en todo caso la insuficiencia del hombre aislado es palmaria.*

El primer avance para ser fuertes es sentirnos débiles, y buscar la agrupación como forma natural de responder a nuestras debilidades, haciendo valer el dicho popular: *la unión hace la fuerza*, o el adagio clásico: *amicus amico fortis*: el amigo es fuerte para el amigo. "*El reconocimiento de la dependencia es la clave de la independencia*".[156]

Esta sabia afirmación posee un alcance mucho mayor que el que podría proporcionarnos una *psicología barata.* Hablamos aquí de una mutua dependencia biológica que se hace dependencia inteligente cuando el animal logra sobresalir hasta el estado de adulto. Diría MacIntyre que el animal entonces –y lo aplica también al hombre–

[155] Alasdair MacIntyre, *Animales racionales...*, p. 81.
[156] Alasdair MacIntyre, *Animales racionales...*, p. 103.

da por supuesto, como instintivamente, el corresponder a otros con una mutualidad proporcional.

El equipo se hace fuerte entre los que humildemente se saben débiles, y son débiles porque el florecimiento o desarrollo, al que están llamados por su naturaleza, resulta inalcanzable sin la *ayuda de otros*, y ello a su vez resulta inalcanzable sin la correspondiente *ayuda a otros*. Se encuentra aquí el nervio ontológico del equipo, y el remedio para nuestra constitutiva falta de fortaleza: sea al atacar el peligro por venir sea para resistir el ya llegado

Nos atrevemos a afirmar que la fortaleza, aunque *personificada*, es más una virtud de la comunidad que del individuo como tal.

La formación del equipo, en cuanto aproximación para adquirir nuestra fortaleza, no se requiere sólo porque la unión hace la fuerza. En el momento de la presencia irresoluble de la adversidad, de la desgracia, la unión con los otros es necesaria también por algunos aspectos no banales que debemos mostrar seguidamente.

Desde antiguo, la civilización de Occidente ha estudiado las pasiones del hombre en relación con el bien y el mal. Sin la presencia permanente de estos dos polivalentes conceptos, y sin su acertada definición, sería imposible orientarse en la maraña selvática de nuestras múltiples y controvertidas pasiones. Sin precisar ahora -porque no nos corresponde hacerlo en este momento- estos dos conceptos humanos clave, diremos sencillamente que el bien es aquello a lo que el hombre se acerca y el mal aquello de lo que se aleja. (Dejamos ahora al margen que hay bienes reales que se nos presentan con apariencia de mal y verdaderos males que consideramos erróneamente, en algún momento, como bienes para nosotros).

Así considerado el bien, sabemos desde hace cientos de años (aunque muchos antropólogos contemporáneos lo ignoren), que el bien abstractamente considerado -fuera del tiempo presente o futuro- es el objeto del *amor*; el bien considerado como futuro, hace nacer en nosotros el *deseo*; mientras que si se encuentra ya en nosotros mismos como presente nos suscita la *alegría*.

Por su parte, el mal considerado en un abstracto intemporal provoca en nosotros el *odio*; si se le piensa como una posibilidad futura, nos despierta el *temor*; y si se encuentra ya presente, si lo padecemos ahora, produce *tristeza*.

En resumen, el bien es objeto de las tendencias, emociones, mociones y afectos que denominamos *amor, deseo y alegría*. Por su parte el mal suscita en el hombre las tendencias, emociones, mociones y afectos calificados con los nombres de *odio, temor y tristeza*.

Cuando se considera que la resistencia es la actitud del ser humano ante el peligro, desgracia o mal ya actualizado en nosotros, enfocamos la resistencia en el ámbito de esa emoción... calificada de tristeza. Pero hemos dicho que la fortaleza (una de cuyas principales modalidades, por encima del atacar o defender, es la *resistencia*) no se refiere únicamente a los bienes reales arduos que hemos decidido lograr y a los males reales que quieren evitarse sino a las emociones o apetitos que estos males o estos bienes nos producen. El mal presente origina en nosotros la tristeza. La resistencia se refiere a ella, pues, directamente. Hemos de resistir, soportar, aguantar la tristeza que nos produce el mal presente inevitable con el que nos vemos obligados a convivir, dado que no hubo ni hay posibilidades de evitarlo. Nuevamente se da aquí la importante *personificación* de la fortaleza, que en este momento no adquiere la configuración de aguantar el mal, sino de aguantar *la tristeza que el mal nos produce*.

Podemos aceptar claramente que el resistir hace el dolor menos penoso. La desesperación, el exacerbo, la protesta inútil, el grito histérico, en cambio, lo incrementan. La función del que resiste suele llevar consigo que el mal sea lo menos doloroso que se pueda. El dolor, si se puede quitar, se quita; si no se puede quitar, se aguanta.

La antropología clásica ha arbitrado algunas medidas para sobrellevar la tristeza, para hacernos susceptibles de resistirla, para disminuir en lo posible su intensidad, ya que no podemos anular el mal que la genera. Los consejos proporcionados por Tomás de Aquino tienen vigencia todavía hoy: buscar algún placer sensible, bañarse (hoy diríamos hacer ejercicio), *buscar a los amigos*, pensar en agradables situaciones -pasadas, futuras o hipotéticas- y recurrir a Dios.

Las personas que conviven con nosotros, colaboradores y amigos, no sólo nos hacen fuertes para enfrentarnos con el mal venidero, sino también nos hacen fuertes para resistir el mal inevitable y presente.

Incluimos precisamente entre los que componen a ese grupo a nuestros colaboradores, porque la resistencia nos sirve para poner remedio a males subsiguientes, o amenguar el crecimiento del mal o la propagación del mismo. No hemos de pensar que aguantar la desgracia es siempre *resistencia pasiva.* Son muchas las acciones que se pueden ejercer en medio mismo del mal, y ellas se harán con más eficacia si contamos con colaboradores que nos ayuden, y ellos cuentan con líderes que los conduzcan no sólo en medio de la desgracia sino de la tristeza que conlleva. Pero incluimos también en el grupo a los amigos, por lo que la tristeza encierra de sentimental, emocional y afectiva.

Generalmente la tristeza tiende a reconcentrarnos en nosotros mismos: engendra solitarios. Precisamente por ello se requiere un contrapeso: frente a la contracción en que nos densifica la tristeza, la expansión de compartirla con los amigos. Quienes piensan que los compañeros laborales no deben ser al mismo tiempo amigos, quienes en sus especulaciones prácticas consideran que la relación amistosa desfigura o aun pervierte la relación laboral, suelen ser personas que o bien no se han hallado nunca -hasta ahora- en una situación verdaderamente lamentable a la que se ven constreñidos a resistir, o bien carecen de amigos.

Es precisamente en las situaciones de apremio y dificultad cuando nos percatamos de que *dividir* la amistad y el trabajo es descoyuntar al hombre. Lo clásico sigue aún siendo permanente (por ello es clásico) aunque los remedios en contra de la tristeza, y la tristeza misma, pudieran resultarnos anticuados; un análisis más cuidadoso nos haría ver que la tristeza ha adquirido muy diversos nombres, pero está muy lejos de desaparecer. La neurastenia y la angustia, el *stress*, el cansancio psíquico, siguen creciendo en la generación actual como lo hicieron en la pasada. Los remedios con vistas a paliar o superar esos fenómenos no han sido tampoco superados. Nadie hoy se atreve a decir que ante esos temporales o definitivos fenómenos psíquicos el tener amigos no es conveniente. Tanto lo es, que incluso hay quien está dispuesto a pagar a alguien que sustituya a un amigo del que carece, y lo remunera a título de consultor, asesor, *coach*, tutor, consejero o psiquiatra.

4.3 Constancia

Esta propiedad, característica para el ejercicio del mando, guarda una profunda relación con la fortaleza (y en especial con ese aspecto suyo que es la resistencia) al grado que en muchas facetas puede identificarse con ella. Pero, como veremos, se las tiene que haber con realidades en buena parte adversas a aquellas que la fortaleza encara. Para adelantar un momento esta distinción, y señalar al lector el camino que vamos a emprender, diremos sólo esto: la fortaleza tiene que enfrentarse con *obstáculos* y la constancia con *atractivos*.

Esta opinión, no obstante, coexiste con otra que no hemos de perder de vista. La fortaleza adquiere su valor ante la asiduidad –permítasenos el término– y las dificultades en el logro del objetivo (bien real arduo y difícil). En cambio, la constancia ha de encararse con la *diuturnidad* entrañada en el logro de ese bien.

Dijimos antes que a toda meta magnánima le acompañan de manera necesaria los obstáculos y dificultades que se encontrarán en el camino de su logro. Si no se presentasen tropiezos y muros que saltar o evitar, podemos tener derecho a poner en duda aquella presunta magnanimidad. Y, al contrario, las presentación de los obstáculos que se oponen a nuestros propósitos pueden ser un signo o conjetura de que aquello que nos proponemos no es de pequeño monto en nuestro proyecto de vida.

Lo mismo se ha de suponer también en el orden de la diuturnidad, tardanza, prolongación del camino que debe recorrerse. Aquí lo difícil no es más que la cuantía del tiempo o de la distancia que debe transcurrir o debemos recorrer. La diuturnidad se encuentra también regularmente anexa a la magnanimidad de la meta. Las cosas grandes no surgen momentáneamente como un astronómico *big-bang*. Lo que nace grande es monstruoso y muere. Lo grande va tomando forma a través de múltiples acciones pequeñas, así como los grandes recorridos no nos exigen pasos más amplios, sino más pasos.

La constancia o permanencia en el camino de acceso a nuestros objetivos entraña, pues, el obstáculo no de su magnitud sino de su prolongación. Así como el peligro es la génesis del temor, que debe ser dominado por la voluntad para agredir o resistir, así también la duración de la acción es la fuente del cansancio, que debe ser igualmente dominado por la voluntad.

En la etapa cultural como la que en este momento nos encontramos, parece que el objetivo tiene la sola finalidad de alcanzarlo. La temporalidad natural del hombre nos hace que pensemos de manera diversa de la contemporánea. El logro de la finalidad no habrá de conjugarse en infinitivo (*lograrla*) sino en gerundio (*estar lográndola*). Lo que desarrolla al hombre no es sin más el logro del objetivo, sino de manera especial -y hoy olvidada- la acción que debemos desencadenar por estarlo *logrando*. Esta acción gerundiva desarrolla al hombre por el esfuerzo que le supone la persistencia, el hacer *constar* que la decisión en un tiempo tomada sigue vigente, y sigue vigente mi apetito o tendencia para conseguir lo decidido.

La constancia es, así, la cara contraria a la volubilidad. Es preciso que toda decisión tomada por el líder con o para su equipo esté inicialmente marcada con el sello de su perdurabilidad. Ya hemos dicho que las convicciones profundas[157] son perennes.[158] No debe por

[157] Cfr. *Supra* I, 6.
[158] Cfr. *Supra* I, 7.

tanto tomarla el voluble o el advenedizo. Acostumbrarse a desconsiderar el objetivo por la tardanza de su logro es uno de los peores hábitos del hombre de acción.

Pero este cansancio por la extensión del camino, y esta constancia que se requiere para seguirlo recorriendo, pese al cansancio mismo, viene acompañado por otros factores que lo agravan.

Nos referimos a los *objetivos sucedáneos* que pueden presentarse en ese tedioso recorrido, y que aparecen *más atractivos* precisamente porque pensamos -a diferencia de aquéllos- que se encuentran al alcance de la mano. *La constancia toma vigor mediante el convencimiento de que no hay nada valioso al alcance de la mano.* No hemos de cometer la clara equivocación de hacer nuestro el *cambio de emprendedor a gambusino.* El error se hace irremediable cuando el gambusino piensa que está trabajando como empresario.

El papel que hacen los obstáculos y circunstancias ante la fortaleza, cuando se interponen al logro de nuestras metas, lo representan ahora, curiosamente, los objetos atrayentes que nos desviarían de la meta fijada, si nos dejáramos llevar por su reclamo. Algo atrayente y deseable se nos convierte, así, por paradoja, en obstáculo para alcanzar lo previamente deseado y decidido como algo que debe lograrse.

Se ve de otro modo que una de las condiciones que deben darse en el hombre de acción, que pretende resultados, es el de la *capacidad de renuncia.* Al decidir una meta magnánima, debemos considerar, al mismo tiempo, todo aquello a lo que renunciaremos como costo para la adquisición de su logro. Reaparece la humildad. Hemos de ser conscientes de que no somos capaces de todo. Nuestras posibilidades son reducidas. El radio de nuestros alcances es limitado. Ello, lejos de disminuir nuestro valioso apetito de cosas grandes, nos hará crecer en la capacidad de renuncia. El inconstante no renuncia a nada. Picotea por la acción de la vida sin sistema lógico, se deja llevar por los relumbrones momentáneos. El hombre constante, por el contrario, se acostumbra a decir que no: dice que no a todo aquello que realmente resulta incompatible con el objetivo decidido.

Colocándose en un paso previo, el hombre constante, al tomar conciencia de todo aquello a lo que debe renunciar para conseguir esa meta magnánima (no se puede ser director general de la Ford Motor Co. y campeón mundial de golf al mismo tiempo) ha de calibrar y sopesar si la calidad de la meta es proporcional al costo de la renuncia; y, sólo después de esa ponderación, tomar la decisión precisa. Esta reflexión previa es el primer paso en la andadura del hombre constante. Una positiva labor del equipo de hombres con los que trabajamos es el que nos hagan ver sin suspicacias todos aquellos aspectos de mi existencia que habrán de quedar mermados por el esfuerzo de llegar a donde queremos.

Los puntos críticos aparecen cuando se presenta la incompatibilidad entre dos objetivos que me resultan, ambos, imprescindibles. No debo engañarme, y tener la fuerza -es otro aspecto de la proximidad entre fortaleza y constancia- para prescindir de uno de los objetos incompatibles, si son en realidad incompatibles. No pocas veces la indecisión de la renuncia, el autoengaño de que podemos seguir adelante con los dos objetivos incompatibles, la sugestión de que esa incompatibilidad es artificial -cuando no lo sea- nos lleva a la mediocridad de nuestro trabajo para el logro de ambos objetivos: no logramos, en grado aceptable, ni el uno ni el otro.

Hemos discutido con cientos de directores generales de empresa el caso de Peter Lynch,[159] en donde el protagonista se ve forzado a dimitir de la dirección de uno de los fondos de ahorro más importantes, o de mayor crecimiento en el mundo, porque se dió cuenta -tardíamente- de la desatención de la que eran víctimas sus hijos pequeños.

La discusión de ese caso nos sirve para que nos percatemos de que el hombre no tiene una sola finalidad en su vida, sino que la misión que la Providencia le haya deparado en ella, envuelve la con-

---

[159] Peter Lynch, caso elaborado por el profesor Arturo Picos Moreno. Adaptación del artículo: "Peter Lynch on the meaning of life" aparecido en la revista *Fortune*, Abril 1990, págs. 103-104.

secución de varios objetivos que, por ser *imprescindibles*, no puede encajonarlos en un marco vital en el que se tornen incompatibles.

Peter Lynch, antes de llegar profesionalmente al *point of no return*, como llegó, debería haber reflexionado sobre la misión de su vida en lugar de hacerlo sólo en la finalidad de su trabajo profesional en la empresa. La constancia no conlleva terquedad ni tozudez sino inteligencia para hacernos un serio proyecto vital, con lo que arribamos a otro de los puntos que nos facilitan la adquisición de la constancia, como hábito de nuestro comportamiento: toda finalidad tiene detrás un plan. La constancia no se limita a *querer cerrilmente el objetivo* sino a seguir con puntualidad, serenidad y paciencia el plan trazado. En este plan deben verse con meridiana nitidez cuáles son sus rutas críticas. La constancia nos exige poner particular cuidado en ellas, lejos de ascender a otros procesos, los cuales, justo por no ser críticos, resultan más agradables y fáciles.

El perseguir al mismo tiempo varios objetivos fundamentales compatibles no tiene como consecuencia la dispersión sino la exigencia de la unidad vital. Precisamente porque el ser humano es polivalente, también los proyectos, relacionados con la estabilidad, exigen concentración: "la facultad de aplicar la atención fijamente a un solo objetivo, sin dispersarse, es la marca inefable de un genio superior".[160]

La virtud cardinal de la templanza encuentra aquí una función central como la objetividad y humildad la encontraron en el diagnóstico, la justicia en la decisión, y la fortaleza en el mando. Hemos dejado dicho en diversas ocasiones que la fortaleza del hombre cristaliza en el punto en que el apetito del bien útil (y arduo) domina o sobresale por encima del apetito de los bienes deleitables, muchas veces incompatibles con aquél –aquí real incompatibilidad. Esto se

---

[160] José Antonio Marina, *Teoría de la inteligencia creadora*, Anagrama, Barcelona, 1955. *Apud* Álvarez de Mon, *El mito del líder*, p. 138.

relaciona también todo lo que observamos acerca de las *necesidades y deseos*[161] de un individuo. El bien deleitable tiene mayor fuerza de tracción para la sensibilidad del hombre. El bien útil y arduo, en cambio, lo tiene sólo para la inteligencia -y muchas veces inteligencia de largo plazo-. El deleite y el provecho se enzarzan antropológicamente con una discusión de plazos. Lo provechoso a largo plazo requiere educación y tiempo. Entre nosotros se encuentran muchos cortoplacistas, que prefieren un refresco de soda a un buen vino francés, unos frijoles refritos abundantes a unos bien medidos bocados de caviar, los danzones tropicales a las sinfonías de Mozart, los pasteles cremosos a la figura elegante del que guarda una dieta... No estamos hablando de mal o buen gusto, sino de reto a largo plazo. El inconstante es cortoplacista, y lo es por falta de templanza, que es la virtud que regula, coordina y encauza las tendencias de nuestros apetitos sensibles.

Los ejecutivos que se dedican a la selección del personal para el trabajo en las organizaciones, deberían tener la sobriedad en su *cheking-list* de cualidades para medir las competencias o destrezas de su trabajo. La sobriedad no es una cualidad medieval ni molesta. El hombre que tiene equilibrio y armonía para satisfacer racionalmente sus deleites sensibles es un hombre de fiar, porque ya posee el camino despejado para la constancia. Recordemos, otra vez, que la constancia es mucho más importante que la inteligencia y que *la constancia es más fácil de adquirir que la inteligencia. El que tiene un bajo nivel de inteligencia puede sobradamente compensarlo con su alto nivel de constancia*.

Hay un cortejo de virtudes difíciles sin cuya compañía la constancia no podría tener lugar. Señalamos, entre ellas, además de la sobriedad y la templanza, *la paciencia*. Ser constante y tener paciencia son dos factores humanos inseparables: la impaciencia misma es

---

[161] Cfr. *Supra* I, 15.

ya preludio de la falta de constancia. No hay nada que desconcierte más a un equipo de trabajo -lo tenemos bien comprobado- que la impaciencia de su jefe, especialmente si llega al grado de la desesperación.

Por otra parte, ¡cuidado con el desdeño de esas manifestaciones menores de la molestia ante circunstancias que forman el tejido de la cotidianidad profesional!, especialmente en un clima en el que no pocos quedan fascinados por el espectáculo, y se encuentran dispuestos a pagar un vacío tributo a los ídolos del foro público: no debemos olvidarnos del pésimo papel que juega en el liderazgo esa contraversión de la humildad que hemos llamado preponderancia, y que se manifiesta en las actitudes dramáticas y aparatosas.

La constancia se dice a sí misma, repetidamente, lo que Pablo de Tarso presenta en su primera carta a los Corintios: "no me dejaré dominar por nada",[162] y tiene presente la sabia sentencia de Tomás de Aquino: "*por la paciencia se mantiene el hombre en posesión de su alma*".[163]

No obstante, la constancia (la templanza frente a los objetos deleitables, la paciencia frente a prolongaciones excesivas o inesperadas que suscitan justamente la desesperación) ha de ser compatible con la *flexibilidad.* La constancia, atributo de la voluntad del bien y del apetito de lo útil, es además atributo del inteligente. La constancia, en efecto, no nos exime de ese comportamiento máximamente expresivo de la humildad, que casi ha desaparecido ya de nuestro lenguaje: *rectificar.* Hemos de agradecer a nuestro equipo de trabajo el que nos corrija, a fin de facilitar la reconducción a la finalidad buscada, es decir, al acierto en la decisión. Como lo dice Alejandro Llano es insensato e irreal pensar que los directivos de la empresa deben mantener las decisiones adoptadas porque, de lo contrario, se soca-

---

[162] I Cor., 6,12.
[163] Tomás de Aquino, *Summa Theologiae*, II-II, q.136, a.2 ad 2.

va el "principio de autoridad" (curioso principio que no pertenece a ninguna ciencia: sólo a la retórica de autoritarios y dogmáticos). *Mantener y no enmendar* juicios y opiniones es la actitud más anticientífica y más injusta que se pueda concebir.

Relacionado con la paciencia, esta cualidad del mando de hombres que ahora consideramos, es enemiga de las brusquedades cuyo arrítmico paso no podemos seguir. Para continuar el símil del automóvil, habrá que acelerar en las rectas largas, frenando en las curvas, pero habrá siempre unas velocidades medias para los momentos de normalidad, sin sustos ni extravagancias. Lo que caracteriza al hombre constante, y lo que le hace digno de confianza para los demás que trabajan con él, podría escuetamente enunciarse así: la permanente ascensión por un plano inclinado. El plan de trabajo al que varias veces nos hemos referido antes, debe determinar con cierta exactitud la inclinación del plano, que viene a su vez fijado por el tiempo que requerimos para elevarnos de la situación del diagnóstico a la meta del objetivo. Hay buenos atletas para los cien metros libres y los hay buenos para un maratón. Pero no para ambas competencias.

Todo objetivo práctico contiene dentro de sí varios aspectos que deben ser fijados para precisarlo.[164] Uno de ellos, y no el menos importante, es el plazo o tiempo dentro del cual debemos arribar a la meta pretendida. Sin plazo no hay objetivo.[165] Pues bien: el plano inclinado del que hablamos se determina, obviamente, por estos tres puntos: el punto inicial de partida, señalado por el diagnóstico; el punto terminal de llegada, indicado por la meta a lograr definida por la decisión, y el tiempo que ha de transcurrir hasta alcanzar la meta decidida: sin este plazo, no hay objetivo. La magnitud del objetivo y la duración del plazo deben guardar una cierta proporción calibrada por

---

[164] Cfr., Carlos Llano, *Análisis de la acción directiva.*

[165] En otras obras (*Análisis de la acción directiva*), hemos dicho que un objetivo no se encuentra bien definido si no se precisan cinco aspectos: continuidad, calidad, *plazo*, costo y compensación.

la prudencia. Esta proporción (entre la grandeza de la meta y el tiempo requerido para alcanzarla) ha de ser ponderada por la prudencia, sí, pero depende del esfuerzo que podamos y queramos poner en ello. Aquí descubrimos un aspecto más en el que la fortaleza (con su consecuente esfuerzo) y la constancia se yuxtaponen. Se da en México un acertado refrán que sólo olvidan los imprudentes: más vale paso que dure y no trote que canse. Una de las críticas más angustiosas que los viejos soviéticos le hacían a Marx, ya en la decadencia de sus propias vidas, era el de no haber establecido un plazo para que la dictadura del proletariado se hiciera realidad. A ello se sumaban las argumentaciones de los no marxistas: debería habérseles dicho que el paraíso prometido tendría lugar en la siguiente generación y no en ésta, con lo que -se añade- no se distinguirían mucho de aquellas religiones que prometen la felicidad no en éste sino en el otro mundo.

La medición de los logros y los retrocesos forman parte constitutiva de la constancia. No se trata de caminar a ciegas: se debe medir el refreno de nuestro avance, de forma objetiva y no febril. Pero es precisa la medición, y el modo de ella.

Entre los ingredientes que componen la constancia, no todos resultan cuantitativamente mensurables en el mismo grado. Uno de los factores de medición muy compleja es el más importante: el estado de ánimo de las personas que llevan a cabo la ascensión. Ya hemos dicho lo importante que resulta en el liderazgo la distinción entre el sentimiento y el comportamiento,[166] y el mayor peso que ha de darse al segundo sobre el primero. No obstante, hemos de reconocer ahora que los sentimientos pueden constituir un preludio anticipativo del comportamiento. Por ello el líder ha de tener la membrana de su oído sentimental lo suficientemente sensible como para atender a los primeros síntomas de desánimo. El trabajo constante es proclive al desánimo, que es la modalidad espiritual del cansan-

[166] Cfr. *Supra* I, 14.

cio. El líder ha de tener la necesaria inventiva para que al cansancio anímico no se añada el aburrimiento y a la monotonía del camino. Este ha de quedar sembrado de incentivos momentáneos en cada etapa. Si ellos pueden ser sugeridos por el equipo mismo de trabajo, en lugar de puestos o impuestos por su jefe, ello tendría muchas ventajas –deben formar parte del plan de acción al que la constancia ha de estar atado–.

Una de las formas de evitar la rutina, cuando deben desarrollarse planes de larga duración, es el cambio de tareas entre los componentes del equipo, de modo que ninguno haga la misma tarea durante todo el tiempo. Aunque no se cambie el plan, porque no haya motivos para ello y porque el plazo pensado no ha concluido aún, y por tal causa los objetivos no hayan podido lograrse plenamente, sin embargo las tareas específicas asignadas a los diversos miembros del equipo pueden y deben cambiar entre sí, después de un previo común acuerdo de todo el equipo sobre estos procesos de rotación.

Estos cambios, como decimos, pueden romper la rutina del trabajador, y rebajar las tasas de tedio o aburrimiento consiguientes; pero encierran otras ventajas que será útil tener en cuenta. La especialización unívoca y prolongada no suele ser buena para el desarrollo del individuo. Sin caer en la caricatura de un *multiusos* es oportuno que las personas, dentro de la misma organización y aun dentro del mismo grupo, sepa llevar a cabo tareas diversas. El hombre no es, como el animal, actor de un solo carril o piñón fijo, sino que sus actividades son siempre polícromas. La variedad operativa agiliza las operaciones de los individuos, y no resulta difícil que lleve a cabo con perfección muy aceptada tres o cuatro labores diversas, como el conocimiento de varios idiomas es mayor en algunos, incluso al del lenguaje propio. Hemos comprobado que hay industrias en las cuales el operador que cuenta con la destreza para realizar bien varias tareas y no una sola, recibe un puntaje superior en la medición de su calidad activa. El saber hacer *bien* varios menesteres es un factor importante en el desarrollo personal y profesional. Tenemos excesiva inclinación a dar de baja al individuo deficiente al cual bastaría transferirlo de puesto para que diera mayores frutos.

La rotación, además, facilita la comprensión del trabajo que tienen a su cargo los demás integrantes del equipo. Es difícil encontrar mejor comprensión de un tipo de trabajo que haciéndolo por sí mismo. La comprensión desde dentro de varios de los trabajos que se desempeñan en el equipo genera esa *respectividad* mutua (yo comprendo bien lo que tú tienes asignado así como tú comprendes lo que me han asignado a mí) factor muy positivo para la asunción del trabajo compuesto y, por tanto, para la eficaz coordinación por parte del líder. Finalmente, la mencionada *respectividad* facilita una actitud humilde respecto del propio trabajo. Al no hacerlo únicamente yo, puedo reducir un posible sentido monográfico y protagónico de la propia tarea, restándole importancia; y, al mismo tiempo, al desempeñar, aunque sea temporalmente, el trabajo que a otro le corresponde, tengo una vivencia del interés y complejidad del trabajo de mis colegas, que tal vez había yo antes desmerecido, al tiempo que subrayado la principalidad del mío. El compañerismo brota entonces con facilidad. Puede considerarse con razón que el hecho de llevar a cabo más de un trabajo hace perder, en algún grado, la perfección conseguida por el que hace uno sólo, lo cual sin duda es cierto en ocasiones. Pero acabamos de advertir que la variedad operativa concurre al desarrollo de la persona -no necesariamente de su oficio específico- porque pide de ella una flexibilidad, apertura mental, abandono de rutinas, incluso desaparición de *manías y caprichos* que van insensiblemente haciendo callo en la persona lo mismo que se origina en los miembros del cuerpo cuando se hace la misma actividad material durante extenso tiempo.

En el estudio de la constancia no debemos dejar a un lado varios hechos que no sólo facilitan la eficacia del mando, sino también la humildad que el líder requiere para mandar bien.

La persona adversa al trabajo permanente y cotidiano piensa que sólo debe proponerse a sí mismo aquellos objetivos logrables en el tiempo más reducido posible, y que el desarrollo de su persona (de sí y de sus circunstancias) reside en el número de metas alcanzadas y objetivos logrados. Una concepción de tal naturaleza sobre el desarrollo humano es errónea. *El desarrollo*, ampliación de capacidades, ensanchamiento de horizontes existenciales, *no se fundamenta en los logros por sí mismos sino en lo que se ha hecho para lograrlos*. No cabe duda de que el conseguir lo que se pretende colabora con el perfeccionamiento del ser humano. Pero ello no tanto a título de conseguido sino a título de valioso, en caso de serlo. La meta alcanzada sin esfuerzo alguno tiene visos iniciales de poco valor. Para decirlo una vez más con Iván Bogdan, el crecimiento del hombre no se concentra en el acto de lograr, conjugado en infinitivo, sino en gerundio: procurando *lograrlo* o *lográndolo*. Es la *acción gerundiva* -más que infinitiva- lo que subyace en la actividad humana plenificante. Por muy valiosa que sea la meta, rara vez tendrá más valor que el esfuerzo aplicado vigorosamente para alcanzarla.

Más aún: para un hombre verdaderamente trabajador y magnánimo, alcanzar el objetivo no significa concluir el camino. El objetivo logrado se convierte, casi de forma automática, en *medio para el logro de un objetivo de orden superior*. Insistimos: la formación no termina nunca. Ya lo dijo el poeta: "En la brega no importa llegar. Lo que importa en la brega es bregar. El que brega, si llega o no llega, merece llegar".

La inconstancia parece compatible con el deseo de cosas grandes. No siempre el inconstante es apocado de ánimo. Tal vez sea más propio calificarlo de utópico o irrealista. Al pensar en los ideales en los que tendría que invertir su vida, no tiene en cuenta los prolongados esfuerzos que debe aplicar: de ahí su falta de realismo. Esta es la causa última por la que desea comenzar con cosas grandes, llamativas, espectaculares. Por esto la constancia es una virtud amiga de las cosas pequeñas.

Tuve la venturosa oportunidad de oír de San Josemaría sus continuas enseñanzas acerca del valor de las cosas pequeñas. "Las almas grandes tienen muy en cuenta las cosas pequeñas".[167] Al referirnos antes a los peligros que encierra un liderazgo que quiere ser preponderante, buscando lo llamativo y espectacular,[168] advertimos el efecto de *boomerang* que le acaece al presuntuoso, al que quiere sacar su cabeza por encima de los demás. El hombre que gusta del buen parecer de los otros, en busca preferente de muchas de las metas clamorosas que puede pretender, pierde en ello eso mismo que busca. *Arregla todo para quedar bien, y queda finalmente como presumido.* Los presumidos no se percatan de cuántos otros aspectos valiosos de su personalidad desmerecen, y hasta se ridiculizan, en cuanto quedan coloreados por un toque de vanidosa pretensión. Porque, paradójicamente, el presumir no puede simularse; si hubiera disimulo, si nadie se percatara de ello por presumir, ya no habría presunción. Al contrario, la humildad, pasando, ésta sí, verdaderamente inadvertida, realza y da brillo a todos los demás aspectos de la personalidad. La verdadera posición social -dijimos- es una efusión de adentro para afuera; pero hay algunos que desean obtenerla mediante cosas exteriores -el auto, la moda, los lugares exclusivos, etc.- No tienen en cuenta lo que también sabiamente nos dejó dicho el poeta: "No te adornes el perfil, ni acicales tu frontera; que se llama presumir, cuidar las cosas de fuera".

Obsérvese que aquella persona cuidadosa de todo lo que concierne al interior de su propia vida trasfunde al exterior un talante atractivo, incluso señorialmente humilde. La vinculación entre el espíritu y el cuerpo hace que en éste, de una manera natural, sin preciosismos ni sofisticaciones, trasparezca la nobleza, serenidad y dulzura interior. Esto no se logrará nunca si, al revés, los cuidados van de afuera para dentro: permanece todo epidérmicamente en la

[167] Josemaría Escrivá, *Camino*, n. 818.
[168] Cfr. *Supra* I, 10: *Preponderancia.*

superficie sin penetración alguna en el interior, y los demás se percatan de esta superficialidad.

El ser inconstante (que aquí hemos asimilado ahora al ser presumido) es incapaz, especialmente en los comienzos, de juzgar el valor de lo pequeño. "No juzgues por la pequeñez de los comienzos. Una vez me hicieron notar que no se distinguen por el tamaño las simientes que darán hierbas anuales de las que van a producir árboles centenarios".[169] El deseo de comenzar por lo grande suele tener malas consecuencias. "No me olvides que en la tierra todo lo grande ha comenzado siendo pequeño. -lo que nace grande es monstruoso y muere".[170]

Las personas constantes no quieren empezar por lo grande, no tienen desánimo porque sus inicios sean pequeños; guardan la esperanza de que las pequeñas cosas, perseverantemente, se harán grandes cuando puedan contestar a esta pregunta de San Josemaría: "¿Te has parado a considerar la suma enorme que pueden llegar a ser <<muchos pocos>>?[171]

Difícilmente se hallará un pensamiento más animoso, respecto del acento cotidiano del trabajo, que el que San Josemaría nos transcribe a continuación: "¿Has visto cómo levantaron aquel edificio de grandeza imponente? –un ladrillo, y otro. Miles. Pero, uno a uno. Y sacos de cemento, uno a uno. Y sillares, que suponen poco, ante la mole del conjunto.- Y trozos de hierro.- Y obreros que trabajan, día a día, las mismas horas... ¿Viste cómo alzaron aquel edificio de grandeza imponente?...- ¡a fuerza de cosas pequeñas!"[172]

Por lo que acabamos de leer, la constancia tiene muchos nexos con las cosas pequeñas –no con las pequeñeces- y con la cotidianidad. No es extraño que San Josemaría Escrivá haya sido calificado por

[169] Josemaría Escrivá, *Camino*, n. 820.
[170] Josemaría Escrivá, *Camino*, n. 821.
[171] Josemaría Escrivá, *Camino*, n. 827.
[172] Josemaría Escrivá, *Camino*, n. 823.

Juan Pablo II "el santo de lo cotidiano". Un consejo suyo puede servir en cualquier ocasión común, como aquélla en el que lo recibí de él mismo: no se trata de hacer cosas extraordinarias, sino de *hacer extraordinariamente bien las cosas ordinarias.*

El vencimiento por parte del apetito que tiende a los bienes arduos, adquiribles a largo plazo, sobre el apetito sensible, que persigue bienes meramente placenteros, al alcance de la mano, es -dijimos- una de las condiciones para que se dé la constancia, como vencedora de los *atractivos* momentáneos que nos apartarían de la ardua consecución de bienes útiles y provechosos. Además de los atractivos localizables en nuestros apetitos sensibles, el cansancio de la cotidianidad, el escaso recurso de nuestra persistencia, debe encararse con otro obstáculo de mayor calado porque logra desviarnos de nuestros propósitos inadvertidamente. Dijimos, al hablar de la fortaleza, que hay situaciones difíciles y peligrosas frente a las que nos surge la tendencia -y a veces tendencia acertada- a huir ante ellas. También en la constancia surge, y a veces *constantemente*, esa misma tendencia a huir, aunque de manera menos descarada. En nuestra cultura incluso le hemos cambiado el nombre: no nos referimos entonces a *huidas* sino a *evasiones*. Hemos anotado a lo largo del tiempo las diversas modalidades de huir o de evadirse, por parte de nuestros amigos, cuando la amenaza del peligro o el agotamiento de la cotidianidad se les antoja irresistible: irse a vivir a otra ciudad, so pretexto de la insoportable muchedumbre en la que ahora habitan, o con la excusa de conseguir una mejor educación para los hijos; teorizar sobre la necesidad de un *hobby*, y dedicarse a la caza o a la pesca; obtener un doctorado (obtenerlo no implica nada negativo, a no ser que se trate de una disimulada y vergonzante evasión de los deberes ordinarios); pretender ser otra persona, dejándome barba; descubrir inoportunamente mi irrefrenable pasión por la música o la pintura...; dedicarme al yoga o a alguna de las indiscernibles pseudo-místicas del *new age*; dar la vuelta al mundo; declararme enfermo...

La enfermedad es, por desgracia, uno de los recursos que el hombre tiene para evadirse de la constante tensión que provoca un trabajo prolongado. Es muy difícil discernir si se trata de una verdadera enfermedad, en cuyo caso debe ser objeto de atención, o de una solapada evasión existencial. Para no perder la virtud de la constancia, debe tenerse cuidado de que no sea el mismo enfermo el que declare tautológicamente su enfermedad. Así como no es aconsejable ser juez y parte, menos lo es ser enfermo y médico. Podemos dudar de la objetividad y buena intención de quien deja de trabajar, o lo hace a un ritmo menor que el razonable, por autóctona declaración personal, al margen, de espaldas o aún en contra de los dictámenes médicos. A veces el *no puedo más* psíquico no requiere siemple aceptación, sino elevación del ánimo para que la voluntad aplique el esfuerzo necesario, a fin de seguir adelante. Habrá ocasiones en que el agotamiento psíquico será real, pero el buen líder preferirá su propio agotamiento para inyectar al otro las fuerzas anímicas que necesita, en lugar de declararse él mismo agotado e incapaz de levantar a los demás de su agotamiento.

Igualmente aquí, como en la fortaleza, es preciso que el optimismo psíquico se personalice: no podré alentar a los demás si no logro alejar de mí el agotamiento. La constancia tiene mucho que ver, como acaba de estudiarse, con la cotidianidad; pero más aún con la laboriosidad. El laborioso no lo es *por prontos*, por arranques, sino por paciencia, continuada tenacidad, esperanza del futuro, ambición de lo magnánimo, etc. Pero es necesario advertir que antes y más que una *laboriosidad constante* tiene lugar una *constante pereza*.

En varias ocasiones hemos dado la voz de alerta al peligro de éste que constituye en la antropología filosófica el más peligroso de los vicios denominados capitales: la pereza, que coexiste con los otros seis: soberbia, avaricia, lujuria, ira, envidia y gula. De todos ellos, la pereza es el único vicio, esto es, el único hábito empobrecedor de la alta dignidad humana, que puede darse tautológicamente por sí mismo, sin necesidad de ninguna acción adicional fuera de sí. Ella misma

–la pereza– no es siquiera ninguna acción, sino la cesación de acción alguna. Los demás vicios capitales exigen de nosotros alguna actividad, y, en casos, actividades difíciles. El afectado por la gula ha de procurarse el alimento y la bebida adecuados. El perezoso no ha de procurar nada: justamente el no procurar nada es la quintaesencia de la pereza. En todas las demás tendencias viciosas es, al menos, necesario el *querer seguirlas*. En la pereza no es ni siquiera necesario querer, ni siquiera *querer que no*: basta, insistimos, con *no querer*. Desgraciadamente para el perezoso, no se requiere en su caso el decidir serlo.

La pereza, curiosamente, suele darse acompañada por la más preciada cualidad humana que es la inteligencia. Nos referimos a una inteligencia nativa, no evolucionada, pero instintiva y penetrante. No pocos psicólogos, por paradoja, ven precisamente en la inteligencia de los perezosos la causa o motivo de su pereza. Sus rápidas, profundas y acertadas opiniones les eximen de la acción que otros, menos inteligentes, tendrían que aplicar con constancia para subsistir o mantenerse al nivel de su situación.

No obstante, la inteligencia de la que hablamos es, de suyo, estéril e inútil. Ni siquiera se estructura de manera tal que pueda servir de consejo a alguien que tuviera mejores disposiciones activas. La inteligencia del perezoso cumple a la letra el requerimiento de Jaime Balmes: se instala en su cabeza de hielo, pero se encuentra desconectada de las otras dos exigencias pedidas por el filósofo catalán: un corazón de fuego y unos brazos de hierro. La inteligencia que coexiste e incluso suscita la pereza es fría, no mueve, no estimula a la acción, se encierra en su propio ambiente de nevera. Por otra parte, no sólo posee la frialdad de la nieve, sino incluso su brillo. El perezoso es brillante, y parece que con eso le basta (no dejamos de anotar aquí, porque es un dato importante de la manera de ser del hombre, aunque no sea tema de lo que ahora tratamos, que esta brillantez de la inteligencia del perezoso no se encuentra carente de la forma más grave de vanidad: porque se presume de lo único que tiene –inteligencia-: con ella le basta para quedar bien ante los demás, en el momento de exponer sus ideas, y no le parece que se requiera ningún paso adicional.

Clásicamente, al vicio de la pereza se oponía, como su dique y remedio, la diligencia, vale decir, la prontitud y el brío de la acción; y se trataba sin duda de una adversaria muy bien pensada. Como se sabe, la diligencia es aquella actividad que proviene del *diligere* latino: amar. El diligente ama lo que hace, y lo hace por ello con energía y agilidad, porque quiere lo que hace. Ya lo decía Agustín de Hipona en uno de esos juegos de palabras que acostumbraba: *Si labor amatur, aut non laboratur, aut labor amatur*: si se ama al trabajo, o el trabajo no es trabajo, o, si lo es, el trabajo mismo es lo que se ama.

En esto es precisamente en donde se encuentra la falla del hombre afectado por la pereza; no quiere lo que piensa. Es un desamorado de sus ideas. Se prefiere a sí mismo que a las ideas por él pensadas. De ahí el carácter frío, estéril, ácido, contento con sus pensamientos, y con la simpatía que puede producir con sus ocurrencias.

Finalmente, hay otro aspecto de la constancia que no ha de quedar en el tintero. El hombre inconstante interrumpe o amaina su acción en el momento mismo en que parece faltarle algún recurso necesario para ejercer la actividad que le corresponde. La procuración de los recursos -instrumentos, ayudantes, capital- que presuntamente serían imprescindibles para el trabajo encomendado o propuesto, constituyen otras tantas evasiones respecto del trabajo mismo: en lugar de hacerlo, se dedica a conseguir los útiles necesarios para llevarlo a cabo. En el momento actual se da lo que no dudamos en llamar, aunque con expresión aparentemente contradictoria, un *consumismo de instrumentos de trabajo*. Esa vertiginosa búsqueda de un aparato electrónico que hipotéticamente me permitirá trabajar mejor, es la que me impide trabajar de ninguna manera.

De forma análoga se comportan muchos hombres mal llamados líderes de organizaciones: se trata de hombres exigentes respecto de la organización con la que necesitan para llevar a cabo los negocios que han pensado, marginando la ejecución de tales negocios, precisamente porque están ocupados en montar la organización requerida para ellos.

Su constancia, si la hubiese, sería la de conseguir los factores organizativos, pero no para lograr las acciones que tenían pensadas ejercer con ellos. Sería más importante tener una buena organización que llevar a cabo una actividad sobresaliente. Su situación tal vez pudiera representarse con esta sencilla ecuación, cuyo resultado sería:

$$\text{Trabajo} = \frac{\text{Organización}}{\text{Negocio}}$$

Se trataría de conseguir la mejor y máxima organización para desempeñar el negocio pretendido.

Pero el verdadero hombre constante, al que ya calificamos antes por su templanza y sobriedad, también lo es respecto de sus utensilios, organismos, instrumentos y medios. Su ecuación de trabajo se representaría precisamente al revés: deseo obtener el máximo negocio con la mínima organización; y ello se podría representar, también inversamente de acuerdo con esta ecuación:

$$\text{Trabajo} = \frac{\text{Negocio}}{\text{Organización}}$$

5 Las funciones directivas en la propia persona

A lo largo del estudio de las funciones directivas en esta segunda parte de nuestra obra, se han venido desvelando algunas pautas fijas para el buen desenvolvimiento de esas funciones. Cada una de ellas (con las cualidades que exige para ejercerse), tiene sin duda, como ya se dijo, su objeto propio: el objeto propio del diagnóstico es la *situación* de nuestro punto de partida; el de la decisión, la *meta* a la que deseamos llegar; y finalmente el mando, las acciones que los demás y yo hemos de poner en *ejercicio* para llegar a esta meta a partir de aquella situación.

Cada una de tales acciones, dijimos, necesita contar con una serie de capacidades, competencias, habilidades, destrezas o virtudes para su eficacia. Su estudio ha presentado por lo general dos vertientes: una versión hacia fuera, como las circunstancias del yo; y otra versión hacia dentro, como el yo de las circunstancias. Es decir, ninguna de las virtudes estudiadas imponen un completo volcarse fuera del sujeto, verterse sobre los factores externos de la correspondiente función, sino que inciden, en el extremo inverso, en el propio sujeto que actúa. Ello no debe en modo alguno extrañarnos, ya que, si bien nos referimos a virtudes operativas con efectos exteriores (actuamos para cambiar la realidad externa), en cambio, las virtudes o fuerzas necesarias para hacerlo no se encuentran en el objeto, circunstancia o situación sobre la que se actúa, sino que parten del propio sujeto.

De ahí que todas las virtudes propias de las capacidades requeridas para la buena función directiva deban analizarse en esa doble dimensión que les es característica: su capacidad de cambiar las realidades externas y su incidencia para enraizarse en las cualidades internas. Los dos polos, interno y externo, deben tenerse en cuenta si se desea hacer un análisis antropológico serio.

Expresado de otro modo, *toda virtud*, por extrovertida que, debido a su esencia, se oriente al exterior, *necesita ser personificada por el individuo que actúa.* Tal *personificación* la analizamos en un caso paradigmático de ella, al estudiar la fortaleza. Aunque ésta tiene por objeto enfrentar las dificultades externas, cuenta también con esa dimensión *personificada* que denominamos *esfuerzo*. Igualmente vimos cómo el hombre fuerte debe serlo no sólo ante la dificultad u obstáculo externo en sí mismos, sino frente al temor o miedo personal o interno que surge dentro de él ante aquellas circunstancias externas.

Lo que hemos visto más detenidamente en el caso de la fortaleza, se reitera en cada una de las demás virtudes relacionadas con la función de dirigir. No consideramos reiterativo hacerlo ver de nuevo de modo expreso, por la importancia que acarrea para la consideración de la humildad en el liderazgo.

Por ejemplo, en el caso del diagnóstico, que se refiere a la apreciación de las circunstancias que constituyen el punto de partida de mi acción directiva, no hay duda de que la objetividad se basa fundamentalmente en una dimensión externa: el objeto es lo que se encuentra fuera de mí. No obstante, la objetividad tiene un extremo claramente interno, pues para lograrse debo hacer un esfuerzo en mi interior a fin de acallar las voces de mis apetencias y deseos, que pudieran desfigurar mi desapasionada apreciación de las circunstancias.

Pero igualmente en este mismo caso del diagnóstico, no sólo debo calibrar la condición de mis circunstancias, sino la del yo en relación con ellas, esto es, requiero de la humildad que es a su vez el conocimiento objetivo de mi propio yo para valorar mis personales posibilidades o capacidades internas en relación con aquéllas circunstancias.

Sin embargo, ya hemos visto que la humildad no es tampoco cuestión con la que el yo se vale a sí mismo, sino al revés: no siendo nadie buen juez de su propia causa, la humildad, como apreciación verdadera de mi propio yo, requiere del juicio de individuos externos, que juzguen ellos, más que yo mismo, sobre el real alcance de mi capacidad, sea por carta de más, sea por carta de menos.

Por lo que se refiere a la *decisión*, parecería -y así ocurre realmente- que el peso más importante de esta virtud se encuentra en algo externo: la meta que decido alcanzar, y que la *magnanimidad* de ésta -con su clara dimensión exterior- nos coloca en un ámbito localizado ciertamente fuera del sujeto. Pero también hemos hecho ver que la magnanimidad no se mide en términos cuantitativos, sino con parámetros que se refieren a la profundidad de la persona, de tal manera que de poco valdrían las grandes metas materiales que pretendemos -y quizá debemos pretender- si al propio tiempo no logramos el desarrollo de las personas que concurren con nosotros en la consecución de las referidas metas. Incluso podemos decir sin temor a dudas que la materialidad de aquellas metas se hace más noble en la medida en que sirven -aun como pretexto- para que las personas que luchan por alcanzarlas se hacen más grandes en tanto que personas. Entre ellas ha de contarse el propio director, al mismo tiempo que sus dirigidos. Difícilmente ellos podrían ensanchar su dignidad de personas si su director no lo hace. También, pues, la magnanimidad, como ambición de metas grandes, tiene un claro punto subjetivo, ya que la meta magnánima se identifica con el propio que ejerce la labor directiva.

Pero la decisión, como ya sabemos, requiere de otra cualidad que llamamos audacia, la cual fue en su momento definida como el ímpetu directivo que acomete las acciones para lograr la meta decidida, después de un análisis de sus capacidades, destrezas, habilidades, recursos y posibilidades personales con vistas al alcance de aquellas metas, y para emprender las correspondientes acciones, aun a sabiendas de que esas notas personales suyas no son bastantes aún para el logro de las metas propuestas. Ante esta desigualdad entre mi propia capacidad personal y la meta hacia la que emprendo mi acción, asumo la confianza de que en el decurso de mis esfuerzos para aquel logro *ahora* desproporcionado, ampliaré -*estiraré*, dijimos- esas cualidades todavía insuficientes.

La audacia, pues, ha de considerarse dentro del ámbito interno del sujeto. Pero no del todo, porque, por la audacia, tendré que abrirme al exterior para que mi debilidad e insuficiencia sean complementadas por los atributos positivos de otros, en los que me apoyaré para llegar a donde quiero, constituyéndose así la primitiva y más genuina razón del trabajo en equipo.

El *mando*, por su parte, se vislumbra, en principio, como una función directiva que pertenece al ámbito externo del sujeto que manda, pues su autoridad se ejerce sobre otros hombres distintos de nosotros y pertenecientes por tanto a un ámbito externo. Pero tuvimos que dedicar pacientemente nuestro estudio antropológico y sociológico para establecer un estrecho vínculo, casi identidad, entre el mando que debo ejercer sobre otros hombres y el mando que debo ejercer sobre mí mismo como hombre también que soy.

El mando a los demás se encuentra condicionado por la posibilidad que tengo respecto del *dominio de mí mismo*. Esta vertiente interna del mando dejará su huella en todas las virtudes o capacidades que estudiamos como necesariamente consectarias a la eficacia del acto de mandar.

Esto ocurre con la confianza, a la que, a sabiendas, dedicamos una buena parte de nuestros análisis, al punto de que fue considerada para el trabajo dentro de la organización como una cualidad del dirigente de rango similar al de la humildad misma. La confianza se refiere aquí en su primer y más primigenio sentido: a la que el jefe ha de tener respecto de sus subalternos para que éstos reciban con aquiescencia y empeño las instrucciones, órdenes, sugerencias, consejos e indicaciones del que manda.

No obstante, la confianza en los demás –con su clara referencia al exterior del sujeto, pues el destinatario de mi confianza se encuentra fuera de mí–, implica también, como en el caso de las otras virtudes analizadas, una reversión sobre mí mismo, y ésta, con una característica especial que deseamos hacer notar de nuevo: *la confianza que tengo a los demás* –orden externo– *implica la desconfianza que me tengo a mí mismo* –orden interno.

En su momento consideramos, y vemos oportuno hacerlo de nuevo, que la confianza en las capacidades de los demás para alcanzar la meta y en el deseo volitivo de alcanzarla, resultaba necesaria, no sólo por su valía sino por mi necesidad de contar con ellos. Cierto es que podrían decaer en el impulso de voluntad para seguir queriendo la meta, pero el mismo fenómeno me puede acontecer a mí, y sería una injusticia –de nuevo el juez se identificaría con la parte– pensar que en su caso ese sospechado decaimiento de la voluntad podría ser más posible que en mi caso, dado que tan hombre -débil y voluble- soy yo como lo son ellos.

La confianza en los demás, con su clara dimensión hacia fuera, tiene, pues, también, un extremo interior en mí mismo, por el imperioso requerimiento que tengo de confiar en las personas que trabajan conmigo. La constancia y la fortaleza, los otros dos atributos necesarios para que el mando posea la eficacia que le es inherente, tienen a su vez -como en su momento se dijo- una indudable dimensión interna: la voluntad debe sobrepasar y trascender -ser fuerte- el temor ante los peligros y obstáculos que se le presentarán, y debe igualmente sobrepasar y trascender -ser fuerte- frente al cansancio que genera la *diuturnidad* inviscerada en la dinámica del logro de la meta.

——— o ———

Queda así clarificado que todas las cualidades que nosotros consideramos requisitos, o al menos apropiadas, para una función directiva profesionalmente bien ejercida, apelan a la propia persona del director, por más que todas, y algunas con más fuerza, cuenten con un vector que apunta diversos ámbitos externos del que dirige. Esta referencia inequívoca a la persona o modo de ser del directivo es uno de los factores que deben ser subrayados a la hora de querer mejorar la organización y a la hora de querer mejorar la dirección de ésta.

Como hemos tenido oportunidad de decir en más de una ocasión, el mejoramiento de las empresas no se encuentra tanto en *el modo de hacer la empresa* sino en el *modo de ser de su líder*. Dadas las complejidades que hoy día conlleva el emprender, complejidades que no señalan trazas de disminución, sino al contrario, podemos decir, sin sospecha de equivocación, que *el modo de ser del emprendedor* es insuficiente frente a los múltiples retos que le conciernen.

El reconocimiento de este hecho no ha de considerarse, por parte del director, como una mera aceptación intelectual. En la dinámica de su trabajo debe tener una conciencia vívida actualizada de que las dificultades que aparecen no requieren sólo un remedio en la organización misma, en sus estructuras, en el diseño de sus procesos, en la disposición y actitud de la gente... Cada una de las fallas que aparezcan en la función directiva son suyas, arrancan de él, y ahí deben tener su original transformación. Son las fuentes las que hay que limpiar, y no eliminar el lodo en las desembocaduras.

¿Cómo se aplica la corrección en el origen fontal de las fallas, que es el propio director? Reconocemos que la corrección no es fácil, precisamente porque se trata de la modificación en las notas constitutivas del comportamiento del director. Y ya hemos dejado ver que, en muchas ocasiones, y especialmente en ésta, la corrección de sí mismo resulta más trabajosa y ríspida que lograr la corrección de los demás. Pero, hecho este reconocimiento de nuestra parte, respecto de la transformación –la auto-transformación- del líder, el propio jefe *debe reconocer la necesidad de su corrección*, en lugar de ver la causa, motivo, ocasión, condición y disculpa de esas fallas y errores en aspectos externos a su propia persona.

Aquí se encuentra el punto neurálgico de la humildad del líder: no pensar que los males se hallan fuera de sí mismo (peor sería aún consolarse con el supuesto hecho de que se encuentran fuera de la organización) sino que debe hacer una labor introspectiva continuada sobre sí para arreglar las descomposturas personales (en el diagnóstico, en la decisión y en el mando) o descuidos internos. Esta retrospección e introversión, decimos, debe ser continuada. El líder ha de ser reflexivo, en este sentido preciso: no sólo debe ejercer las funciones directivas que institucionalmente le corresponden, sino que, al mismo tiempo, y paralelamente, debe observarse a sí mismo para tener conciencia de que las está ejerciendo como es debido o como en su momento se lo propuso.

Esta reflexión vigilante no es en modo alguno supererogatoria. Los hombres de la organización tienen todos a su alrededor personas que pueden indicarles las desviaciones inadvertidas que pudieran tener, a fin de que enderecen el rumbo. A medida que se asciende en los niveles jerárquicos las personas que pueden ayudarnos en ese sentido son propiamente más escasas. Por esta razón el peso de nuestra introspección reflexiva debe ser progresivamente mayor. El líder, repetimos, no solo dirige, sino que se auto-dirige. Quien tuviera en demérito esta exigencia reflexiva sobre la manera de ejercer la dirección, ha de pensar que tal actitud proviene de una supravaloración de sí mismo; vale decir, de su falta de humildad; o, más directamente, de su soberbia.

La reflexión de que hablamos (me pregunto: ¿cómo estoy dirigiendo?, en el momento mismo de dirigir) puede, a estas alturas de nuestro estudio, llevarse a cabo con orden y sistema, y no arbitraria y caóticamente. Se tendrá que revisar hasta qué grado el polo subjetivo y personal del que, como hemos visto, arrancan todas las virtudes necesarias para una misión directiva, está de principio bien orientado -bien dirigido-. Esto es, debe pensarse si cuidamos de que haya objetividad en el diagnóstico de las circunstancias y en el diagnóstico del yo de ellas; si hay magnanimidad y audacia en las decisiones; si se da la confianza, la fortaleza y la constancia en el ejercicio del mando...

Además de esta reflexión sobre el modo de ejercer las propias acciones, con el reconocimiento de que los errores parten de ellas antes que de cualquier otra causa; con el mínimo grado de humildad necesario deben allegarse personas que sean capaces (en el sentido intelectual y en el sentido volitivo) de corregirle en las fallas incurridas, tanto para reparar sus consecuencias como prevenir las acciones futuras. Es lógico pensar que estas personas deban elegirse preferentemente (aunque no quizá únicamente) entre los miembros del equipo del que, de manera primaria, es el líder.

Las correcciones a que me refiero (sean las que él pueda advertir por auto-reflexión, sean las que puedan ser observadas y comunicadas por sus colaboradores) se referirán a cualquier aspecto de la dirección (incluso a comportamientos personales que pudieran repercutir más o menos directamente en la efectividad de ésta). Sin embargo, deberían de tener preferencia para ser advertidos y rectificados aquellos casos más estrechamente referidos a las cualidades y fuerzas que hemos considerado arriba como principales o cardinales para el acto de dirigir, esto es, para ejercer el cargo del líder:

- Objetividad sobre las circunstancias.
- Objetividad sobre el yo (humildad).
- Magnanimidad sobre las metas.
- Audacia sobre los recursos o capacidades personales.
- Confianza en los hombres.
- Fortaleza ante las dificultades.
- Constancia frente a la *diuturnidad.*

Posteriormente haremos una observación acerca de una perspectiva especial que deben revestir estas reflexiones y correcciones.

La actitud que tome el líder sobre los errores y los aciertos que acontezcan en su organización constituye un punto central en su tarea directiva, por encontrarse íntimamente relacionada con la humildad y, en un segundo aspecto secuencial pero no menos importante, con la responsabilidad que le atañe respecto de esa misma organización que le ha sido encargada.

Hay una tendencia general en el hombre a *exculparse* en el sentido literal de la expresión: salirse de la culpa. Esto tiene mucho que ver, obviamente, con aquel enfermizo deseo de autoestima sobre el que hemos hablado arriba. En el acontecimiento de un suceso perjudicial, no deseado, vemos la causa del mismo en las circunstancias externas a mí, como un método inconsciente y común a fin de librarme de la culpa (exculparme) que pudiera yo tener en la producción de aquel fenómeno. Ello, no tanto frente a los demás sino –lo que es más grave– ante mí mismo. Busco razones para convencerme de que mi influencia en aquel acontecimiento ha sido, en el peor caso, irrelevante.

Sin embargo, esta primera exculpación, este primer modo de exculparse no suele resultar suficiente a muchos hombres. No les basta librarse de la culpa señalando genéricamente a circunstancias ajenas a mi actuación. Se da aquí una *personalización inversa*: siento la necesidad no ya de librarme yo de la culpa, sino de *echarle la culpa a otro*. La forma más clara de que no soy imputable de culpa es que el culpable es otra persona diversa de mí.

Lo contrario ocurre, curiosamente, con resultados beneficiosos tal vez inesperados o superiores. La *personificación* intenta hacerse aquí también, pero en sentido contrario. Ya no *echarme la culpa* sino *apropiarme el mérito* haciéndome ver a mí mismo (y a los demás, si cabe) mi relevante influencia en el resultado positivo, cuando son en realidad producto de determinadas acciones de la organización.

Elocuentemente decía Tácito, pese a su nombre, que tanto el éxito como la derrota son hijos ilegítimos: el éxito, porque tiene muchos padres; la derrota, por ser de padre desconocido. Dada la tendencia humana (no por constitución primaria del hombre, sino por motivos serios que no podemos dilucidar aquí) por la que queremos atribuirnos el ser causa de las acciones provechosas, mientras remitimos a los demás las perjudiciales, el líder en sentido propio se percata de que ese proceder es una de las formas más grandes de injusticia que en la organización puedan darse jamás. Se da en la justicia una equilibrada armonía de atribución-contribución, a la que ya hemos aludido en varias ocasiones, pero que conviene recordar aquí por su peso dentro del trabajo del líder y dentro de la humildad de ese trabajo. Debemos *atribuir* el fruto o el éxito de una acción (comporte o no un beneficio económico) a la persona que ha logrado *contribuir* decisivamente al éxito o fruto: que se atribuya a quien contribuya. Si alguno desea atribuirse determinados éxitos, debe contribuir a que se logren, en manera proporcional a sus aportaciones.

No se oculta que la ponderación de estas atribuciones y contribuciones es una de las tareas más difíciles que tiene a su cargo el directivo, pues debe hacer concordar lo intangible (la contribución personal al éxito) con lo intangible (la atribución personal del mérito); tarea, decimos, difícil porque si bien el resultado en *block* pudiera cuantificativamente medirse, lo correspondiente del total a cada uno pide una cuidadosa calibración. Pero, sobre todo, porque el mérito no es mensurable, ni aunque vaya aparejado a una remuneración económica.

Pues bien: afirmamos que es muy difícil que se viva la justicia práctica en las organizaciones si la atribución-contribución se distorsiona; y ello, especialmente, si la distinción se perpetra por la proclividad del jefe de atribuirse el mérito dando por supuesto que él ha contribuido decisivamente al éxito. En caso de error o distorsión, debería darse en dirección opuesta: vale más que el jefe pierda la parte de mérito que incluso realmente le correspondiese, con tal de que esa pérdida no recaiga sobre alguno o algunos de los colaboradores; de igual manera, es preferible que él se retraiga en la supuesta contribución al éxito, incluso por debajo de la realidad objetiva, no sea que la merma de la combinación pese sobre alguno de los colaboradores.

Nos parece estar en condiciones de decir que uno de los puntos más fuertes del líder es el de acertar de manera permanente en este rejuego de atribuciones y contribuciones. El hecho de que todas las habilidades o destrezas que se requieren para llevar a cabo la función directiva tengan por necesidad uno de sus extremos localizado en las personas del equipo, individualmente consideradas, nos obliga a no dejar lo anterior en puntos suspensivos o en puntos discordantes.

Esta consideración de que todas las virtudes funcionales de la dirección se encuentran siempre *personificadas* en los miembros del equipo y -para bien o para mal- sobre todo en su líder, es uno de los motivos principales por los que la actitud humilde de los miembros del equipo y sobre todo -para bien o para mal- de su líder, debe ser delicadamente conservada. Ya a lo largo de nuestro estudio se ha visto con frecuencia cuán difícil es vivir la justicia si no se vive la humildad, y, viceversa, viviendo la humildad -dándome a mí sólo lo que me corresponde- es prácticamente inevitable que se viva la justicia -dándoles lo que les corresponda a los demás.

Si el líder mantiene la propensión de disculparse de los fracasos y de atribuirse los logros, además de las injustas relaciones que ello mismo de suyo supone, habrá que anotarse otro resultado no voluntario, y de efectos aun peores. Por causa de aquel modo de proceder, le serán más notorios los defectos de sus colaboradores -y tratará de corregirlos subrayándolos- y menos aparentes sus buenas cualidades, pues tratará de minusvalorarlos. Se sabe que una de las altas cualidades de un buen jefe es la de apoyarse en las cualidades -actuales o virtuales- de sus colaboradores, en lugar de precaverse de sus defectos. *Produciría entonces la eliminación de los defectos mediante el desarrollo de sus cualidades.* Si esto no puede ser así, al menos tendrá la habilidad y manera requeridas para compensar -si no eliminar- los defectos gracias a las cualidades. Hemos de poseer lo que se llamaría una *antropología genérica optimista*, definida así: es más fácil ampliar las buenas cualidades de los demás, mediante la motivación y el estímulo, que reducir sus defectos por medio del castigo y el regaño.

La humildad, a su vez, desencadena el verdadero desarrollo de la persona, lo cual, aunque haya sido referido anteriormente, encuentra en este punto su explicación cabal. En efecto, *todos los resultados de las acciones* -en grande o pequeña parte- *tienen que ver conmigo*, pues de mí, por lo menos, arrancan. Los resultados no benéficos reclaman así el desarrollo de mi persona, pues hacen evidentes las cualidades requeridas para que los frutos del trabajo de la organización sean provechosos.

Este ser consciente de que el resultado de mis acciones depende, en primer y muchas veces en único lugar, de las capacidades de mi persona, debe transmitirse, primeramente por ejemplaridad, al resto del equipo en el que trabajo. Ya tenemos dicho que el sujeto propio del liderazgo no es sólo de su jefe, sino de sus subordinados, pues todos participan en esa tarea. En consecuencia, las potencialidades o virtudes que se requieren para desenvolver con amplitud las funciones de dirección les son también a ellos necesarias. Así como han de participar en la labor directiva del líder han de participar consonantemente en las virtudes que a éste, como tal, le conciernen.

Todos los integrantes, pues, de un grupo de trabajo, han de tener conciencia actual de auto-reflexionar sobre el estado de esas cualidades tantas veces mencionadas, que corresponden al buen hacer de la tarea de dirección (diagnóstico, decisión y mando). La autorreflexión y la auto-responsabilidad les harán asumir de manera consciente y permanente que tales resultados, en lo bueno y en lo malo, de modo más o menos directo, guardan una relación inesquivable con esas capacidades. En la medida en que no se encuentren personificadas, encarnadas vivencialmente en ellos, los logros que se pretenden presentarán deficiencias y huecos.

Como ya se dijo, será preciso, sí, modificar procesos y técnicas, pero ello resultará inútil si no se modifican para mejor las citadas potencialidades personales. A la autorreflexión sobre éstas debe añadirse, en la dinámica laboral, una consuetudinaria, autocorrección y después hetero-corrección.

Si tuviéramos que escoger alguna de las múltiples utilidades que proporciona el trabajo en equipo, elegiríamos sin duda ésta: el trabajo en equipo nos proporciona un conocimiento muy claro de las virtudes y defectos de nuestros compañeros en él. Cuanto más estrecha sea nuestra interrelación laboral, más evidentes se harán para mí esos defectos y esas deficiencias.

Aparecen de nuevo aquí rasgos basilares del carácter: hay quien tiene la inclinación a detenerse en los defectos con atrofia de la visión de las cualidades de los demás, y hay quien las condiciones radicales de su carácter le impulsan a hipertrofiar las cualidades de sus compañeros, minimizando sus defectos. Ambas tendencias son equivocadas, pero más la primera.

Ha de darse un equilibrio objetivo respecto de las cualidades y los defectos de los demás. El optimismo o el pesimismo que perturbarían ese equilibrio tienen mucho que ver con la simpatía o antipatía que nos producen las personas que gozan de esas cualidades o adolecen de los efectos; pero no nos extenderemos en esto, pues ya lo hicimos al hablar de la objetividad del diagnóstico.

El equipo, el verdadero equipo, lo es cuando no sólo se da el conocimiento, a veces involuntario, del modo de ser de sus integrantes, sino cuando se ponen medios o recursos para mejorar ese modo de ser. Esto no sólo conforma un equipo de verdad: constituye, además –como ya es sabido a la altura del presente estudio– la finalidad verdadera del equipo mismo. Ya lo dijimos: no sólo alcanzar los objetivos exteriores que nos proponemos, sino *pari passu* desarrollar las capacidades personales requeridas para alcanzarlos, de modo que no habría darse lo uno sin lo otro, y, en caso de alternativa, optar por lo segundo antes que por lo primero.

Logramos así reforzar lo que hemos llamado la personificación de las capacidades directivas. *Primero*, hemos de ser auto conscientes de esta personificación, *segundo* atribuirle a ella los resultados beneficiosos o perjudiciales de nuestras acciones; y *tercero*, ensanchar las capacidades de la que penden los resultados positivos de nuestra acción, y corregir las fallas encontradas en esas capacidades, de las que derivan los resultados negativos, o los aspectos negativos de ellos.

Estos tres importantes pasos de *personificación* han de trasminarse particularmente por ejemplaridad, y mediante un proceso de círculos concéntricos, al resto de la organización, iniciando lógicamente con aquellos que me son más próximos.

——— o ———

Respecto a la corrección de nuestros defectos, sea auto-corrección por mí mismo, sea hetero-corrección por parte de los que también integran conmigo el grupo de trabajo o la organización, advertimos páginas arriba que haríamos una observación acerca de una perspectiva especial que deben revestir la reflexión sobre nuestras cualidades y la corrección de nuestros defectos. Es el momento ahora de hacerla.

La *personificación* de las cualidades requeridas para ejercer una buena función directiva es un trabajo personal que debe llevar a cabo no sólo el líder, sino también aquellos que él dirige. Aquí, como en todas las relaciones humanas profundas, ha de darse una situación equitativa. La corrección, para que sea eficaz, ha de ser mutua.[173] No hay duda de que los compañeros de un equipo deben ayudarse mutuamente. En especial, debe estar claro en ellos que el señalamiento de los defectos personales, consecuentes en acciones poco eficaces, no es menester u oficio encargado de modo principal a uno de los integrantes del grupo, por mucha destreza y acierto que posea para ello, sino tarea *ex aequo* por parte de todos.

No se trata de que exista una posibilidad o derecho vindicativo: si ellos pueden corregir mis defectos, tengo derecho de corregir a los suyos. Se trata, simplemente, de una *ayuda mutua*. Sólo viendo la corrección –amistosa, amable, bien intencionada, ponderada, oportuna, discreta- como un instrumento de desarrollo real para el destinatario de la corrección, puede entenderse que la corrección –liberada de su social carga negativa- pueda vislumbrarse como una verdadera ayuda, la cual quedaría trunca, o al menos constreñida a su mitad, si no fuera precisamente mutua. Tendríamos ante ella una expresión parecida a la que analizamos líneas arriba, aunque ahora puesta al revés: si ellos tienen la ventaja de que yo pueda ayudarles a enderezar importantes perfiles de su persona, no debería verme privado de una ventaja análoga, pudiendo yo ser ayudado por ellos en la corrección de determinadas líneas disonantes de mi perfil característico.

Pero esta mutualidad debe asentarse de manera especial en la figura del jefe. Existe en nuestra cultura la idea generalizada –y falsa- de que al jefe le corresponde corregir a sus subordinados, con el

[173] En C. Llano, *La amistad en la empresa* hemos dedicado un capítulo para describir las cauciones a tomar en esta mutualidad de las advertencias sobre comportamientos de los colegas.

objeto de que no se desvíen del camino conveniente para allegarse a la meta decidida. El líder, se dice, tiene la visión panorámica del escenario, el conocimiento del interior de las personas, y la autoridad para que sus prescripciones resulten efectivas. Como todos los hombres, a fuer de tales, estamos naturalmente dotados de un espacio de autonomía, el líder ha de aprovechar ese espacio para que, por nosotros mismos, usemos la autonomía susodicha en concurrencia con la meta, lejos de discurrir, consciente o no conscientemente, por vías mal encaminadas.

A tal punto esto es cierto que, en el rejuego del trabajo conjunto con vistas a una meta, y la libertad autónoma del que trabaja, con su falibilidad consectaria, se dice que la acción es correcta porque deben ser una y otra vez co-regida, pues no debemos guardar expectativas de excesivo optimismo sobre el camino libre humano recto, y es preferible por ello aludir a un camino libre humano correcto, esto es, corregido, porque es muy extraño llegar al punto previsto sin esa reflexión (¿voy a donde quiero?) y esa corrección (¿no sería bueno rectificar el rumbo?) de la que hemos hablado.

No obstante, lo mismo que se dice del subordinado, que requiere la corrección del jefe, ha de decirse *con mayor razón* del jefe, que ha de ser corregido por sus subalternos. Este *con mayor razón* es lo que podemos llamar *contra cultural* y *contra intuitivo* en el momento contemporáneo, y debemos justificarlo apelando nosotros a algo que fundamente el *con mayor razón* que acaba de afirmarse.

a) Conseguir la buena conducta del jefe es *más necesario* que hacerlo con la del subordinado, ya que al jefe le atañen más responsabilidades, y por tanto las consecuencias de sus actos alcanzan un radio de mayor extensión. Este motivo deberá hacérsele expreso al jefe cuando se le anima al cambio de su comportamiento, poniéndole delante de los ojos, aunque ello ya fuera sabido, la profundidad de los trastornos que ha provocado, y, por encima de esto, los que seguirá provocando de reiterarlo en el futuro.

b) Corregir la conducta del jefe es *más posible*, ya que el puesto de mando hace la función de una lente de aumento psicológico. Al estar en la cabeza, sus deficiencias se hacen más notables. Esto es particularmente cierto en aquellos jefes que buscan el personalismo, y se colocan en un necesario lugar de preponderancia. Pero si no fuera de este modo, también el jefe modesto y discreto, por ser jefe, se encuentra, aún sin quererlo, a la vista de todos, y es más fácil detectar sus defectos, como es también más fácil conocer sus virtudes, punto positivo en el que se cimienta lo que hemos llamado arriba ejemplaridad.[174] Esto se puede también ver con nitidez desde una óptica meramente cuantitativa respecto de las correcciones que el director puede y debe hacer a sus dirigidos: los observadores del jefe son más numerosos. El jefe, en cambio, al observar la conducta de sus subordinados es uno solo, mientras que los observados son varios.

c) Corregir la conducta del jefe es más importante para el grupo, porque, como ya se dijo,[175] el liderazgo conlleva la ejemplaridad, en el entendido de que los hechos -el comportamiento, la conducta- son más fuertes que las palabras. El ejemplo consecuente del jefe no depende de la voluntad del jefe. *El jefe irradia ejemplo, aunque no lo quiera.* Esto es verdad para cada uno de los miembros del grupo respecto de los demás, y viceversa, pero por razones que son ya para nosotros obvias, es más fuerte en el caso específico y particular del jefe. Sin embargo, sería un error, derivado de un equivocado uso del lenguaje, pensar que el ejemplo del jefe es siempre bueno. Los jefes malos, o los malos jefes, dan también inexorablemente un mal ejemplo. Esto, no ya mal ejemplo del modo de ser jefe. Como estamos diciendo precisamente que la dirección arranca de las cualidades de

---

[174] Cfr. *Supra* I, 13: *El ejemplo.*
[175] Cfr. *Supra* I, 13: *El ejemplo.*

la persona del director -y a ello hemos dedicado todo el presente capítulo- el mal ejemplo como director se transforma en mal ejemplo como persona, lo cual se trasmina a los subordinados como personas que son, aunque no sean jefes ni lleguen a serlo.

En estos tres motivos -necesidad, posibilidad e importancia- nos apoyamos para asentar -contracultural y contra colectivamente- que la corrección del jefe en un equipo de trabajo debe hacérsele *con mayor razón* que la que se da por parte del jefe a los subordinados. Y es aquí donde debemos consignar la observación prometida. Existe un modo de analizar, incluso cuantitativamente, la calidad del jefe como tal. Sabemos que esta manera no ha sido advertida en los estudios sobre dirección y liderazgo, y es por ello para nosotros más apremiante dejarla aquí asentada.

Haciendo uso de su reflexión sobre el modo de ser jefe, éste debe tener presente las correcciones que le hacen sus subordinados. Debe tener presente y hacer presente esas correcciones, corrigiéndose conforme a las observaciones razonables que se le hagan. En esta reflexión es muy recomendable que se percate acerca de si hay uno *quid pro quo* en las correcciones mutuas. En aquellos momentos, temporadas, periodos, de auto examen, en el que analice interiormente su trabajo como jefe, debe *advertir si las correcciones que hace a sus subordinados son más numerosas que las que los subordinados le hacen a él.*

Si tal fuera el caso, si hubiera un flujo más abundante de las acciones correctivas de arriba para abajo, es decir, del director a los dirigidos, que el producido de abajo para arriba, es decir, de los dirigidos al director, ello indicaría inequívocamente que hay en el grupo una precaria participación. Para decirlo con el plano inclinado de Tannenbaum[176] el poder o la autoridad prevalecerían sobre la participación. En efecto, la participación más importante que se da en el

---

[176] Cfr. *Supra* I, 16.1, *Participación del y en el equipo.*

dinamismo de un equipo de trabajo no apunta sólo a la definición de la meta (los subordinados dan su opinión -escuchada- sobre el objetivo a que se debe aspirar) ni a la coordinación de las acciones que han de hacerse para llegar hasta ella. La participación decisiva y difícil, pero inexcusable, es aquélla en la cual los subordinados manifiestan sus convicciones acerca del modo de comportamiento del jefe. No se diga que estamos proponiendo una utopía imposible de realizar. Lo que en verdad resulta una utopía irrealizable es el *pensar que contamos con un equipo en el que quienes lo integran son incapaces de decirle al jefe el modo de ser y de actuar que esperan de él.* Si el equipo laboral no sirve para ello, se viene abajo.

Las causas por las que nos atrevemos a propuestas contemporáneamente tan audaces, se encuentran ya expresadas arriba, y suponemos que aceptadas por el lector, al grado de haber perseverado en la lectura de la obra hasta el álgido punto en que ahora nos encontramos. Me refiero a la *confianza*, extensamente pormenorizada en este libro.[177] Dijimos ahí que la confianza es el clima imprescindible para trabajar conjuntamente, ya que lo era, más aún, para poder contar con una sociedad. Sin confianza no hay sociedad posible.

Ahora bien: la prueba de la confianza es aquella en la que los dirigidos manifiestan sin temor cómo quieren que se les dirija. No nos referimos -obsérvese- a un modo de mando democrático igual a ése al que hoy muchos tautológicamente aspiran: entienden la democracia como un sistema social en el que los gobernados le dicen al gobernante qué es lo que debe ordenarles en su tarea de gobierno. Mediante esta tautología se llega -sabemos- al anarquismo -sistema sin autoridad- según el cual la sociedad, eliminando el estorbo intermedio de un gobierno, pretende ilusoriamente gobernarse a sí misma.

---

[177] Cfr. *Supra* II, 4.1: *Confianza.*

Nos estamos refiriendo a algo diverso, aunque con mayor hondura y dificultad. Aquí, gracias a la dinámica de confianza establecida entre el director y los subordinados, éstos expresan no *lo que* debe ser ordenado, sino *la manera como* el jefe debe comportarse. No se trata tampoco de mera democracia por una segunda razón: el jefe debe escuchar a sus subordinados, en el sentido pleno del verbo,[178] teniendo en cuenta ya que escuchar, y escuchar profundamente, no coincide con aceptar. El director puede tener buenas razones para no aceptar las propuestas que, sobre sí mismo, le están haciendo sus colaboradores y el clima -de confianza precisamente- existente en el equipo hace que se sopesen las razones de unos y de otros, quedando a salvo el peso de la autoridad, que seguirá siendo por ello mismo *autoridad y no poder.* Las consideraciones anteriores nos permiten ratificar el modo de medir el flujo de la autoridad (de arriba para abajo o de abajo para arriba).

——— o ———

No perdamos el hilo de nuestras disquisiciones. Hemos dicho que todas las virtudes requeridas para el eficiente ejercicio de la función directiva tienen un polo interno, ya que se encuentran personificadas en el individuo que ejerce esa función, o ausentes de él. Ello nos lleva a concluir que nuestros esfuerzos para mejorar esa función nos remiten a nuestra persona misma, que es la que en verdad debe mejorar, mediante las dos únicas maneras que se conocen: la autoreflexión sobre nuestro modo de actuar, y la autocorrección de aquellos modos que observemos como disfuncionales.

Pero tanto el examen sobre el modo propio de actuar como la corrección de los modos equivocados de hacerlo, es algo que deben ejercer con nosotros el resto de los miembros de nuestro equipo de trabajo, y es la *tarea sustancial*, precisamente, *de un equipo de trabajo: procurar el desarrollo del jefe*, para que su liderazgo se perfeccione, vaya más allá y sea el equipo entero el que mejore.

---

[178] Cfr. *Supra* I, 17. *Saber escuchar.*

Este desarrollo, no obstante, lejos de seguir la línea única de la colaboración de los componentes del equipo hacia el jefe, debe verse en dos sentidos complementarios y colaterales.

a) La procuración del jefe por el desarrollo de sus subordinados.

b) La procuración de todos los integrantes del equipo para el desarrollo del propio equipo. Esto quedó ya consignado arriba,[179] pero encontramos ahora la razón de lo entonces dicho: las capacidades directivas arrancan de las personas, no se sobreponen postizamente a ellas, y de ahí que las personas sean los verdaderos sujetos de ese requerido desarrollo.

La dinámica interactiva de un equipo debe por tanto verse así: un grupo de trabajo en el que, en la prosecución de la meta, cada uno de los componentes observa -no investiga, ni escruta, ni estudia- los modos de actuar de sus compañeros, y les hace de modo prudente, amistoso y animoso, las correcciones que se requieran, en el entendimiento de que él mismo será a su vez destinatario de las correcciones de sus compañeros, de los que conocerá también las cualidades y aciertos en que haya sobresalido.[180]

6. La dimensión externa e interna de las capacidades directivas

Venimos diciendo que todas las virtudes, potencialidades y capacidades tienen un polo extremo referido a mí mismo como líder: soy yo el que debe perfeccionarse subjetivamente si deseo que se perfeccionen las actividades de la organización; pero tienen igualmente un polo externo referido a mis subordinados o colegas.

[179] Cfr. *Supra* I, 16.5 *Trabajo en equipo y desarrollo.*
[180] En *La amistad en la empresa* (Cap. XII: *La ayuda al amigo*) se hace un extenso análisis acerca de cómo corregir a otro.

Nos corresponde ahora deslindar de una manera más precisa cuáles son aquellas virtudes que hacen una referencia directa más a mí mismo y cuáles las que la hacen más a las personas que trabajan conmigo. Se trata de un análisis difícil, porque no debemos nunca perder de vista que las cualidades que poseen una dimensión interna, tienen también -y por eso son cualidades directivas- una repercusión externa, en las personas que conmigo trabajan. También ellas han de personificar en sí mismas esas cualidades supuestamente personificadas en mí.

Al mismo tiempo, aquellas cualidades que se refieren al trabajo de los demás –es decir, que poseen una dimensión prevalentemente externa- han de partir también de mí mismo, esto es, debo poseerlas yo de alguna manera, y manera importante, aunque aquí las consideremos ahora en su dimensión externa a mí mismo.

Pensamos que hay tres cualidades de la actividad directiva que se refieren más a aspectos de la realidad que me son *externos*, con las salvedades dichas. Nos referimos a la *objetividad* en el diagnóstico, a la *magnanimidad* en la decisión y a la *confianza* en el mando. No hay duda de que la *objetividad* es un aspecto de la acción directiva que arranca plenamente de mí. Ya lo hemos hecho ver:[181] el hombre debe dar un paso atrás, ponerse en la sombra, asumir la actitud del espectador y no del protagonista, en el momento de definir cuáles son las circunstancias o hechos de más relieve que conforman la situación en la que se encuentra, la cual será el punto de arranque o de partida para sus subsecuentes acciones directivas.

Pero esta exigencia interna de la objetividad viene requerida precisamente porque las circunstancias a analizar son externas, y no debo desfigurarlas con mi subjetividad. Los hechos y circunstancias que conforman la situación a diagnosticar tienen una dimensión ex-

[181] Cfr. *Supra* II, 2, 1: *Las circunstancias del yo.*

terna, y hacia ella debe volcarse la objetividad. Dicho de otro modo, aunque sea reiterativo: la objetividad consiste en analizar las circunstancias que me rodean como algo que es externo a mí, y que tienen una realidad independientemente de mis deseos o apetencias. Por eso yo mismo he de ponerme entre paréntesis.

Por su parte, la *magnanimidad* apunta directamente a la meta que decido alcanzar. Tampoco aquí cabe duda de que el apetito de cosas grandes tiene un tinte claramente personal y personificado: soy yo el que aspira a lo magnánimo. Por ello no impide que la meta magnánima se encuentre fuera de mí. Más aún, precisamente porque no la poseo, o porque no me encuentro en ella, es por lo que aspiro a lograrla. La decisión de la meta magnánima vierte o vuelca al director hacia fuera (y hacia arriba), hacia la meta. Por esta causa su decisión tiene un nervio claramente externo.

Finalmente, el mando requiere la *confianza* en las personas sobre las que tengo autoridad. Es cierto, también en este punto, que la confianza tributada a mis colaboradores depende en buena parte de la confianza en mí mismo... y, paradójicamente, de la desconfianza en mí mismo también. Si yo pensase que mis actuaciones son plenamente confiables, al grado de que no cabe en mí la suposición del error, salvo en rarísimas excepciones, ello traería como contrapeso la desconfianza en los demás... precisamente por no ser como yo.

Pero la confianza, en cuanto atributo del mando, tiene, como quiera que sea, una vertiente claramente externa. Son los demás los que han de ser dignos de mi confianza, y si, por alguna razón, dejan de serlo, he de aplicar mis esfuerzos de líder para que nuevamente lo sean, levantándose de sus decaimientos como yo debo hacerlo igualmente de los míos.

——— o ———

Paralelamente, debemos analizar aquellas cualidades cuya impronta interna y personal resulta más marcada, y es por ello por lo que requieren de mí una más cuidadosa atención, la cual tendrá lugar en el grado de que yo tenga la humildad de reconocer precisamente esto:

que hay cuatro virtudes de cuya deficiencia soy yo el único causante, o al menos el causante principal.

Nuestra hipótesis es que la *humildad* en el *diagnóstico* del yo. La *audacia* en la decisión, y la *constancia* y la *fortaleza* en el mando, hacen una clara referencia y alusión a mi modo de ser personal. Reconocerlo -repetimos- es uno de los factores básicos de la actitud humilde del jefe.

Ello se encuentra claro, sin dudarlo, en el caso de *la humildad*, que consiste, como ya dijimos, en el *conocimiento objetivo de mis propias aptitudes*, a fin de poder definir la decisión de las metas a las que puedo aspirar. Dichas metas están fuera de mí (dimensión externa) pero las capacidades para alcanzarlas son claramente subjetivas y personales (de ahí la prevalencia de la dimensión interna en la humildad).

Hemos de reconocer que mi aptitud o potencialidad personales han de completarse con la aptitud o potencialidad del resto de las personas que trabajan conmigo, lo cual es la razón de ser del equipo. Pero también hemos de reconocer que, como quiera que sea, yo debo de tener la aptitud o potencialidad de inspirar, alentar y ayudar a los demás para que ellos posean también las cualidades requeridas.

También la *audacia en la decisión* tiene una obvia *dimensión interna*, más notable que las otras cualidades que fueron adscritas bajo su dimensión externa. Dada la magnanimidad de la meta y la humildad de mis capacidades, debo tener el arrojo y valentía de empeñarme en el logro de esa grande finalidad a la que aspiro, con la expectativa de que esas cualidades, incipientemente precarias, dada la altitud de la meta, se irán ensanchando mediante el esfuerzo para lograr lo pretendido. Este riesgo de apostar a ser en el futuro lo que reconozco que aún no soy en el presente es una de las cualidades distintivas del *manager*, y algo también enteramente interno. Si no se da la audacia, la meta corre el riesgo de no ser magnánima, o yo mismo me descalifico como aspirante a ella.

Por lo que ser refiere al *mando*, y a la *fortaleza* y *constancia* que requiere, se señala también por su dimensión interna. Se repite aquí de nuevo el hecho de que la *fortaleza* parece tener un destino externo, pues se trata de empujar o arrastrar con fuerza a cada uno de los integrantes del equipo -dimensión externa- para que superen los obstáculos que se nos presentarán en el logro de nuestros fines: obstáculos que serán más grandes en la medida en que los fines lo sean.

Pero el sesgo que hemos dado a la fortaleza en el presente estudio[182] se refiere más bien no tanto a las dificultades externas que puedan encontrar los demás, ni siquiera a aquéllas con las que me pueda encontrar yo mismo. Se refieren de manera principal a una orientación que no suele hallarse expresa en los estudios de liderazgo: la fortaleza que yo mismo necesito para vencer el miedo ante los peligros y la sensación de impotencia ante los muros que -previstos o no- encuentre en el camino. La fortaleza es, por tanto, un hábito de la voluntad (lo más íntimo que se da en mí mismo) mediante el cual venzo las tendencias sensitivas de temor al peligro (ante el que me escapo) o el desánimo ante el obstáculo (ante el que decaigo, muchas veces con sofisticadas y complejas formas de disimulada evasión o huida).

Lo propio debemos decir de la *constancia*, cualidad humana que el líder requiere -quizá más que ninguna otra- ante la duración del camino consecutivo de la meta, ante la reiteración de las dificultades, ante la repetición de las operaciones, ante la rutina de mi acción, que se prolongan más de lo anteriormente previsto, fenómeno que hemos resumido con el término latino *diuturnitas*.

Cierto es que la constancia debe sembrarse también en mis compañeros de trabajo. Pero la mejor manera de conseguirlo, la única manera de lograrlo, es tenerla ya sembrada y floreciente en mi propio terreno. El desánimo es más contagioso, por desventura, que el contagio del ánimo.

——— o ———

[182] Cfr. *Supra* II, 4.2.

Podemos resumir sucintamente la ubicación de las capacidades que la función directiva nos exige, teniendo en cuenta la actividad de la dirección a la que se refieren (el diagnóstico de la situación, la decisión de la meta y el mando del ejercicio) y teniendo en cuenta la mayor o menor referencia a la persona que lleva a cabo esa actividad (dimensión externa y dimensión interna) de la siguiente manera.

Actividad	**Dimensión externa**	**Dimensión interna**
Diagnóstico	Objetividad	Humildad
Decisión	Magnanimidad	Audacia
Mando	Confianza	Constancia Fortaleza

La experiencia nos dice que, entre los líderes, se dan aquellos que se encuentran más vertidos al exterior y volcados hacia fuera, y destacan de manera especial en las posibilidades personales que hemos calificado dentro del rubro denominado *dimensión externa*. El hombre objetivo suele serlo también magnánimo y confiado en sí mismo y en los demás. En cambio, presenta frecuentemente debilidades en su humildad, audacia, constancia y fortaleza.

Al mismo tiempo, hemos notado personas que adquieren su habilidad directiva concentrándose en sí misma, y a partir de esa intensa concentración, expandirse al exterior. El humilde suele ser audaz (no le importa equivocarse en sus riesgos), constante y fuerte...

Cuando hablamos de la humildad en el liderazgo nos referimos en primer lugar a estas cualidades que inhieren de manera principal en el sujeto que manda, de las cuales dependen las demás. Precisamente porque cada cualidad directiva tiene su polo interno y su foco externo, la humildad tiene gran impacto en la objetividad, la magnanimidad y la confianza.

Esto debe ser tenido muy en cuenta a la hora de integrar los equipos de trabajo. No debemos entusiasmarnos sólo con las virtudes pertenecientes a los individuos de dimensión preferentemente externa, que resultan más atractivas a los hombres de acción. Debemos también complementar los grupos de trabajo con personas que se califican por su concentración interna, tal vez menos atractiva y aparente, pero que guardan un motor interno capaz de desencadenar un *big-bang* que trasciende a las cualidades de dimensión externa.

Vistas estas capacidades de modo transversal, el resultado es semejante: hemos de configurar a los hombres de mando y de decisión, con las personas, quizá menos brillantes, pero perspicaces para el diagnóstico de situaciones complejas. Y no debemos sólo dejarnos atraer por llamativos hombres de decisión, pero que pueden ser flácidos e inconstantes en el mando.

7 Conclusión

Nuestro estudio sobre la incidencia de la humildad en el liderazgo nos ha permitido descubrir que, junto con ella, hay otros tres pilares más que, gracias a la humildad misma, hacen que la acción directiva se asiente como plataforma sólida sobre cuatro pilares destacados a ojos vista en la presente obra, pero que no deseamos, aunque resulten obvios, dejar de expresar en este momento de nuestra conclusión. El liderazgo se asienta con firmeza *en la humildad, la participación, el desarrollo y la confianza.*

Esta obra se terminó de imprimir en septiembre de 2010
en **Tinta, Letra, Libro, S.A. de C.V.,** Vicente
Guerrero, No. 38, San Antonio Zomeyucan
Naucalpan, 53750, Edo. de México
y encuadernado por **Sevilla
Editores, S.A. de C.V.**